이찬승 영어 회화
KNOW HOW Series

이런동작
저런행동
영어론 어떻게 말하지?

행동표현사전

🔷능률영어사

제작에 참여한 사람들

저자 · 이찬승

스탭 · 고명희, 오병희, 이소연, 임수진, 류화정

영문교열 · 김린, Thomas Field, David 김, Eric 김

전산편집 · 전제연, 장성희

표지 및 내지디자인 · 한주형

삽화 · 정수연, 방호연, 이주영, 강인경

PREFACE

우리나라에 살면서 영어를 외국어로 배우는 사람들을 위한 신개념 생활영어 교재 시리즈를 기획하여 그 첫 권 –'한국인이 꼭 알아야 할 회화구문 140'이 나온 지도 이제 1년이 되어간다. 우리말을 담아낼 영어의 필수구문을 드릴할 수 있는 이 책에 그동안 독자들이 보여준 호응에 감사드리며, 이에 힘 입어 이제 신개념 생활영어 교재 시리즈 그 두번째 권 – '이런 동작 서런 행동 영어론 어떻게 말하지?'를 내놓는다.

이 책 역시 본 시리즈의 특징인 <우리말 → 영어> 순서로 구성되어 있어 효과적인 생활영어 교재가 될 것이다. 그러나 무엇보다도 이 책의 가장 큰 특징은 그림으로 익히는 '행동표현사전' 이라는 것이다. '행동표현사전'은 그 용어 자체가 다소 생소하게 들릴 수도 있을 것이다. 하지만 독자들 중에는 많은 단어를 알고 있는데도 막상 외국인과 대화하려면 그 상황에서 아주 흔히 일어나는 구체적인 동작을 어떻게 표현해야할지 몰라 쩔쩔매 본 경험이 있는 사람도 상당수 있을 것이다. 또 당장 외국인을 만나야 하는데 그 상황에서 필요한 표현들을 곧바로 찾아 볼 수 있도록 사전 기능까지 갖춘 책이 있으면 정말 유용하고 편리하리란 생각을 하게 되었다. 바로 이 점에 착안하여 이 책은 자주 듣거나 쓰이는 1000여개의 구체적인 동작 표현을 뽑아 그것을 상황별로 정리하고 관련 미국문화까지 해설해 놓았다. 또 삽화라는 시각매체를 통해 흥미를 유발시키고 이해와 연상효과를 통해 학습효과를 높게 하였다. 각각의 상황에서 나올 수 있는 거의 모든 동작에 대한 표현을 다루기 때문에 실생활에 곧바로 활용할 수 있고, 또 옆 친구와의 대화를 그대로 옮겨놓은 것처럼 생생한 대화문 속에서 표현을 공부하기 때문에 실아있는 회화를 가능하게 할 것이다. 단어가 독해의 생명이라면 표현은 회화의 생명이라고 감히 말하고 싶다.

끝으로 이 책이 나오기까지 밤낮없이 아낌없는 노력과 정성을 쏟아준 능률영어사 연구개발부의 고명희, 오병희, 이소연, 임수진, 류화정 씨께 진심으로 감사를 드린다. 그리고 생생한 대화문 작성과 영문교열을 해준 김린, Thomas Field, David 김, Eric 김 씨께 심심한 감사를 드린다.

저자

1. 그림으로 익히는 행동표현사전

1000여개가 넘는 재미있는 삽화를 통하여 학습자의 이해와 흥미를 유발시키고 연상효과까지 꾀해 학습의 효율을 극대화하였다. 인간의 두뇌는 좌뇌와 우뇌로 되어 있어 각기 담당하는 분야가 다르다. 암기, 분석 등의 논리적인 일을 하면 좌뇌의 활동이 활발해지고 음악을 듣는다거나 그림을 그리는 것과 같이 감성적인 일을 하면 우뇌의 활동이 활발해진다고 한다. 따라서 단어를 외우는 데 있어서도 단어와 그림을 함께 연관시켜서 외우게 되면 좌뇌와 우뇌의 활동이 동시에 활발해져서 암기효과가 배가되는 것이다. 이런 이론에 입각하여

이 책은 재미있는 삽화를 보고 이해와 흥미가 유발되어 표현이 자연스럽게 암기될 수 있도록 기획된 최초의 "그림으로 이해하는 행동표현사전"이다.

표제어마다 삽화를 실어 학습자들이 그림을 보고 표현을 한눈에 이해하고 자연스런 연상을 통해 오래도록 기억할 수 있게 하였다.

2. 말문을 쉽게 여는 1000여개의 행동표현

표현은 하나의 상황을 만들기 때문에 쉽게 외워지고 잘 잊혀지지 않는다. 어휘가 독해의 생명이라면 표현은 회화의 생명이다. 많은 단어를 알고 있는데도 막상 외국인과 대화하려면 단어만 입 안에서 맴돌고 그 단어가 제대로 된 하나의 표현이 되어 나오지 못해 애먹었던 학습자라면 이 말에 동의할 것이다. 단어만으로는 대화다운 대화를 할 수가 없다. 또, 학습자들 중에는 시중에 나와 있는 영어회화 교재로 공부했는데도 외국인과 만났을 때 간단한 토막말밖에 하지 못해 난처했던 경험이

있는 사람도 상당수 있을 것이다. 대부분의 회화책에 늘 등장하는 상투적인 회화, 예를 들어 자기 소개라든지, 인사, 날씨에 대한 응답 등 회화책에서 암기했던 이런 표현을 다 쓰고 나면 더 이상 대화를 계속 할 수가 없는 것이다. 사실 본격적인 대화는 그 다음부터인데도 말이다. 이 원인은 무엇일까? 그것은 바로 기존의 회화교재들이 실생활에서 흔히 일어나는 갖가지 구체적인

행동표현을 다루지 못하고 전형적인 상황에서의 상투적이고 진부한 내용 일색인 데 그 원인이 있다. 이렇게 전형적인 짧은 한두 마디 하고 나면 더 이상 대화를 이끌어 나가기 힘들어 고민하던 학습자들을 위해 바로 이 책은 만들어졌다.

일상생활에서 늘 쓰이는 갖가지 행동과 구체적인 동작, 1000여개의 표현을 뽑아 활동공간을 중심으로, 각종활동을 중심으로, 각종행사를 중심으로, 여가활동을 중심으로, 신체활동을 중심으로… 등등 큰 범위로 나누어 그 안에 각각의 주제를 두고 그 41개의 주제를 또 184개의 갖가지 상황으로 나누어 그 상황 자체가 메모리키 역할을 하도록 했기 때문에 암기효과가 뛰어날 뿐만 아니라 필요할 때마다 찾아보기 쉽게 써 놓았다.

3. "Real Life"에 바로 써먹을 수 있는 대화문

영어공부의 주요 목적은 외국인과의 원활한 의사소통에 있다. 우리나라에 살면서 영어를 외국어로 배우는 학습자들이라면 누구나 한번쯤은 외국인과 대화할 때 실제 회화에서는 전혀 쓰이지 않는 Broken English를 구사한다거나 영어실력이 모자라 대화가 매끄럽게 이어지지 못한 경험을 수없이 겪었을 것이다. 이것은 기존의 회화교재에서 다루는 예문이나 대화문이 충분히 실용적이지 못한 데 그 원인이 있다. 외국인과 대화할 때는 대부분의 회화책에 나오는 전형적이고 상투적인 표현이 아닌 일상생활에서 늘 일어나는 구체적이고 생생한 내용의 간결한 표현이 필요한 것이다. 바로 이런 점을 고려하여 이 책은 외국인끼리 대화할 때처럼 간결하고 구어적인 문체를 사용했고 다루고 있는 내용도 우리의 삶에서 흔히 일어나는 구체적이고 일상적인 것들이라 외국인과 만났을 때 서로의 삶에 대한 이야기의 교류, 즉 진정한 대화를 가능하게 해 줄 것이다. 이렇듯 생생한 대화문 속에서 표현을 공부함으로써 살아있는 생활영어를 맛보게 하고 더 나아가 <우리말 → 영어>의 순서이기 때문에 말하기 연습까지 가능하게 함으로써 행동사전기능 뿐만 아니라 본격적인 회화책의 기능도 한다.

4. 미국문화, 미국생활, Tips! Tips!

영어회화가 잘 안되는 이유는 앞서 얘기한 것들 외에도 여러가지가 있겠지만 문화나 발상의 차이 때문에, 또 한국어로는 똑같은데 영어로는 그 쓰임이 각각 다른 어법(Usage)의 차이 때문에 의사소통이 안 되는 경우도 있다. 본 교재의 Tips 코너는 이런 점을 감안하여 그때그때마다 각 주제에 해당되는 미국생활 정보를 사진과 함께 줌으로써 미국문화에 대한 이해를 넓힌다든지, 그 장에서 다루어지는 행동표현 중 특히 어법(Usage)에 유의해야 할 표현을 구체적인 용례와 함께 미묘한 차이를 제시한다든지 함으로써 살아있는 회화를 가능하게 하는 데 짭짤한 도움이 되게 하였다. 미국생활정보와 어휘정보 등 알짜배기 정보로 가득한 Tips는 학습자들이 영어를 제대로 사용할 수 있도록 실질적인 도움을 줄 것이다.

5. 바로 이런 분들에게 꼭 필요한 책!

1. 생활속의 갖가지 행동을 영어로 어떻게 표현하는지 아직 모르는 분

회화가 매끄럽게 이어지지 못하는 데는 여러 가지 이유가 있지만 그 중 가장 중요한 것은 말하고자 하는 우리말에 해당되는 영어표현을 모르기 때문이다. 실제 외국인과 대화를 하다보면 그동안 학교나 일반 회화교재에서는 배우지 못했던 어구나 표현들이 필요한 경우가 많다. 특히 한국에서 교재를 통해 영어를 외국어로 배우는 사람들은 생활 속의 갖가지 기본적인 행동이나 동작을 영어로 표현하는 데 매우 약하다. 바로 이 교재는 이런 부분을 해결해 주기 위해 만들어진 교재다.

2. 의사소통은 어느 정도 되지만 갖가지 행동표현을 정확히 모르는 분

영어회화를 오랫동안 해서 웬만큼 의사소통은 할 수 있지만 자신이 쓰고 있는 표현이 얼마나 정확한지 모르는 경우도 많다. 가령 「샤워를 하다」란 말은 우리말에 이끌려 누구나

'do a shower'라고 하기 쉽다. 원어민들 처럼 순간적으로 'take a shower'란 말이 잘 안나오는 것이다. 중고급 수준의 실력자라도 이 교재는 그 동안 확신을 갖지 못한 채 사용해오던 표현들에 대해 정확한 표현법을 가르쳐 줄 것이다.

3. 수많은 회화교재를 공부했으나 실제 외국인을 만나면 말문이 막히는 분

　　이런 증세 역시 여러 가지 이유가 있지만 그 중 주요한 것 하나는 지금까지 접해왔던 회화교재들의 내용이 실제적이지(authentic) 못하기 때문이다. 학습자의 실제 생활이나 관심사와는 거리가 먼 매우 전형적인 그런 내용들이 대부분이다. 때문에 그런 교재들로 훈련을 하더라도 실제의 상황에 부딪치면 별 도움이 안되는 것이다. 이 교재의 184개 상황에서 다루고 있는 표현이나 대화는 매우 실용적인 것들이다. 그래서 이를 체계적으로 훈련하고 나면 지금까지 곳곳에 막히던 현상이 현격히 줄어들 것이다.

4. 회화가 급한데 차근차근 공부할 시간은 없고, 그때그때마다 상황별로 필요한 표현을 찾아보기를 원하는 분

　　시중에 회화교재는 수도 없이 많다. 그러나 정작 실제 대화를 이어가기 위해 필요한 수많은 실용적인 어구들을 체계적으로 정리한 교재는 거의 전무한 상태이다. 이 점에 착안, 본 교재는 그때그때마다 찾아 보기 쉽게 생활 속에서 41개의 실용주제를 뽑아 그것을 다시 184개의 구체적인 상황별로 분류하고 일상회화에서 꼭 필요한 행동표현과 대화문을 실었다. 그래서 막히거나 궁금할 때마다 사전처럼 유용하게 사용할 수 있을 것이다.

Contents

Contents

Chapter two
각종활동을
중심으로

Contents

Contents

Chapter one

활동공간을 중심으로

1 침실
잠자리에 들기

□ 잠옷으로 갈아입다
1. _____ into one's pajamas [night gown]

□ 6시에 알람을 맞춰 놓다
2. _____ the alarm (clock) for six

□ 시계를 10분 빠르게 / 느리게 해놓다
set the clock 10 minutes fast[ahead] / slow[back]

□ 침대에 벌렁 눕다
spread out on the bed

□ 이불을 덮다
pull up the covers [blanket]

□ 몸을 뒤척이다
toss and turn

· use a pillow
= *lay one's head on the pillow*

□ 잠들다
3. _____ asleep

□ 베개를 베다
use a pillow

More Expressions

□ 이불을 덮어주다   *cover sb with a blanket = pull a blanket over sb*
□ 골아 떨어지다   *fall fast asleep*
□ 베개를 베어주다   *put a pillow under sb's head = lay sb's head on a pillow*

Small Talks

1. (똑똑)

A: 누구세요?

B: 나야. Tom 이야

A: 아, 잠깐만 기다려. **잠옷으로 갈아입고** 있는 중이어서.

2. A: 너 내일 몇 시에 일어나야 되니?

B: 6시.

A: 그럼 **6시에 알람을 맞춰 놓았어?**

B: 아니, 혹시나 몰라서 10분 더 빨리 맞춰 놓았어.

3. A: 당신 무슨 일이 있어요? 몹시 피곤해 보이시네요.

B: 어젯밤에 커피를 한 잔 마셨더니, 잠이 안 와서 밤새 **뒤척였어요.**

4. A: 어제는 너무 피곤해서 일찍 누웠는데, **잠 들기가** 너무 힘들더라구요.

B: 너무 피곤하면 오히려 그럴 때가 있어요.

5. A: John에게 베개 좀 베어줘. 목 아프겠다.

B: 알았어. **이불도 덮어줄까?**

A: 아니, 그럴 필요까지는 없을 것 같아.

(Knock, knock.)

A: *Who is it?*

B: *It's me, Tom*

A: *Oh, wait just a moment. I'm in the middle of **changing into my pajamas**.*

A: *What time do you need to get up tomorrow?*

B: *By six o'clock.*

A: *Then did you **set your alarm for 6**?*

B: *No, just in case I set it 10 minutes earlier.*

A: *Is something wrong? You look very tired.*

B: *Last night I had a cup of coffee, and I couldn't sleep. I **tossed and turned** all night.*

A: *Yesterday I was too tired, so I went to bed early. But it was so hard to **fall asleep**.*

B: *When you're too tired, that happens sometimes.*

A: ***Put a pillow under John's head**. His neck must hurt.*

B: *Okay. Should I **cover him with a blanket**, too?*

A: *No, I don't think that's necessary.*

Tips

왜 이불을 'covers'라고 할까?

우리는 매트 위에 침대커버를 씌우고 그 위에, '이불'을 덮고 자는 것이 전부인데, 서양 사람들은 매트 위에 'mattress pad' 라는 것을 깔고 그 위에 'bottom sheet'를 씌운다. 그리고 나서, 'bottom sheet'와 거의 같은 천으로 만든 'top sheet'를 덮고, 그 위에 우리가 말하는 '이불'에 가장 가까운 'blanket'을 덮고 잔다. 따라서, 덮고 자는 것이 적어도 두 개 이상이기 때문에 '이불을 덮다'라고 말할 때에 'covers'라고 복수형을 쓰는 것이 일반적이다.

1 침실
잠자기

□ 자면서 몸부림을 치다
toss and turn in one's sleep

□ 침대에서 떨어지다
fall out of bed

□ 이불을 걷어차다
1. _____ off the covers[blanket]

□ 자면서 이를 갈다
2. _____ one's teeth in one's sleep

□ 잠꼬대를 하다
3. _____ in one's sleep

□ 코를 골다
snore

· roll over
  = *turn on one's side*

□ 옆으로 누워 자다
sleep on one's side

□ 돌아눕다
roll over

More Expressions

□ 곤히[얌전히] 자다   *sleep soundly = sleep like a log*
□ 침을 흘리며 자다   *drool in one's sleep*
□ 엎드려서 자다   *sleep on one's stomach*
□ 바로 누워 자다   *sleep on one's back*

  1. kick   2. grind   3. talk

Small Talks

1. A: 제가 자면서 **코를** 많이 **골지** 않던가요?

　　B: 아니요. 하지만, **이를 좀 가시더군요.**

　　A: 제가 그랬어요? 죄송해요. (저 때문에) 잠을 잘 못 주무셨겠네요.

A: Didn't I **snore** a lot in my sleep?

B: No, but you did **grind your teeth** a bit.

A: I did? I'm sorry. You probably couldn't sleep very well.

2. A: Jason이 영어 시험 때문에 스트레스를 정말 많이 받나 봐.

　　B: 아니 왜? 무슨 일이라도 있었어?

　　A: **잠꼬대를 할 때도** 영어 단어를 외우더라구.

A: Jason seems to be under a lot of pressure because of his English test.

B: Really? Why? Is something wrong?

A: Even when he **talks in his sleep**, it sounds like he's memorizing his vocabulary list.

3. A: 어쩌다가 등을 다쳤어요?

　　B: 창피해서 말 못 하겠어요.

　　A: 나에게 창피할 게 뭐가 있어요?

　　B: **자면서 몸부림을 치다가 침대에서 떨어졌어요.**

A: How did you hurt your back?

B: I'm too ashamed to say.

A: You don't have to be ashamed. It's me.

B: Well, I was **tossing and turning in my sleep** and **fell out of bed**.

4. A: **이불 좀 걷어차지** 마.

　　B: 너무 더워서 그래.

　　A: 그럼 창문을 조금 열어 놓을까?

A: Please don't **kick off the covers**.

B: But it's too hot.

A: Then should I leave the window open a little?

5. A: **바로 누워서** 편하게 주무시지 그러세요?

　　B: 아니에요. 전 **엎드려서 자는 게** 편해요.

A: Why don't you **lie on your back** and sleep comfortably?

B: No, for me **sleeping on my stomach** is comfortable.

Tips

잠이 안 오면 양을 센다?

미국인들도 밤에 잠이 안 오면 우리와 같이 하나, 둘, 셋 …수를 세고, 때로는 100부터 거꾸로 세기도 한다. 그러나 가장 흔히 쓰는 방법은 양떼들이 울타리를 하나하나 뛰어 넘어가는 것을 상상하면서 그 수를 세는 방법이라고 한다. 이것을 가리켜 counting sheep이라고 한다.

1 침실
잠자리에서 일어나기

☐ 알람시계를 끄다
turn[shut] off the alarm (clock)

☐ 깨우다
1. _____ sb up

☐ 이불을 빗기다
pull[take] the covers off

☐ (잠자리에서) 일어나다
get up

☐ 기지개를 켜며 하품하다
2. _____ and yawn

☐ 이불을 개다 / 펴다
fold up / spread out the blanket

· get up
  = *get out of bed*

☐ (자기 전에, 혹은 자고 난 후) 잠자리를 정돈하다
3. _____ the bed

More Expressions

☐ 흔들어 깨우다   *shake sb awake*
☐ 벌떡 일어나다   *jump out of bed = leap out of bed*
☐ 비틀거리며 일어나다   *crawl out of bed = stumble out of bed*
☐ 알람시계가 울리다   *the alarm (clock) is ringing[buzzing, going off]*

   1. wake   2. stretch   3. make

Small Talks

1. **A:** 늦어서 죄송합니다. **알람시계가 울리는 것을** 못 들었어요.

    B: 괜찮아요. 다행히 아직 강사님이 안 오셨어요.

*A: I'm sorry I'm late. I didn't hear **my alarm clock go off**.*

B: That's all right. Luckily, the lecturer hasn't arrived yet.

2. **A:** 5시에 꼭 좀 **깨워주세요**. 아침에 아주 중요한 약속이 있어서요.

    B: 안 잊어버릴 테니까 걱정 마.

*A: Please make sure to **wake me up** at 5 o'clock. I have a very important appointment in the morning.*

B: Don't worry. I won't forget.

3. **A:** 오늘 아침에 시계보고 놀라서 **벌떡 일어났어**. 8시까지 출근해야 하는데 이미 7시 반이나 됐더라구.

    B: 너 정말 놀랐겠다. 당해본 사람이 아니면 그 기분 잘 모르지.

*A: This morning I looked at the clock and was so shocked I **jumped out of bed**. I had to get to work by 8:00 and it was already 7:30.*

B: You must have been really surprised. No one can understand that feeling unless they've experienced it.

Tips

'따르르릉(ring)'과 '띠띠띠띠(buzz)'는 어떻게 다를까?

알람시계가 처음 나왔을 때 시계에 달린 조그마한 벨이 소리를 냈기 때문에 "The alarm is ringing."이란 표현을 썼다. 하지만, 요즘은 전자 알람시계가 새롭게 나왔고, 그 소리가 '띠띠띠띠' 또는 'zzzz' 처럼 나기 때문에, 물론 이것을 ring이라고 표현해도 되지만, 더 정확히는 buzz라는 단어를 쓴다.

4. **A:** 사람들 있는 데서 **하품할** 때는 입을 가리고 해.

    B: 미안해. 내가 너무 피곤해서 말이야.

*A: Cover your mouth when you **yawn** in public.*

B: I'm sorry. I'm just so tired.

5. **A:** 놔두세요. 제가 **이불을 갤게요**.

    B: 아니에요. 집에서도 제 **잠자리는** 제가 **정돈해요**.

    A: 그래도 당신은 우리 손님이니까 제가 할게요.

*A: Just leave it. I'll **fold up the blanket**.*

*B: No. At home I usually **make my own bed**.*

A: Please, you're my guest. I insist.

화장실
세수하기

□ 세면대 / 욕수를 마개로 막다
1. _____ the stopper in the sink / bathtub

□ 수돗물을 틀다 / 잠그다
turn on / turn off the water[the faucet]

□ 욕조 / 세면대에 물을 받다
fill the tub / sink with water

□ 물을 계속 틀어 놓다
2. _____ the water running

□ (손으로) 여드름을 짜다
squeeze pimples [zits]

□ 세수하다
3. _____ one's face

· squeeze pimples [zits]
= *pop pimples[zits]*
(with one's fingers)

□ 얼굴에 비누칠하다
soap one's face

□ 물로 헹구다
rinse it

More Expressions

□ 물을 세게 / 약하게 틀다   *turn the water on stronger[more] / softer[less]*
□ 욕조 / 세면대가 새다   *the bathtub / sink is leaking [leaks]*
□ 사방으로 물을 튀기며 세수하다   *splash water all over while washing one's face*
□ 물이 세게 / 약하게 나오다   *the water pressure is good / low*
□ 물이 안 나오다   *the water is cut off = there's no water*

   1. put   2. leave   3. wash

Small Talks

1. A: 누가 **물을** 이렇게 **계속 틀어 놓았어?**

   B: 그냥 계속 틀어 놔. 오래간 만에 목욕하려고 **욕조에 물 받고** 있는 중이야.

A: Who **left the water running** like this?

B: Just leave it running. It's been a long time since I took a bath so I'm **filling the tub with water**.

2. A: 화장실에서 나올 때는 **수돗물을 잠궜는지** 꼭 확인해 보세요.

   B: 전 항상 그러고 있어요.

A: When you come out of the bathroom, make sure **the water is turned off**.

B: I always do that.

3. A: 이게 뭐예요?

   B: **얼굴에 비누칠을 할** 때 쓰는 솔이에요.

A: What's this?

B: It's a brush used for **soaping your face**.

4. A: 요즘 여드름 때문에 고민이에요.

   B: 그렇다고 손으로 **여드름을 짜지는** 말아요. 세균에 감염될지도 모르니까요.

   A: 그럼 어떻게 하죠?

   B: **세수를** 자주 **하고 헹굴** 때도 여러 번 헹구는 게 제일 좋은 것 같아요.

A: These days I'm worried because of my pimples.

B: Well, don't **squeeze the pimples** with your fingers. You might spread germs.

A: Then what should I do?

B: **Wash your face** often and when you **rinse it**, it's best to rinse it several times.

2 화장실

양치하기

□ 치약 뚜껑을 열다 / 닫다
take the cap off
the toothpaste /
put the cap back
on the toothpaste

□ 치약을 짜다
1. _____ the
toothpaste

□ 칫솔에 치약을 (조금만)
묻히다
squeeze (a little)
toothpaste onto the
toothbrush

□ 이를 닦다
2. _____ one's
teeth

□ 물로 입안을 헹구다
rinse out one's
mouth

□ 소금물로 양치하다
gargle with salt
water

□ 물을 뱉다
spit out the water

□ 수건으로 물기를 닦다
dry sth with a
towel

□ 수건을 걸이에 걸다
3. _____ the
towel on the rack

Small Talks

1. A: 몇 번을 말해야 알아듣겠어? **치약을** 중간부터 **짜지** 말라고 했잖아.

B: 아차, 깜박 잊어버렸어. 끝에서부터 짜라고 했지?

A: How many times do I have to tell you before you understand? Don't **squeeze the toothpaste** in the middle.

B: Oh, I completely forgot. You said to squeeze it from the end, didn't you?

2. A: **이를** 어떻게 **닦아야** 바람직한가요?

B: 우선, 잇몸과 이 사이를 둥글게 칫솔로 문지르면 좋아요.

A: What's the right way to **brush my teeth**?

B: Well, for starters, it's good to brush with a round motion between the gums and the teeth.

3. A: **물 뱉을** 때 조심해. 물이 세면대 밖으로 튀지 않도록 하라구.

B: 알았어. 그런데, 너도 **치약 뚜껑을 열었으면 꼭 닫아.** 치약이 마르잖아.

A: 알았어. 서로 조심하자.

A: Be careful when you **spit out the water**. Don't splash the water all over the place.

B: Okay, but when you **take the cap off the toothpaste**, make sure you **put it back on**. The toothpaste dries out.

A: Okay. Let's both be careful.

Tips

「뚜껑」 다 모여라!

우리는 용기를 '덮는' 것은 모두 '뚜껑'이라고 말하는데, 영어에서는 좀 다르다. 그릇이나 박스 뚜껑은 주로 'lid'라고 하고, 맥주병 마개나 카메라 렌즈의 뚜껑같이 좁은 부분을 열고 닫는 것은 'cap'이라는 단어를 사용한다. 또한 a box top, a bottle top처럼 cap의 뜻으로 'top'을 쓰기도 한다.

---

4. A: 이 **수건** 좀 (수건)**걸이에다** 걸어줄래?

B: 알았어요. 또 뭐 시키실 것 없어요?

A: Would you **hang this towel on the** (towel) **rack** for me, please?

B: Okay. Anything else you want me to do?

5. A: 말을 너무 많이 했더니 목이 좀 아픈 것 같아요.

B: **소금물로 양치질을 해** 봐요. 좀 나아질 거예요.

A: I talked too much, so my throat became sore.

B: Try **gargling with** some **salt water**. It will help your throat.

2 화장실
샤워 · 머리감기

□ 머리를 물로 적시다
1. _____ one's hair

□ 샴푸를 빌라 거품을 내다
shampoo one's hair

□ 머리를 감다
wash[shampoo] one's hair

□ 헤어컨디셔너를 바르다
use[apply] hair conditioner

□ 머리를 말리다
2. _____ one's hair

□ 샤워를 하다
3. _____ a shower

□ 수건에 비누를 묻히다
put soap on the washcloth

□ 면도하다 / 면도해주다
shave / give sb a shave

Small Talks

1. A: 어젯밤에 **머리를 감고** 있었는데 물이 안 나오잖아.

　　B: 저런. 그래서 어떻게 했어?

　　A: 수건으로 대충 닦고 물이 다시 나올 때까지 기다렸지 뭐.

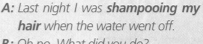

A: Last night I was **shampooing my hair** when the water went off.

B: Oh no. What did you do?

A: I wiped my head off with a towel and waited until the water came on again.

2. A: 이 근처에 이발할 곳이 있나요?

　　B: '슈퍼 컷'이라는 이발소가 있는데, 머리도 감겨주고 **면도도 해줘요.**

　　A: 잘 됐네요. 거기 위치가 어디에요?

A: Is there a place to get a haircut in this area?

B: There's a barber shop named "Super Cuts". They wash your hair and **give you a shave**, too.

A: That's good. Where is it located?

3. A: 머리 끝이 너무 많이 갈라졌어요.

　　B: 평소에 **헤어컨디셔너를 바르나요?**

　　A: 아니요. 하지만, 이젠 발라야 겠어요.

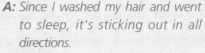

A: My hair has too many split ends.

B: Do you normally **use hair conditioner**?

A: No, but I think I should start using some.

4. A: 머리를 감고 잤더니 머리가 많이 뻗친 것 같아.

　　B: 그럴 때는 **머리를** 다시 **물로 적신** 다음 빗으면 돼.

A: Since I washed my hair and went to sleep, it's sticking out in all directions.

B: When that happens, all you have to do is **wet your hair** again and then comb it.

5. A: 머리가 짧아서 감기가 아주 편해졌어요.

　　B: **머리를 말리는** 데도 시간이 적게 들겠네요.

A: Now that my hair is short, it's very convenient to wash.

B: **Drying your hair** must take less time, too.

수건도 가지가지!

미국사람들이 사용하는 수건(towel)은 종류가 다양하다. 크기가 가장 작은 'washcloth'는 샤워할 때 비누를 묻혀 쓰는 수건이고, 보통 화장실에 걸어 놓는 수건은 'face towel' 또는 'hand towel'이라고 한다. 또 beach towel만큼 크기가 큰 'bath towel'은 샤워를 하고 온 몸을 닦을 때 쓰는 수건이다. 재미있는 것은 미국 가정에는 가족 수만큼 각각의 수건이 걸려 있어서 각자 자신의 수건만을 사용한다는 점이다. 남의 수건을 사용한다는 것은 생각할 수도 없는 일이며, 손님을 위한 hand towel은 따로 마련하는 것이 일반적이다.

화장실
용변보기

ㅣㅣ 화장실에 가나
1. _____ to the bathroom[restroom]

□ 소변을 보다
take a leak[pee]

□ 변기에 앉아서 신문을 읽다
read a newspaper while sitting on the toilet

□ 물을 내리다
2. _____ the toilet

· take a leak[pee]
  = *piss* = *pee*
  = *go to the bathroom[restroom]*

□ 환기시키다
3. _____ out (the room)

□ 방향제를 뿌리다
spray air freshener

More Expressions

□ 용변을 보다   *relieve oneself = go to the bathroom [restroom]*

□ (화장 · 손 씻을 목적으로) 화장실에 가다   *step into the bathroom*

Small Talks

1. A: 저, 죄송하지만, 차 좀 세워주실래요? **화장실이 좀 급한데요.**

B: 조금만 참으세요. 휴게소에 곧 도착할 겁니다.

A: *Excuse me, sir, but could you please stop the car? I really need to **take a leak**.*

B: *Please hold on a little longer. We'll be at a rest area soon.*

2. A: 싱가포르에서는 공중 화장실에서 **물을 안 내리면** 벌금을 문다면서요?

B: 네. 누가 그러는데 500 달러를 내야 한대요.

A: *I heard that in Singapore if you don't **flush the toilet** in a public restroom you get fined.*

B: *Yes. Someone said that you have to pay $500.*

3. A: 사무실에서 무슨 이상한 냄새가 나는 것 같지 않아요?

B: 그런 것 같네요. **환기** 좀 **시킵**시다.

A: *Isn't there a strange smell in the office?*

B: *Yes, there seems to be. Let's **air out** the office.*

4. A: 차 안에서 항상 쾨쾨한 냄새가 나는 것 같아요.

B: **방향제를** 한 번 **뿌려** 보지 그래요? 훨씬 나을 거예요.

A: *There always seems to be a foul smell in the car.*

B: *Why don't you try **spraying** some **air freshener**? That should help.*

5. A: 아침에 일찍 일어나는데도 왜 난 항상 서둘러야 되지?

B: 넌 **변기에 앉아서 신문 읽는** 시간을 줄이면 아마 시간이 남아 돌 거야.

A: *Why do I always have to hurry even though I get up early in the morning?*

B: *If you'd spend less time **reading the newspaper while sitting on the toilet**, you'd have a lot more time.*

Tips

'용변보다'는 표현에는 뭔가 있을까?

'화장실 가다' 라고 할 때는 'go to the bathroom' 이란 말이 가장 무난하게 쓰이지만, '소변보다' '대변보다'는 각각 다음과 같이 표현한다. (1) 소변보다: urinate (의학적 용어, 주로 병원에서) answer Nature's call : take a leak (친한 친구 사이에서) take a pee(=go pee-pee 어린 아이들에게) (2) 대변보다: have a bowel movement (= move one's bowels : defecate 의학적 용어, 주로 병원에서) relieve oneself 또, 숫자를 붙여서 다음과 같이 표현하기도 한다. "Mom, I have to do number one(소변) / number two(대변)."

거실
TV 보기

□ 플러그를 꽂다 / 뽑다
**plug sth in /
unplug sth**

□ TV를 켜다 / 끄다
**turn on / turn off
the TV**

□ 리모콘으로 작동시키다
**use the remote
control**

□ 채널을 이리저리 돌리다
surf the channels

□ 채널을 바꾸다
**1. _____ the
channels**

□ 볼륨을 높이다 / 줄이다 /
조절하다
**turn up / turn down
/ adjust the volume**

· surf the channels
= *turn the channels
back and forth*
= *keep switching
channels*

□ 안테나를 맞추다
**2. _____ the
antenna**

□ 프로그램을 녹화하다
3. _____ a program

More Expressions

□ 전원 버튼을 누르다   *push the 'power' button*
□ 수동으로 작동시키다   *turn it on manually*
□ 채널 11로 틀다   *turn to channel 11 = turn on channel 11 = go to channel 11*
□ 예약녹화 하다   *set the timer to tape sth*

   1. change   2. adjust   3. tape

Small Talks

1. A: 어? 왜 TV가 안 나오지?

B: **플러그가 빠져있는지** 한 번 확인해 봐.

A: Huh? Why doesn't the TV work?

B: Check if it's **unplugged**.

2. A: 이 **TV** 이떻게 **켜**?

B: 리모콘에서 **전원 버튼을 누르면** 돼.

A: How do you **turn on** this **TV**?

B: **Push the 'power' button** on the remote control.

3. A: 어? 화면이 왜 이러지?

B: 안테나가 잘 안 맞나 봐. 네가 **안테나** 좀 **맞춰** 봐.

A: Oh? What's wrong with the screen?

B: The antenna must not be right. Try **adjusting** it.

4. A: 미안하지만 **TV 소리** 좀 **낮춰**줄래? 일에 집중이 잘 안돼서 그래.

B: 알았어. 그런데 너 너무 무리하는 거 아니니? 좀 쉬면서 해.

A: Sorry, but would you please **turn down the TV** a little? I'm having trouble concentrating on my work.

B: Okay, but aren't you working too hard? Why don't you take a rest?

5. A: 무슨 프로 보고 싶어?

B: **9번으로 틀어줘.** 곧 뉴스할 시간이야.

A: Which program do you want to watch?

B: **Turn to channel 9.** It's almost time for the news.

Tips

미국의 평균 가정은 …

미국의 평균 가정은 대체로 2대의 TV와 3대의 라디오, 1대의 스테레오, 1대의 VCR를 소유한다. 또 그들은 하루에 7시간 가량 TV를 시청하고, 3시간 정도 라디오를 듣는다.

3 거실
라디오 · 오디오 듣기

☐ 테이프[CD]를 집어넣다 /
꺼내다
**put in / take out a
tape[CD]**

☐ 테이프를 다시 감다
1. _____ **the tape**

☐ 헤드폰을 끼다 / 벗다
**put on / take off the
headphones**

☐ 음악을 듣다
2. _____ **to music**

☐ 테이프가 엉키다
the tape is all tangled

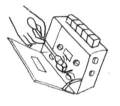

☐ 헤드를 청소하다
3. _____ **the head(s)**

· put on one's head-
  phones
  = *have one's head-
  phones on*

· take out a tape[CD]
  = *pull out a tape
  [CD]*

· tune the radio
  = *adjust the fre-
  quency*

☐ 주파수를 맞추다
tune the radio

More Expressions

☐ 테이프가 끼다	*the tape is[gets] caught[stuck]*
☐ 스테레오에 전선을 연결하다	*hook up the stereo*
☐ 테이프를 앞으로 감다	*fast forward the tape = put the tape on fast-forward*
☐ 주파수가 안 잡히다	*can't catch a frequency = can't tune it in*
	= it's not coming in
☐ 주파수를 89.1에 맞추다	*tune (the radio) to 89.1*

1. rewind 2. listen 3. clean

Small Talks

1. A: Adam, 내일 아침 여성학 수업이 휴강
됐대.
B: 뭐라구? **헤드폰을 끼고** 있어서 잘 못 들
었어.

A: *Adam, I heard the Women's Studies class tomorrow morning has been cancelled.*
B: *What did you say? I **had my headphones on**, so I couldn't hear you well.*

2. A: 이 워크맨 고장났나 봐. 음질이 너무 나
빠졌어.
B: **헤드를 청소할** 때가 되어서 그래.

A: *This Walkman has something wrong with it. The sound quality has gotten really bad.*
B: *It's probably because you need to **clean the head**.*

3. (차 안에서)
A: 우리 **음악을 들으면서** 가면 어떨까?
B: 좋지. 그런데 테이프를 하나도 안 가지고
왔어.
A: 라디오에서는 뭐 좋은 프로 없어?
B: 물론 있지. **주파수를 93.1에 맞춰** 봐.

(Inside the car)
A: *How about if we **listen to music** as we go?*
B: *That'd be good. But I didn't bring a single tape.*
A: *Isn't there anything good on the radio?*
B: *There usually is. **Tune the radio to 93.1**.*

4. A: 테이프 처음으로 **다시 감았어?**
B: 아니, 하다가 자꾸 **테이프가 끼어서** 그냥
꺼냈어.

A: *Did you **rewind the tape** (back) to the beginning?*
B: *No. As it was rewinding, **the tape** kept **getting stuck**, so I just **took it out**.*

□ 전화하다
make a (tele)phone call

□ 다이얼을 돌리다
1. _____ the number

□ 수화기를 들다
pick up the phone

□ 수화기를 떨어뜨리다
drop the receiver

□ A의 전화를 B에게 바꿔주다
transfer A's call to B

□ 전화를 받으려고 황급히 뛰어가다
rush[run quickly] to answer[get] the phone

· transfer A's call to B
cf) *hand the phone from A over to B*
(직접 건네주다)

□ 전화를 받다
2. _____ the phone

□ 수화기를 귀에 바짝 대다
3. _____ the receiver close to one's ear

More Expressions

□ 전화를 잘못 걸다   *dial the wrong number = have the wrong number*
□ 장난전화를 걸다   *make prank calls*
□ 장거리전화를 걸다   *make a long distance call*
□ 국제전화를 걸다   *make an international call*
□ 수화기를 들고 있다   *(1) hold on* (끊지 않고 들고 있다)
                   (2) put sb on hold (통화대기 시키다)

Small Talks

1. **A:** 아무래도 우리 집 전화번호를 바꿔야 겠어.

B: 왜?

A: 밤마다 누가 **장난전화를 거는데**, 점점 무서워서.

A: I think I have to change my telephone number.

B: Why?

A: Someone **makes prank calls** to me every night, and I'm getting scared.

2. **A:** 박 선생님께 전화 드렸어요?

B: 했는데, 아무도 **전화를** 안 **받아요**.

A: Did you call Mr. Park?

B: I did, but no one **answered the phone**.

3. **A:** 여보세요. 이 영숙씨 계십니까?

B: 잠깐만 기다리세요. **그 분 전화로 돌려 드리겠습니다.**

A: Hello. Is Young-sook Lee there?

B: Just a moment, please. I'll **transfer your call to her phone**.

4. **A:** 여보세요. 서 시원씨 좀 바꿔주세요.

B: 죄송하지만, 그런 분 안 계시는데요. **전화를 잘못 거신 것 같군요.**

A: Hello. May I please speak to Mr. Shi-won Suh?

B: I'm sorry, but there's no one here by that name. You must **have the wrong number**.

Tips

미국에서의 전화예절은 무엇일까?

미국에서의 기본적인 전화 예절은 시간의 문제인데 특별한 일이 아니면 저녁 9시 이후부터 아침 9시 사이 그리고 주말은 오전 12시 이전에는 걸지 않는 게 좋다. 또 동부와 서부사이에 3시간의 시차(time zone)가 있으므로 상대방이 있는 지역의 시간을 잘 알아본 후에 해야 한다. 전화를 걸었을 때 벨이 6~7번 울려도 받지 않을 때는 끊는 것이 상식!

5. **A:** 어쩌다가 무릎을 다쳤어?

B: **전화를 받으려고 황급히 뛰어가다가** 책상다리에 걸려 넘어졌어.

A: How did you hurt your knee?

B: I tripped on the leg of the desk while **rushing to answer the phone**.

거실
전화하기 II

□ 전화를 끊다
hang up the phone

□ 통화중이다
the line is 1. _____

□ 아무도 안 받다
no one answers

□ 자동응답기에 메시지를 남기다
2. _____ a message on the answering machine

□ 스피커폰으로 통화하다
talk through the speakerphone

□ 꼬인 선을 돌려 풀다
untangle the cord

· the line is busy
  cf) *talk on the phone*
    = *be on another line*
    (▶옆 장 Tips 참고!)

· page sb
  = *have sb paged*

· talk on one's cellular phone
  cf) *call (to) sb's cellular phone*
    (핸드폰으로 연락하다)

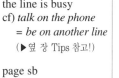

□ (전화)코드를 끼우다 / 뽑다
3. _____ in / unplug the cord

□ 호출하다
page sb

□ 핸드폰으로 통화하다
talk on one's cellular phone

More Expressions

□ 전화가 끊어지다   *be[get] cut off*
□ 호출기로 연락하다   *contact[reach] sb through one's pager[beeper]*

Small Talks

1. A: Davis씨에게 내일 회의가 10시로 옮겨졌다고 얘기했어요?

B: 전화를 걸었는데, 아무두 없어서 **자동응답기에 메시지를 남겨 놓았어요.**

A: *Did you tell Mr. Davis that the meeting tomorrow has been changed to 10 o'clock?*

B: *I called him, but no one was there so I **left a message on his answering machine.***

2. A: 뭐 이런 사람이 다 있어?

B: 왜 그래?

A: 아니, 내가 말하고 있는데 그냥 **끊어버리**잖아.

A: *How could anyone be like that?*

B: *What do you mean?*

A: *Well, I was talking and he just **hung up** (**the phone**).*

3. A: 여보세요? 김 성호씨 좀 부탁합니다.

B: 지금 다른 분과 **통화중이신데요.**

A: *Hello. May I speak to Mr. Sung-ho Kim, please?*

B: *He's **talking** with another person **on the phone.** (=He's **on another line.**)*

Tips

'통화중이다'는 표현도 가지가지

① the line is busy ② talk on the phone ③ be on another line 이 모든 표현이 '통화중이다'에 해당된다. 그러나 쓰임과 의미는 다음과 같이 다르다. 전화를 걸었는데 '뚜뚜뚜뚜' 통화중 신호음이 들려오면 ①에 해당되고, 누군가에게 전화가 와서 바꿔주려고 하는데 그 사람이 다른 전화를 받고 있으면 ②와 ③에 해당된다.

4. A: 어떻게 Jones씨와 연락할 수 없을까요?

B: 그 분 **핸드폰으로 연락해** 보시지 그러세요?

A: *Isn't there some way we can get a hold of Mr. Jones?*

B: *Try (**calling**) his cellular phone.*

5. A: 제가 사무실에 없으면 **호출하세요.**

B: 호출기 번호가 012-337-4900 맞지요?

A: *If I'm not at the office, **page me.***

B: *Your beeper number is 012-337-4900, right?*

거실

비디오 보기

□ 비디오를 빌리다
rent a video

□ (비디오) 테이프를 집어넣다
put the (video) tape in

□ 비디오를 틀다
1. _____ on the video

□ 커튼을 치다 / 걷다
close / 2. _____ the curtains

□ 소파에 푹 주저앉다
plop down on the sofa

□ 쿠션에 기대다
3. _____ on a cushion

· put the (video) tape in
  = *insert the (video) tape*

· plop down on the sofa
  = *collapse on the sofa*

□ 소파에 누워 낮잠 자다
take a nap on the sofa

Small Talks

1. A: 아, 심심하다. 뭐 재미있는 것 없을까?
   B: 글쎄, **비디오**라도 **빌려** 볼까?

A: Oh, I'm bored. Isn't there anything interesting to do?
*B: Well, should we **rent a video** or something?*

2. A: 너무 밝아서 화면이 잘 안 보여.
   B: **커튼을 쳐** 봐.

A: It's so bright I can't see the screen well.
*B: Why don't you **close the curtain**?*

3. A: 그렇게 앉으면 불편하지 않니? **쿠션에 기대지** 그래.
   B: 아니, 괜찮아. 신경 쓰지 마.

*A: Aren't you uncomfortable if you sit like that? Try **leaning on a cushion**.*
B: No, I'm all right. Don't worry about me.

4. A: 피곤하면, 집에서 쉴까?
   B: 아니야. 오후에 **소파에 누워서 낮잠 잤기** 때문에 괜찮아.

A: If you're tired, should we rest at home?
*B: No, since I **took a nap on the sofa** this afternoon, I'm okay.*

5. A: John, 지금 **비디오 켠다**. 빨리 와.
   B: 알았어. 금방 갈게.

*A: Hey, John, I'm **turning on the video** now. Hurry up.*
B: Okay, I'll be right there.

부엌

요리 I

☐ 요리하다
cook (sth)

☐ 채소를 다듬다
1. _____ the vegetables

☐ 빵 / 야채를 썰다
cut (up) the bread / vegetables

☐ 야채를 살짝 데치다
blanch the vegetables

☐ 물기를 꼭 짜다
squeeze out the liquid[water]

☐ 양념과 함께 버무리다
2. _____ with the seasonings

· prepare the vegetables
= *wash and cut the vegetables*

· blanch the vegetables
= *scald the vegetables lightly*
= *dip vegetables into boiling water for an instant*

☐ 가스 밸브를 열다 / 잠그다
open / close the gas valve

☐ 냄비를 레인지에 올리다
put a pot on the stove

☐ 버너를 켜다 / 끄다
3. _____ on / off the burner

More Expressions

☐ 얇게 / 두껍게 썰다	*slice thin / thick*
☐ 채 썰다	*slice in thin strips = slice julienne*
☐ 길게 / 둥글게 썰다	*slice lengthwise / round*
☐ 다지다	*chop ; mince* (chop보다 더 가늘게 다질 때, 마늘을 다질 때)
☐ 가스가 새다	*the gas is leaking = there's a gas leak*
☐ 불을 세게 / 약하게 하다	*turn the heat on high / low*
☐ 냄비를 레인지에서 내리다	*take a pot off the stove*

Small Talks

1. A: 요리하는 것 좋아하세요?

B: 네, 주말에는 제가 종종 아내대신 저녁을 해요,

2. A: 이것 밌있는데요. 만들기 어렵나요?

B: 쉬워요. 시금치를 끓는 물에 **살짝 데쳐서 물기를 꼭 짠** 다음 **양념과 함께 버무리면** 돼요.

3. A: 아차, **가스 밸브 잠그는** 것을 깜빡 잊어 버렸네.

B: 설마 가스 불까지 켜 놓고 나온 것은 아니겠지?

A: 아니야. 그건 나오기 전에 확인했어.

4. A: Susan, 내가 이 **채소를 다듬는** 동안 넌 무를 **얇게 썰어줄래**?

B: 알았어. 그런데 도대체 뭘 만들려고 이렇게 많이 사온 거야?

A: Do you like to **cook**?

B: Yes, on the weekends I often make dinner for my wife

A: This is delicious. Is it hard to make?

B: It's easy. **Scald** the spinach **slightly** in boiling water, and after **squeezing out the water, mix** it together **with the seasonings**.

A: Oh no, I completely forgot to **close the gas valve**.

B: You didn't leave the gas burner on when you came out, did you?

A: No. I checked that before I left.

A: Susan, while I'm **preparing the vegetables**, would you please **thinly slice** the radishes?

B: Okay. But what on earth are you making that you bought so much?

Tips

'버너'와 '스토브'가 우리와는 달라요!

우리는 흔히 '버너'를 가스 버너와 같이 요리할 때 쓰는 것으로 생각하고 '스토브'는 난방기구로 생각하지만, 미국에서는 이와 다르게 쓰인다. '버너 (burner)'는 난방기구나 요리기구의 점화구로 열을 발하는 부분이고 '스토브 (stove)'는 'a two-burner stove'와 같이 '버너'보다는 큰 개념으로 나무나 석탄. 기름, 가스를 태움으로써 혹은 전기에 의해서 작동되는 난방기구나 요리기구를 말한다.

부엌
요리 II

□ 끓(이)다
boil (sth)

□ 뚜껑을 열다
open the lid [cover]

□ 거품을 걷어내다
1. _____ off the foam

□ 양념을 넣다
season sth

- open the lid[cover]
  = *take off the lid [cover]*

- season sth
  = *put in the seasonings*

- stir sth
  cf) *churn; beat; whip*
  (▶ 옆 장 Tips참고!)

- simmer sth
  (끓기 직전의 온도로 오래 삶다)
  cf) *boil sth*
    (끓는 물에 삶다)

□ 간을 맞추다
season[salt] sth

□ 젓다
stir sth

□ 튀김옷을 입히다
2. _____ sth in batter to deep-fry

□ 튀기다
deep-fry sth

□ 삶다
simmer sth

□ (증기로) 찌다
steam sth

□ 볶다
fry sth

More Expressions

□ 뚜껑을 닫다   *close the lid[cover] = put on the lid[cover] = uncover the pot*

□ 간을 보다   *taste (the flavor)*

□ 흐물흐물해지도록 삶다   *simmer sth until thoroughly cooked[well done]*

Small Talks

1. A: 국이 **끓을** 때 생기는 **거품을** 꼭 **걷어내야** 하나요?

B: 그럼요, 그게 다 더러운 물질이잖아요.

A: When the soup **boils**, do we absolutely have to **skim off the foam** that forms?

B: Of course. It's dirty.

2. A: 이게 뭐예요?

B: 이건 오징어 **튀김**이에요.

A: What are these?

B: These are **deep-fried** squid.

3. A: **양념은** 언제 **넣어요**?

B: 제일 마지막에요 … 자 다 된 것 같은데. **간** 좀 **봐주실래요**?

A: When do we **put in the seasonings**?

B: At the very end … There it seems done. Would you **taste** it?

4. A: 야, 좀 살살 **저어라**. 국물이 다 튀잖아.

B: 미안해. 조심할게.

A: Hey, **stir** gently. The soup is splashing out.

B: Sorry. I'll be careful.

5. A: 먼지가 들어가지 않게 냄비 **뚜껑** 좀 **닫아줄래요**?

B: 그러고 싶지만, 맞는 뚜껑이 없어요.

A: Would you **put the cover on** the pot so that dust doesn't get in it?

B: I'd love to, but there's no cover that fits.

Tips

'churn', 'beat', 'whip' 모두 다 '젓다'?

모두 다 '젓다' 라는 뜻이지만, 무엇을 젓느냐에 따라서 쓰이는 단어가 다르다. 즉, 'churn'은 큰 통에 우유를 넣고 버터를 만들기 위해 기계나 도구를 가지고 휘젓는 동작을 말하고, 'beat'는 케익이나 쿠키를 만들려고 달걀이나 밀가루 반죽을 빠르게 젓는 동작을 말한다. 'whip'은 'beat'보다 더 빨리 젓는 동작을 말하는데 주로 생크림 등을 만들기 위해 젓는 동작에 사용된다.

부엌
요리 Ⅲ

□ 졸이다
1. _____ down

□ 섞다
mix sth

□ 고기를 (양념에) 재
워두다
**2. _____ the
meat (in the
seasoning)**

□ 빵을 굽다
bake bread

· turn on the (exhaust)
  fan
  = *turn on the venti-
    lator*

· warm up
  = *heat up*

· dissolve in water
  (설탕같은 것을 물에 녹
  이다)
  cf) *mix with water*
  (밀가루같은 것을 물에
  풀어 녹이다)

· mash up
  cf) *crush up*
      (분쇄하여 짜내다)

□ 환풍기를 작동시키다
**3. _____ on
the (exhaust)
fan**

□ 데우다
warm up

□ (완전히) 익히다
**cook sth (well
done)**

□ 식(히)다
cool (sth)

□ 물에 녹이다
**dissolve in
water**

□ (버터를) 열에 녹이다
melt (butter)

□ 우려내다
steep sth

□ 으깨다
mash up

More Expressions

□ 흔들어서 섞다   *mix by shaking*
□ 굽다   *roast* (오븐에 굽다) ; *broil* (불에 직접 굽다) ; *grill* (석쇠 위에 굽다)

1. boil 2. marinate 3. turn

Small Talks

1. A: 불고기는 어떻게 만들어요?

　　B: 우선 **고기를** 하루정도 **양념에 재워두어야** 해요.

A: How do you make bulgogi?

*B: Well, first you have to **marinate the meat in a** special **seasoning** for a whole day.*

2. A: 갈비는 숯불 위에서 **구워야** 제맛이 나요.

　　B: 그럼요. 어유, 듣기만 해두 입에서 군침이 도는데요.

*A: You have to **grill** ribs over charcoal to get the real flavor.*

B: Of course. Oh, just hearing about it makes my mouth water.

3. A: 연기가 너무 많이 나는 것 같아요.

　　B: 좀 전에 **환풍기를 틀었으니까** 잠시 후면 괜찮아질 거예요.

A: There seems to be too much smoke.

*B: I **turned on the exhaust fan** a little while ago, so it should be all right in a moment.*

Tips

'roast', 'grill',
'broil' 모두 다 '굽다'?

모두 다 '굽다' 라는 뜻이지만, 'roast'는 오븐이나 숯불에 통째로 고기를 구울 때 주로 쓰는 말이고, 'grill' 은 숯불 갈비를 구울 때처럼 불 위에 석쇠를 놓고 직접 구울 때 쓰는 말이다. 'broil' 도 'grill' 과 거의 같은 뜻으로, 불이나 열에 의해 직접 구울 때 쓴다. 단, 'roast'는 열을 사방에서 받아 굽는 것이고, 'broil' 이나 'grill' 은 열을 한쪽 면에서만 받아서 굽는다는 차이가 있다.

4. A: 녹차가 아주 알맞게 **우려졌어요**. 어떻게 했어요?

　　B: 끓은 물을 70° 정도까지 **식힌** 다음 차 잎을 넣었어요.

*A: You **steeped** this green tea just right. How did you prepare it?*

*B: I let the boiling water **cool** to about 70 degrees, and then put the tea leaves in.*

5. A: 오늘 저녁으로는 무엇을 해 먹지?

　　B: 새로 하지 말고, 어제 먹고 남은 음식 **데워서** 간단히 먹자.

　　A: 그럼 나야 좋지.

A: What should we have for dinner?

*B: Don't make anything. Let's **warm up** the leftovers from yesterday and have a simple meal.*

A: That's fine with me.

□ 밀가루를 반죽하다
make dough

□ 말다
roll up

□ 발효시키다
ferment sth

□ 선을 부지다
1. _____ meat [vegetables] patties

□ 칼을 갈다
sharpen a knife

□ 사과를 반으로 쪼개다
break[divide] an apple in half

□ 손가락을 베다
2. _____ one's finger

□ 껍질을 벗기다
peel[pare] sth

· peel[pare] sth
= *take the peel off*

□ (콩, 삶은 계란 등의) 깍지를 까다
shell sth

□ 해동하다
defrost (sth)

□ 그릇을 깨뜨리다
break a dish

□ 쌀을 물에 불리다
3. _____ some rice in water

More Expressions

□ 밀가루를 묻히다   *coat sth with flour*
□ 사과를 네 조각으로 자르다   *cut an apple in quarters*
□ 피자를 여덟조각으로 자르다   *slice the pizza into eight pieces*

1. fry   2. cut   3. soak

Small Talks

1. A: 아, 배고프다. 빨리 밥하자.
   B: 이 일을 어쩌지, **쌀을** 하나도 **불리지** 않았어.

   A: Oh, I'm hungry. Let's hurry and make some rice.
   B: Oh, no. I forgot to **soak the rice**.

2. A: 김치와 같이 **발효시킨** 음식이 암 예방에 좋대요.
   B: 저도 어디서 그런 기사를 읽은 것 같아요.

   A: They say that **fermented** foods like kimchi are good for preventing cancer.
   B: I think I read an article like that somewhere, too.

3. A: 모두 몇 명이지?
   B: 4명. 그러니까 **피자를 8조각으로 나누면** 되겠다.

   A: How many people are there in all?
   B: Four. So it'll be okay if you **slice the pizza into 8 pieces**.

4. A: 이 **칼 갈아야**겠다. 너무 무뎌.
   B: 그럼 이것을 써 봐.

   A: You'd better **sharpen** this **knife**. It's too dull.
   B: Then try this one.

5. A: 이거 **껍질을 벗겨서** 먹어야 되나요?
   B: 물론이죠. 과일에 농약이 많이 남아있을 수 있으니까요.

   A: Do we need to **peel** this before eating it?
   B: Of course. There might be a lot of chemicals on it.

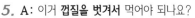

부엌

김치담기

□ 배추를 소금에 절이다
soak the cabbage in salt water

□ 배추를 물에 헹구다
1. _____ the cabbage in water

□ (소쿠리에 건져) 물기를 빼다
drain the cabbage (in a colander)

□ 야채를 잘게 다지다
2. _____ the vegetables into small pieces

· soak the cabbage in salt water
= *souse the cabbage*

□ 갖은 양념을 넣고 야채를 버무리다
add the various seasonings and 3. _____ well

□ 양념을 배춧잎 사이사이에 넣다
spread the seasoning and vegetable mixture on and between the cabbage leaves

1. rinse 2. chop 3. mix

Small Talks

1. A: 배추를 소금에 절이는 이유가 뭐죠?

B: 그렇게 하면 배추가 부드러워져요. 김치를 담글 때는 다른 양념을 하기 전에 처음에 그렇게 하지요.

A: Why do you **soak the cabbage in salt water**?

B: It softens it and makes it smoother. When making Kimchi, it's the first step before adding all the different seasonings.

2. A: 김치에 양념을 넣기 전에 우선 **배추를 소쿠리에 건져서 물기를 빼야** 해.

B: 내가 할게.

A: 고마워, 하지만 무거우니까 조심해!

A: Before we put in the seasonings for the Kimchi, we should **drain the cabbage in a colander**.

B: I will do that.

A: Thanks, but be careful! It's heavy.

3. A: 저는 김치담글 때 때때로 먼저 배추를 먹기 좋은 크기로 잘라요. 그런 다음에 **갖은 양념을 넣고 버무리지요**.

B: 저도 종종 그래요. 하지만 김장김치는 그렇게 안 하죠.

A: 당연히 김장김치는 전통적인 방법으로 담가야죠.

A: I sometimes make Kimchi by first slicing the cabbage into bite-size pieces. Then I **add the various seasonings and mix well**.

B: I often do that, too. But not for Kimjang Kimchi.

A: Yes. That must be done the traditional way, definitely.

Tips

한국인이 많이 쓰는 양념은 영어로 뭐라고 할까?

외국인들을 접대하게 될 때 한국 음식점으로 데려가는 것이 일반적이고, 외국에 나가 생활할 때도 우리의 음식을 소개하는 일이 자주 일어나기 때문에 우리 음식에 많이 쓰이는 양념을 영어로 알아두면 유용하다. 깨소금은 sesame salt. 조미료는 a seasoning, a flavoring. 된장은 bean paste. 고추장은 red pepper paste. 고춧가루는 red pepper powder 라고 한다.

4. A: 김치 참 맛있네요. 직접 담그셨어요?

B: 아뇨, 할머니가 담가주셨어요. 할머니는 김치 전문가세요. **양념을 배춧잎 사이에** 얼마나 **넣어야** 김치가 가장 맛있는지 아시거든요.

A: This Kimchi is really delicious. Did you make it yourself?

B: No, my grandmother made it. She's an expert when it comes to knowing just how much **seasoning and vegetable mixture to spread on and between the cabbage leaves** to make the most delicious Kimchi.

부엌

설거지

☐ 설거지하다
wash dishes

☐ 그릇을 물에 담궈 불리다
**soak the dishes in
the water**

☐ 세제를 수세미에 묻히다
1. _____ the
sponge

☐ 수세미로 그릇을 문지르다
2. _____ the dishes
with a sponge

☐ 헹구다
rinse sth

☐ 그릇의 물기를 털다
3. _____ the
water off the dishes

· wash dishes
  = *do the dishes*

· soap the sponge
  = *apply soap to the
    sponge*

☐ 행주로 그릇의 물기를 닦
다
**dry the dishes with
a dish towel**

More Expressions

☐ 끓는 물에 소독하다   *sterilize the dishes in boiling water*
☐ 그릇을 세척기 안에 넣다   *put the dishes in the dishwasher*
☐ 그릇을 세척기에서 꺼내다   *take the dishes out of the dishwasher*

Small Talks

1. A: 아르바이트 해 본 적 있어요?
   B: 물론이죠. 저의 첫 아르바이트는 음식점에서 **설거지하는 거였어요**.

A: *Have you ever had a part-time job?*
B: *Of course. My first part-time job was doing the dishes in a restaurant.*

2. A: 어머나 이 일을 어쩌지? 냄비가 새까맣게 탔어.
   B: 우선 따뜻한 **물에 담궈서 불려 봐**. 그런 다음에 부드러운 **수세미로 문질러**.

A: *Oh no, what should I do? I burned the pot black.*
B: *First, soak it in warm water. And after that, scrub it with a sponge.*

3. A: 설거지할 게 많으니까 일을 분담하자구.
   B: 좋아. 내가 그릇들을 **헹궈서** 주면, 넌 **행주로** 그것의 **물기를 닦아줘**.

A: *Since there are a lot of dishes to wash, let's divide up the work.*
B: *Okay. When I give you the dishes after rinsing them, you dry them with a dish towel.*

4. A: 넌 나와 설거지하는 방법이 다른 것 같아.
   B: 넌 어떻게 하는데?
   A: **세제를 수세미에 묻히지** 않고, 싱크에 물을 받아서 거기에 세제를 풀어서 그릇을 닦아.

A: *The way you do the dishes seems different from the way I do them.*
B: *How do you do them?*
A: *I don't soap the sponge. I fill the sink with water, dissolve the detergent in it and wash the dishes in that.*

5. A: 어, 행주가 없네.
   B: 그냥 **물기만 털어서** 식기 건조대에 올려놔.

A: *Oh, there's no dish towel.*
B: *Just shake the water off and put them in the plate-rack.*

Tips

미국의 설거지 방법은?

우리는 스펀지에 세제를 묻혀 그릇에 비누칠을 한 다음 흐르는 물에 그릇을 씻는 것이 일반적인데, 미국 사람들은 싱크대에 물을 받아 그 곳에 세제를 풀고 그릇을 담궈 스펀지로 문지른 다음, 옆 싱크에 깨끗한 물을 받아서 한꺼번에 헹군다. 물을 받아서 씻기 때문에 우리보다 물을 적게 쓰는 편이다.

부엌
상 차 리 기

□ 상을 차리다
1. _____ the table

□ 식탁보를 깔다
put[spread] the tablecloth on the table

□ 수저를 놓다
put the silverware on the table

□ 그릇과 잔을 찬장에서 꺼내다
take the dishes and glasses out of the cupboard

□ 냅킨을 접다
2. _____ the napkins

□ 잔에 물을 따르다
pour the water into the glass

· set the table
  = lay[spread] the table

· bring out the dishes[food]
  = serve the dishes [food]

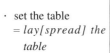

□ 접시에 요리를 담다
put the food on a (serving) plate

□ 요리를 내오다
bring out the dishes[food]

□ 밥을 푸다
3. _____ the rice in the bowl

More Expressions

□ 식탁보를 다시 접다　　put the tablecloth away = fold up the tablecloth
□ 그릇을 식탁에 놓다　　put the dishes on the table
□ 국을 뜨다　　ladle[scoop] the soup into the bowl

　　1. set　2. fold　3. put

Small Talks

1. A: 도와 드릴까요?

B: 네. **수저를 좀 놓아**주시겠어요? 다른 것들은 다 됐어요.

A: *Do you need any help?*

B: *Yes. Would you **put the silverware on the table**? Everything else is ready.*

2. (음식점에서)

A: 더 필요하신 것 없으세요?

B: 네, 냅킨 좀 가져다 주실래요? **물 따르다가** 컵을 엎질러서 다 젖었어요.

A: 곧 가져다 드릴게요.

(In a restaurant)

A: *Do you need anything else?*

B: *Yes, could you please bring me another napkin? While **pouring the water**, I tipped over my cup and got mine all wet.*

A: *I'll bring one right away.*

3. A: **밥**을 조금만 **펐어요**. 먹고 더 드세요.

B: 감사합니다. 그런데, 그만 **요리를 내오시고** 같이 앉아 드세요.

A: 네. 곧 갈게요.

A: *I just **put** a little **rice in the bowls**. Please have more.*

B: *Thank you. But, please stop **bringing more dishes**. Why don't you sit down and eat?*

A: *I'll be there in a minute.*

4. A: 그릇이 모자라는 것 같은데요.

B: 그래요? 그러면 **찬장에서 그릇과 잔을** 더 **꺼내죠**.

A: *It looks like there aren't enough dishes.*

B: *Really? Then **take** some more **dishes and glasses out of the cupboard**.*

5. A: 파티 준비는 잘 돼가고 있어요?

B: 네, 그건 그렇고 이렇게 예쁘게 **냅킨 접을 줄 알아요?**

A: 아니요. 하지만 예전에 Sam이 하는 것 봤어요. 한 번 해 볼게요.

A: *Are the party preparations going well?*

B: *Yes. By the way, do you know this fancy way to **fold napkins**?*

A: *No. But I saw Sam doing it once, so I'll give it a try.*

☐ 병마개를 따다
1. _____ the bottle

☐ 술을 따르다
2. _____ a drink

☐ 술이 넘치다
the drink overflows

☐ 술잔을 높이 들다
raise one's glass

☐ 다 함께 건배하다
make a toast

☐ 잔을 부딪치다
touch[clink, clank] glasses

· make a toast
 = *toast together*

· drink in one gulp [shot]
 = *bottoms up*

☐ 원샷하다
3. _____ in one gulp[shot]

☐ 술잔을 털다
shake out the glass

☐ 술잔을 돌리다
pass a glass around

More Expressions

☐ 가득 따르다   *fill it to the brim = fill the glass to the top*

Small Talks

1. A: 자, 다들 **술잔을 높이 드세요**. 다 같이 **건배**합시다.

B: 모두의 건강을 위하여, 건배!

A: *Okay, everyone **raise your glasses**. Let's **make a toast**.*

B: *To everyone's health, cheers!*

2. A: 한국의 술자리에서는 사람들이 자신의 **잔을 따르게** 해서는 안 돼요.

B: 그래요? 전 몰랐어요.

A: *In Korea when people are drinking, you shouldn't let people **pour** their own **drink**.*

B: *Really? I didn't know that.*

3. A: 자, 다 같이 **원샷**!

B: 잠깐만요! 제 잔이 비었어요.

A: *Okay, everyone. **Bottoms up**!*

B: *Wait! Mine is empty.*

4. A: 한국사람들은 술자리에서 참 재미있어지는 것 같아요.

B: 어떤 모습을 보셨는데요?

A: 술을 다 마시고 **술잔을** 머리 위에서 **털더군요**. 또 한 번은 남자들이 넥타이를 이마에 두르고 노래를 부르지 뭐예요.

A: *Korean people seem to be more interesting when they are drinking.*

B: *What did you see them doing?*

A: *They finished their drinks completely and then **shook out the glass** over their heads. And once, the men even tied their ties around their heads and sang a song.*

Tips

미국의 술자리 에티켓

1. 후배가 선배에게, 하위자가 상위자에게 권한다.
2. 남녀사이에는 남성이 여성에게 권한다.
3. 마시다 남은 잔에 술을 더 따르는 것은 실례가 되지 않는다.
4. 자기가 스스로 따라 마시며 한국처럼 남에게 따라주는 관습은 없다.

5. A: **술잔은** 왜 **돌려서** 마시는 거예요?

B: 글쎄, 아마 하나가 된다는 의미로 그렇게 하는 걸 거예요.

A: *Why do people **pass a glass around** when they drink?*

B: *Well, I guess it's a way of bonding.*

술자리

술자리 II

□ 술에 물을 타다
1. _____ water to the drink

□ 칵테일에 얼음을 넣다
put ice in one's cocktail

□ 안주를 주문하다
2. _____ side dishes[snacks]

□ 병째 마시다
drink out of the bottle

□ 취하다
get[be] drunk

□ 술주정하다
3. _____ drunk

· add water to the drink
  = *water down*

□ 깨어나서 숙취를 느끼다
wake up with a hangover

More Expressions

□ 필름이 끊기다   *black out*
□ 인사불성이 되다   *the lights went out = pass out*
□ 술을 깨다   *get sober = sober up*

Small Talks

1. A: 잠자기 전에 스카치 한 잔 마셔야 겠어.
   B: 나도 한 잔 줘. 얼음을 넣고 **술에 물을** 조금 **타서.**
   A: 금방 가져올게.

A: Well, I need a glass of scotch for a nightcap.
B: Make it two. I want it on the rocks and **water** it **down** a little bit, please.
A: I'll fix it right away.

2. A: 그만 마시는 게 좋겠어. 너 **술주정하는** 것 같아.
   B: 나 취하지 않았어. 이것만 마시고 나서 집에 태워다줄게.
   A: 안될 소리. 너 지금 너무 취해서 운전하면 안돼.

A: You'd better stop drinking. I don't want to see you **acting drunk**.
B: I am not drunk. I'll drive you home after I finish this bottle.
A: No way. You're too drunk to drive.

Tips

'해장술'이란 표현도 있을까?

미국에서도 애주가는 있기 마련. '해장술을 하겠다'는 표현은 'I'm going to have some of the hair of the dog that bit me.' 라고 한다. 직역하면 '나를 물은 개의 털을 좀 먹겠다.'로 좀 우습다. 이 외에도 술과 관련된 표현 몇 가지만 더 알아 보면 'morning after'는 'hangover' 와 같은 뜻으로 '숙취'를 뜻하고 따라서 'I have a serious morning after.' 라고 하면 '숙취가 심하다' 는 말이다. 또 잠자리에 들기 전 마시는 술을 'nightcap' 이라고 하여 'How about a nightcap?' 이라고 하면 '자기 전에 술 한 잔 어때요?' 가 된다.

3. A: **병째 마시지** 말고 잔으로 마시지 그래?
   B: 너 (아직) 모르니?. 맥주는 병째로 마셔야 더 시원하고 맛도 더 상쾌하다는 사실을.
   A: 좋아, 그렇다면 나한테도 한 병 따 주는 게 어때?

A: Why don't you use a glass instead of **drinking out of the bottle**?
B: Don't you know? Beer stays cooler and tastes fresher right out of the bottle.
A: Well, then, how about opening a bottle for me too?

4. A: 어젯밤 파티 정말 끝내줬지! 거의 모두 다 **취해**가지고.
   B: 맞아, Bill이 어땠는지 봤지? 맥주를 열두 캔도 더 마셨을 거야. 틀림없이 아직도 **깨어나지** 못했을 걸.

A: That was some party last night! Almost everybody **got drunk**.
B: Yeah, did you see Bill? He must have drunk more than two six-packs of beer. I bet he still hasn't **gotten sober**.

노래방

노래방 I

□ 노래방에 가다
go to a noraebang

□ 선곡하다
select[decide on, choose] a song

□ 무대로 나가다
go up on the stage

□ 마이크를 잡다
take the mike

□ 목청을 가다듬다
1. _____ one's throat

□ 박자 / 음높이를 조절하다
2. _____ the beat / pitch

· clap along with the music
= *clap to the music*

□ 춤추며 노래하다
dance and sing

□ 음악에 맞춰 박수를 치다
3. _____ along with the music

More Expressions

□ 노래를 신청하다 *request a song*

Small Talks

1. A: **노래방에 가** 보신 적 있어요?

B: 아니요. 아직 한 번도 못 가 봤어요.

A: **Have** you ever **been to a noraebang**?

B: No, not even once.

2. A: 먼저 **선곡을** 하시죠.

B: 백 선생님이 먼저 하세요. 노래가 너무 많아서 무슨 노래를 불러야 할 지 정하질 못하겠어요. (선곡하려면) 시간이 좀 걸릴 것 같아요.

A: Please **select a song** first.

B: You choose first, Mr. Paek. Since there are so many songs that I can't decide what to sing. It will take a while.

3. A: Peter, **무대에 나가서** (노래를) 부르세요.

B: 아이, 그냥 여기에서 부를래요.

A: 안돼요. **마이크를 잡았으면** 무조건 무대에서 불러야 돼요. 어서요.

A: Peter, **go up on the stage** and sing.

B: No. I just want to sing from here.

A: You can't. If you're going to **take the mike**, you have to go up on the stage to sing. Hurry up.

노래의 강요는 큰 실례 인가요?

한국인은 여럿이 모였다하면 돌아가면서 노래를 부르고 서로 노래를 권유한다. 심지어 '노래를 못하면…' 하면서 노래를 강요하는 일도 흔하다. 하지만 만약 여러분이 미국인 친구와 노래방에 간다면 노래를 하라고 한번쯤 권할 수는 있으나 절대로 강요해서는 안된다. 미국인 친구가 'No' 라고 말하면 존중해주는 것이 좋다. 한국인끼리 하듯이 떠밀다시피 강요하면 그들은 매우 불쾌하게 여기니 주의!

4. A: 어제 부서 회식은 재미있었어요?

B: 네. 2차로 노래방을 갔는데, 다들 **춤추고 노래하고 박자에 맞춰서 손뼉치고** … 스트레스 푸는데 아주 좋은 방법인 것 같아요.

A: Was the department dinner fun yesterday?

B: Yes. After dinner we went to a noraebang. Everyone **danced**, **sang** and **clapped along with the music** … It was a very good way to relieve stress.

노래방

노래방 II

□ 탬버린을 흔들다
shake[play] the tambourine

□ 분위기를 띄우다
liven up the atmosphere

□ 마이크를 옆 사람에게 넘겨주다
1. _____ the mike to the next person

□ 마이크를 뺏다
2. _____ away the mike

□ 돌아가며 부르다
sing in turns

□ 안 부르려고 빼다
hesitate to sing

· sing in turns
  = *take turns singing*

· everyone gets up to sing
  = *everyone competes to sing*

□ 서로 부르겠다고 나서다
everyone gets up to sing

More Expressions

□ 마이크를 서로 가지려고 한다	*fight over the mike*
□ 어깨동무를 하고 부르다	*sing with arms around each other's shoulders*
□ 노래를 따라 부르다	*sing after sb*
□ 박자에 맞춰 부르다	*sing to the beat*
□ 박자에 못 맞춰 부르다	*sing off the beat*

1. pass 2. take

Small Talks

1. A: Jordan씨는 보기와는 너무 다른 것 같아요.

B: 왜 그렇게 생각하세요?

A: 어제 퇴근 후에 노래방에 같이 갔는데, (안 부른다고) **빼지도** 않고 노래도 너무 잘 부르고 **탬버린**까지 **치더라구요.**

A: Mr. Jordan seems very different from how he looks.

B: Why do you think that?

A: Yesterday after work we went to a noraebang together, and he didn't **hesitate to sing** at all, he sang very well and even **played the tambourine**.

2. A: 영업부 사람들은 확실히 잘 놀더라구요.

B: 어제 영업부랑 같이 회식했어요?

A: 네. 특히 이 영민씨가 **분위기를** 아주 **잘 띄우던데요**?

B: 그 사람은 잘 노는 걸로 유명하잖아요. 틀림없이 서로 노래 부르겠다고 **마이크 뺏었을** 걸요.

A: 왜 아니에요. 처음에는 한 사람씩 **돌아가면서 부르다가** 나중에는 마이크를 놓으려고 하지 않더라구요.

A: The people in the sales department definitely know how to have fun.

B: Did you go to dinner with them yesterday?

A: Yes. Mr. Lee Young-min, especially, really **livened up the atmosphere**.

B: He's famous for being a lot of fun. They were all **fighting over the mike**, I'll bet.

A: Oh, yes. At first they **took turns singing** one at a time, but later no one wanted to give up the mike.

7 음식점

식사하기 I

☐ 미리 주문을 하고 (자리가 나기를) 기다리다
order first and wait (for a place to sit)

☐ 메뉴를 갖다 달리고 하다
1. _____ **for a menu**

☐ 메뉴를 훑어보다
study the menu

☐ 메뉴를 정하다
2. _____ **what to order[eat]**

☐ 주문하다
order sth

☐ 웨이터가 물수건을 갖다 주다
the waiter brings a wet[hand] towel

· ask for a menu
= *ask to see a menu*

· study the menu
= *read the menu carefully*

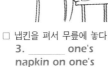

☐ 냅킨을 펴서 무릎에 놓다
3. _____ **one's napkin on one's lap**

☐ 냅킨을 접어서 테이블에 올려놓다
fold a napkin and put it on the table

More Expressions

☐ 주문을 바꾸다　　*change one's order*
☐ 주문을 취소하다　　*cancel one's order*
☐ 추가로 더 주문하다　*order sth in addition*

1. ask 2. decide 3. spread

Small Talks

1. **A:** 와, 여기 사람들이 많네.
   B: 죄송합니다. 지금 자리가 없는데요. **먼저 주문을 하시고 자리가 나기를 기다리시겠습니까?**
   A: 얼마나 기다려야 하나요?

A: Wow. There are lots of people here.
B: I'm sorry. There aren't any seats right now. Would you like to **order first and wait**?
A: How long do we have to wait?

2. **A:** **주문하시겠습니까?**
   B: 시간을 좀 더 주시겠어요? 아직 **메뉴를** 다 **훑어보지** 못했어요.
   A: 그럼요. 잠시 후에 다시 올게요.

A: Would you like to **order**?
B: Could you give us more time? We haven't **studied the menu** thoroughly yet.
A: Sure. I'll come back a little later.

3. **A:** 음식 종류가 너무 많아서 **메뉴를 못 정하겠어.**
   B: 내가 추천해줄까? 여기 해물 스파게티 잘 해.

A: There are so many kinds of food, I can't **decide what to order**.
B: Can I offer you a suggestion? They make good seafood spaghetti here.

4. **A:** **웨이터가 물수건을 갖다주는 것을** 잊어버렸나 봐.
   B: 아니야. 지금 오고 있어.

A: **The waiter** seems to have forgotten about **bringing** us some **wet towels**.
B: No. He's coming now.

5. **A:** 자리에서 일어날 때는 **냅킨을 접어서 테이블 위에 올려놓는 게** 예의야.
   B: 맞아. 난 항상 그걸 잊어버려.

A: When you get up from your place, it's polite to **fold your napkin and place it on the table.**
B: Yes. I always forget to do that.

Tips

아무데나 앉으면 안돼요!

외국의 식당에서는 fast food restaurant이 아니면 우리나라에서처럼 아무 자리에나 가서 앉는 것은 실례이다. 그러므로 "Please wait to be seated."(안내할 때까지 기다려주세요)라는 팻말이 없어도 waiter나 waitress가 안내할 때까지 기다려야 한다.

7 음식점

식사하기 II

□ 써빙하다
serve

□ 소금을 건네주다
1. _____ the salt

□ 음식을 쏟다
spill the food

□ 숟가락을 떨어뜨리다
2. _____ one's
spoon

□ 웨이터를 부르다
3. _____ the waiter

□ 한 그릇을 더 먹다
**have[eat] one more
[another] dish[bowl]
(of sth)**

· serve
= *wait on*

· have[eat] one more
[another] dish
[bowl] (of sth)
= *have a second
[another] helping*

· the waiter clears the
table
= *the waiter clears
away the dishes*

□ 웨이터가 그릇을 치워 가다
**the waiter clears the
table**

□ 냅킨으로 입을 닦다
**wipe one's mouth
with one's napkin**

Small Talks

1. A: Cindy, 소금 좀 **건네줄래**?
　　B: 여기 있어. 음식이 좀 싱겁지?

A: Cindy, would you please **pass** me **the salt**?
B: Here it is. The food is kind of bland, isn't it?

2. A: 저기요. **젓가락을 떨어뜨렸는데** 다른 것으로 바꿔주실래요?
　　B: 알겠습니다. 또 뭐 필요한 것 없으세요?

A: Excuse me. I **dropped my chopsticks**. Can I get another pair?
B: All right. Is there anything else you need?

3. A: 저녁을 '올리브 나무'에서 먹을까?
　　B: 거긴 싫어. 지난 번에 갔을 때 너무 불친절해서 거긴 더 이상 안 가요.
　　A: 어떻게 했는데?
　　B: **웨이터를** 여러 번 **불렀는데** 한 번도 오질 않았어.

A: Shall we eat dinner at the "Olive Tree"?
B: I don't like that place. The last time I went there, the service was terrible. So I don't go there any more.
A: What was so bad about the service?
B: I **called the waiter** many times, and he never came.

Tips

'웨이터'라고 부르면 안 돼요!

한국에서는 웨이터를 식당 종업원 정도로 보지만, 미국에서는 웨이터를 하나의 전문직으로 보고 웨이터 스스로도 자부심을 갖고 일하는 경우가 많다. 따라서 정중하게 대해야 하며 웨이터를 부를 때도 "Excuse me, please."라고 부르는 것이 좋은 매너이다.

4. A: 국 **한 그릇** 더 **드실**래요?
　　B: 그래도 될까요? 아주 맛있네요.

A: Would you like to **have another bowl of** soup?
B: Would that be all right? It's very delicious.

☐ 현금 / 수표로 내다
1. _____ in cash / by check

☐ 각자 계산하다
pay individually

☐ 돈을 세다
2. _____ the money

☐ 카드로 계산하다
pay by credit card

☐ 영수증에 싸인하다
sign the receipt

☐ 영수증을 받다
get[receive] the receipt

☐ 지갑에서 돈을 꺼내다
take one's money out of one's wallet

☐ 식사를 대접하다
treat sb to a meal [lunch, dinner, etc.]

· pay individually
= *pay separately*
= *go Dutch*
= *have separate checks*

☐ 예약하다
3. _____ a reservation

☐ 배달하다
deliver (food)

More Expressions

☐ 지갑을 안주머니에서 꺼내다   *take one's wallet out of one's inside breast pocket*

☐ 배달시켜 먹다   *have some food delivered*

☐ 분담해서 계산하다   *split the bill*

Small Talks

1. A: 홍 선생님, 'DAVE'라는 음식점 가 보셨어요?

B: 네, 두 번 가 봤어요.

A: 전화로 미리 **예약을 해야** 하나요?

B: 그러는 게 좋을 거예요.

A: *Mr. Hong, have you ever been to a restaurant named "DAVE"?*

B: *Yes. I've been there twice.*

A: *Do I have to **make reservations** in advance?*

B: *That would be a good idea.*

2. A: 오늘 **점심**은 제가 **살게요**.

B: 아니에요. **각자 계산해요**. 저번에도 사주셨잖아요.

A: *I'll **buy lunch** today.*

B: *No. Let's **go Dutch**. You treated me last time.*

3. A: 점심 어떻게 할까요?

B: **배달시켜 먹는 것**이 어떻겠어요?

A: *What should we do for lunch?*

B: *How about **having some food delivered**?*

4. A: **영수증 받았어**?

B: 응, 주차요금 낼 때 이거 보여주면 되지?

A: *Did you **get the receipt**?*

B: *Yes, when it's time to pay the parking fee, I can just show this, right?*

Tips

bill과 check 그리고 receipt의 차이?

bill은 계산서, 청구서로 일상시에 산 물건이나 식대, 일한 것에 대한 지불의 계산서를 지칭하며 고지서도 이에 해당된다. check은 미국과 스코틀랜드에서 식당의 계산서를 말할 때 쓰인다. receipt는 check [bill]을 지불하고 난 후에 받는 영수증이다. check이 receipt를 겸하는 경우도 많다.

5. A: 글쎄, 오늘 점심 먹고 **지갑에서 돈을 꺼내려고** 보니까 돈이 하나도 없는 거 있지?

B: 그래서 **카드로 계산했어**?

A: 아니, 카드도 없어서 양 선생님한테 빌렸어.

A: *Today when I went to **take the money out of my wallet** after lunch, I saw there wasn't any money in it.*

B: *So did you **pay by credit card**?*

A: *No, I didn't have a credit card either, so I borrowed from Mr. Yang.*

7 음식점
구체적 식사동작 I

□ 소스에 찍어 먹다
1. _____ it in sauce and eat it

□ 후추를 뿌리다
2. _____ pepper on sth

□ 후후 불면서 먹다
blow on it as one eats

□ 입으로 불어 음식을 식히다
blow on one's food to cool it

□ 씹다
chew sth

□ 게걸스럽게 먹다
devour one's food

□ 음식을 입에 마구 집어넣다
3. _____ one's mouth with food

□ 음식을 입에 넣고 말하다
talk with one's mouth full

· devour one's food
= *wolf down one's food*
= *eat voraciously*

· talk with one's mouth full
= *talk with food in one's mouth*

□ 삼키다
swallow food

□ 음식이 목에 걸리다
food gets caught in one's throat

More Expressions

□ 꼭꼭 씹어 먹다   *chew well*
□ 소리내며 씹다   *chew noisily*
□ 사레들다   *choke (on food) = the food went down the wrong pipe*

Small Talks

1. A: 이 소스로 뭘 하려고 그래요?
   B: 감자칩을 여기에 **찍어 먹게**. 정말 맛있어

2. A: 내가 오징어를 너무 열심히 **씹어 먹었나** 봐.
   B: 왜 그래? 이빨 아프니?
   A: 아니, 턱이 아파.

3. A: 이 수프 뜨거우니까 **후후 불면서 먹어**.
   B: 알았어. 너는 안 먹어?

4. A: 선 본 남자는 괜찮았어요?
   B: 전혀 아니었어요. 특히 식사매너가 전혀 없었어요.
   A: 어떻게요?
   B: 며칠을 굶은 사람처럼 음식을 **게걸스럽게 먹질** 않나, 게다가 **음식을 입에 넣은 채로 말을 하지** 뭐예요.

5. A: 미스 정이 사레들었나 봐요.
   B: **생선가시가 목에 걸렸대요**.
   A: 저런, 그녀를 병원에 데리고 가야 하는 거 아니에요?

A: What's this sauce for?
B: To **dip** the potato chips **in**. It's very good.

A: I must have **chewed** the squid too hard.
B: Why? Do your teeth hurt?
A: No, my jaw hurts.

A: This soup is really hot. **Blow on it as you eat**.
B: Okay. Aren't you going to have some?

A: How was the man you met in terms of a marriage partner?
B: He definitely wasn't. He especially had no table manners.
A: In what way?
B: He **wolfed down his food** like someone who hadn't eaten anything in days, and on top of that, he **talked with his mouth full**.

A: Miss Chung is choking.
B: There's a fish bone **caught in her throat**.
A: We should take her to the hospital, shouldn't we?

Tips

식사예절

1. 냅킨은 무릎 위에 올려놓거나 셔츠 안쪽에 끼운다.
2. 포크와 나이프는 바깥쪽에서 안쪽으로 사용한다.
3. 손을 뻗어 음식을 가져오는 것은 bad manner이므로 건네달라고 한다.
4. 잠시 자리를 비울 때는 "Excuse me."라고 한다.
5. 입맛을 다시거나 소리내어 씹거나 소리내며 마시지 않는다.
6. 식사를 마치면 포크와 나이프는 접시 위에 올려놓는다.
7. 팔꿈치를 식탁에 괴지 않는다.
8. 식사중 이쑤시개 사용과 머리카락을 만지는 것은 금기이다.

7 음식점

□ 음식을 나이프로 썰어 먹다
cut the food with a knife and eat it

□ 스푼으로 떠서 먹나
1. _____ with a spoon

□ 밥을 한 숟갈 푸나
2. _____ a spoonful of rice

□ 젓가락으로 반찬을 집다
pick up side dishes with one's chopsticks

□ 포크로 감자를 찍다
poke[stick] a potato with one's fork

□ 버터를 빵에 펴 바르다
butter the bread

□ 국물이 옷에 튀다
soup splatters on one's clothes

□ 음식을 흘리다
3. _____ some food

· butter the bread
= *spread butter on the bread*

□ 군침이 돌다
one's mouth waters

□ 트림하다
burp

More Expressions

□ 입맛을 다시다   *lick one's chops*

Small Talks

1. **A:** **국물이** 내 원피스에 **튀었어**. 바로 어제 세탁한 건데.
   B: 얼룩진 곳에 비누를 묻혀서 문질러 봐.

A: ***The soup splattered on*** *my dress. I just washed it yesterday.*
B: *Try putting some soap on the spot and rubbing it.*

2. **A:** 셔츠에 그게 뭐예요?
   B: 이거? 오늘 아침에 커피 마시다가 **흘렸어**.

A: *What's that on your shirt?*
B: *This? I was drinking some coffee this morning and it **spilled**.*

3. **A:** 식사 중에 **트림하는** 것이 미국에서는 실례가 되나요?
   B: 그럼요. 절대로 하지 마세요.
   A: 식사 중에 코를 푸는 것은 괜찮다면서요?

A: *Is it rude to **burp** while having meals in America?*
B: *Absolutely. Never ever do that.*
A: *But I heard blowing your nose at the table is acceptable.*

4. **A:** 감자가 다 익었는지 아닌지는 어떻게 알 수 있어?
   B: **포크로 감자를 찔러 봐서** 잘 들어가면 다 익은 거야.

A: *How can I know whether the potato is done or not?*
B: ***Poke the potato with a fork***. *If the fork goes in easily, then it's done.*

5. **A:** 포크를 갖다 드릴까요?
   B: 네. **젓가락으로 반찬을 집기**가 매우 힘드네요.

A: *Shall I bring you a fork?*
B: *Yes, **picking up the side dishes with chopsticks** is very difficult.*

Tips

'바르다'도 가지가지!

우리말의 '바르다'가 각기 다른 뜻이 있듯이 영어에서도 각기 다른 상황에서 다른 단어로 사용된다. '빵에 버터를 바르다'의 경우는 'spread butter on bread'이고 '연고를 바르다'는 'apply ointment', 또 '립스틱을 바르다'는 'put on lipstick', '분을 바르다'는 'powder one's face'이다.

7 음식점
구체적 식사동작Ⅲ

□ 물을 빌킥빌킥 마시다
gulp down water

□ 포크로 말아먹다
wrap food around one's fork and eat it

□ …로 밥을 비비다
1. _____ rice with sth [assorted side dishes]

□ 쌈을 싸 먹다
2. _____ sth in lettuce[cabbage] and eat it

□ 생선가시를 발라내다
remove fish bones

□ 국에 밥을 말다
put one's rice in one's soup

· put one's rice in one's soup
= *mix rice in one's soup*

□ 사탕을 깨물어 먹다
crunch (the) candy (with one's teeth)

□ 아이스크림을 핥아먹다
3. _____ ice cream

□ 사탕을 빨아먹다
suck (the) candy

More Expressions

□ 홀짝홀짝 마시다 *sip = drink in little sips*

1. mix 2. wrap 3. lick

Small Talks

1. A: 제가 **생선가시를** 이미 **발라냈으니까**, 이거 드셔 보세요.

B: 네. 감사합니다. 아주 맛있어 보이네요.

A: *Try this. I've already **removed the fish bones**.*

B: *Yes. Thank you. It looks delicious.*

2. A: 아니 벌써 사탕을 세 개나 먹었어?

B: 응. 난 성격이 급해서 **사탕을 빨아서** 못 먹어. **깨물어 먹어야** 돼.

A: *Did you eat three pieces of candy already?*

B: *Uh huh. I'm very impatient so I don't **suck the candy**. I **crunch it** and eat it.*

3. A: 반찬이 별로 없어서 어떡하지?

B: 괜찮아. 그냥 **밥에** 된장찌개를 넣고 **비벼먹으면** 어떨까?

A: 난 괜찮아요.

A: *Since we don't have many side dishes, what should we do?*

B: *It's okay. Why don't we just **mix our rice with** this bean stew?*

A: *That's fine with me.*

4. A: **물을 벌컥벌컥 마시는** 것을 보니 몹시 목이 말랐었구나!

B: 응. 점심에 너무 짠 음식을 먹었나 봐.

A: *You're really **gulping down** that **water**. You must be very thirsty!*

B: *Yes. I must have eaten something too salty for lunch.*

5. A: 갈비를 먹을 때는 **상추에** 밥과 고기, 김치, 마늘을 조금 넣어 이렇게 **싸 먹는** 거예요.

B: 그렇군요. 그런데 쌈이 너무 커서 한 입에 다 안 들어갈 것 같은데요.

A: *When you eat this kalbi, **wrap** a small piece of meat **in lettuce** with rice and a bit of kimchi and garlic **and eat it** that way.*

B: *Oh, I see. But the wrapped up lettuce is so big that I don't think I can fit it in my mouth all at once.*

7 음식점
페스트푸드점

☐ 줄서서 차례를 기다리다
1. _____ in line
waiting (for) one's
turn

☐ 햄버거를 주문하다
order a hamburger

☐ 햄버거를 포장해서 가지고
나가다
2. _____ out the
hamburger

☐ 쟁반에 담아 가져오다
put it on a tray and
carry it

☐ 자리를 찾느라 두리번거리다
3. _____ around
for a place to sit

☐ 빨대를 뽑다
take a straw

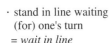

· stand in line waiting
(for) one's turn
= *wait in line*

· take out the ham-
burger
= *order the ham-
burger to go*

☐ 음료수 뚜껑에 빨대를 꽂다
put a straw through
the lid

☐ 햄버거를 한 입 먹다
take a bite of one's
hamburger

☐ 남은 것을 쓰레기통에 버
리다
put the leftovers in
the trash bin

1. stand 2. take 3. look

Small Talks

1. A: 저, 실례지만, **줄서서 차례를 기다리**시지요. 여기 있는 사람들 다 기다렸거든요.
   B: 미안합니다. 여기가 줄의 끝인 줄 알았어요.

A: *Excuse me, but please **stand in line and wait your turn**. All of the people here have waited.*
B: *Sorry. I thought this was the end of the line.*

2. A: 무엇을 드릴까요?
   B: **햄버거** 두 개와 콜라 두개를 **포장해서 가져가고** 싶은데요.
   A: 잠시만 기다리세요.

A: *What would you like?*
B: *Two **hamburgers** and two colas **to go**, please.*
A: *Just a moment, please.*

3. A: 이렇게 많은 것을 어떻게 자리에 가지고 가지?
   B: **쟁반에 담아가지고 가면** 되잖아. 저기 쟁반 있다.

A: *How can I carry so many things to my place?*
B: *How about **putting them on a tray and carrying them**? The trays are over there.*

Tips

주문은 어떻게?

cashier가 next라고 부르면 주문하는데. 따로 주문하는 것보다 세트 메뉴로 주문하는 것이 저렴하다. 세트 메뉴를 McDonald's에서는 'value meal'이라고 하고 웬디스에서는 'combo'라고 한다. 주문을 하면 cashier가 "For here, or to go?"라고 물어본다. 안에서 먹으려면 "Here," 가지고 가려면 "To go" 한다. 그리고나면 "Will that be all?" 이라고 물어보는데 "Yes. thank you."라고 대답하는 게 자연스럽다.

4. A: **남은 것은 쓰레기통에 버려**줄래? 내 손이 꽉 차서.
   B: 알았어.

A: *Would you **put the leftovers in the trash bin**? My hands are full.*
B: *Okay. No problem.*

5. A: 이거 **한 입 먹어**볼래? 맛이 정말 특이해.
   B: 아니 됐어. 배가 불러서 도저히 더는 못 먹겠어.

A: *Do you want to **take a bite**? It has really a special taste.*
B: *No, that's all right. I'm so full I couldn't possibly eat any more.*

길거리

거리에서 Ⅰ

□ 횡단보도에서 신호등이
바뀌기를 기다리다
**wait at a crosswalk for
the light to change**

□ 신호등이 바뀌다
the light changes

□ 건널목을 건너다
1. _____ the street
at[in] a crosswalk

□ 신호등이 깜빡거리다
the light is blinking

□ 노상 판매하다
**sell sth on the
street**

□ 길거리에서 군것질하다
2. _____ a snack
in the street

· sell sth on the street
= *peddle sth*
= *hawk sth*

□ 다른 사람과 부딪치다
3. _____ into
another person

□ 부딪쳐 넘어지다
**bump into sb and fall
(over[down])**

More Expressions

□ 길거리에 늘어놓은 물건을 구경하다	*look at things displayed along the road*
□ 발을 헛디뎌 넘어지다	*misstep and fall (over[down])*
□ 돌멩이에 걸려 넘어지다	*trip over a stone and fall (over[down])*

Small Talks

1. A: 횡단보도의 **신호등이 깜빡거리는데** 뛸까?

B: 아니 안전하게 다음 번에 건너자

A: The crosswalk **light is blinking.** Shall we run?

B: No. But let's cross more safely next time.

2. A: **건널목을 건널** 때는 항상 주위를 확인하고 건너세요.

B: 그래야 될 것 같아요. 횡단보도를 그냥 지나치는 차들이 많더군요.

A: Before you **cross the street at a crosswalk**, first look both ways.

B: Definitely. There are a lot of cars that just run right through crosswalks.

3. A: 미국사람들도 앞차가 **신호등이 바뀌었을** 때 바로 출발하지 않으면 빵빵거리나요?

B: 그럼요. 특히 뉴욕사람들은 성격이 아주 급해요.

A: When **the light changes**, do Americans honk their horns if the car in front doesn't go right away?

B: Sure. Especially, New Yorkers are very quick-tempered.

4. A: 아까 서점에서 나오다가 어떤 남자랑 세게 **부딪쳤는데** 아직도 팔이 아픈 것 같아.

B: 그 남자 미안하다는 말도 없이 그냥 갔어?

A: When I came out of the bookstore a while ago, a man and I **bumped into** each other really hard. And my arm still hurts.

B: Did that man just go without saying sorry?

5. A: **길거리에서 군것질하는 것** 좋아하세요?

B: 예전에는 길에서 파는 것은 위생적이지 않은 것 같아서 싫어했는데 요즘은 좋아해요.

A: Do you like **eating snacks in the street**?

B: In the past I didn't because they seemed unsanitary, but now I can eat them.

Tips

미국에서도 거리에서 음식을 파나요?

거리에서 가장 흔히 볼 수 있는 것이 핫도그와 코카콜라만을 파는 핫도그 스탠드(hotdog stand)이다. 점심 때에는 많은 사람들이 길에 서서 먹고 있는 진풍경을 볼 수 있다. 멋진 신사복 차림의 중역급들도 회식이 없을 때는 핫도그 스탠드에서 점심을 든다. 이밖에 대도시에서는 breakfast wagon, pretzel vendor등도 흔히 볼 수 있다. 그러나 우리나라처럼 길거리에서 음악을 크게 틀어놓고 음반을 팔거나 하지는 않는다.

길거리

거리에서 ||

□ 껌을 밟다
1. _____ on some gum

□ 낙엽을 밟으며 걸어가다
walk on fallen leaves

□ 사람들 사이를 요리조리 빠져나가다
2. _____ this way and that way between the people

□ 길에서 돈을 줍다
pick up[find] some money on the street

□ 길을 묻다
ask for directions

□ 길을 알려주다
give directions

· slip this way and that way between the people
= *make one's way [slip] through the crowd*

· give directions
= *explain the way*
= *tell how to go*

□ 휴지를 길바닥에 버리다
3. _____ trash in the street

□ 휴지를 줍다
pick up trash[litter]

□ 휴지를 휴지통에 버리다
throw trash in the trash can

Small Talks

1. **A:** 왜 그러세요? 저런, **껌을 밟으셨군요.**
   B: 화가 치민다니까요. 대체 누가 이런 데에다가 껌을 뱉는지 모르겠어요.

A: What's the matter? Oh no, you **stepped on some gum**.
B: It makes me so angry. Who would spit gum out in a place like this?

2. **A:** 양 지훈씨가 오늘 왜 저렇게 기분이 좋은 거예요?
   B: 출근하다가 **길에서 돈 만원을 주웠대요.**

A: Why is Mr. Yang Ji-hoon in such a good mood today?
B: On the way to work he **picked up a 10,000 won bill on the street**.

3. **A:** 도대체 여기가 어디예요?
   B: 모르겠어요. 완전히 길을 잃어버린 것 같아요.
   A: 저기 오는 사람에게 **길을 물어볼까요?**

A: Where in heaven's name are we?
B: I don't know. I think we're completely lost.
A: Should I **ask** that person coming over there **for directions**?

4. **A:** 아유, 여기는 너무 북적대네요.
   B: 저를 따라다니기 힘드시죠?
   A: 네. 어떻게 그렇게 많은 **사람들 사이를 요리조리** 잘 **빠져나가세요?**

A: Oh, this place is really crowded.
B: It's hard to follow me, isn't it?
A: Yes, how can you **slip this way and that way between** so many **people**?

5. (야유회에서)
   A: 집으로 돌아가기 전에 자기 주위에 있는 **쓰레기를** 다 **주워서 쓰레기통에 버려주세요.**
   B: 알겠습니다. 혹시 비닐봉지 남는 것 있으면 하나만 주세요.

(At a picnic)
A: Before going home, **pick up** all **the trash** around you and **throw it in the trash can**.
B: All right. If you have any plastic bags left, please give me one.

8 길거리
거리에서 Ⅲ

□ 신문을 사다
buy a newspaper

□ 간판을 구경하다
look at the signboard

□ 아는 사람을 우연히 만나다
1. _____ into sb

□ 소매치기를 당하다
be robbed by a pickpocket

□ 공중전화박스를 찾다
2. _____ for a public phone[a pay phone] booth

□ 동전으로 바꾸다
change money into coins

· be robbed by a
 pickpocket
 = *have one's pocket
 picked*

· change money into
 coins
 = *break a bill into
 coins*

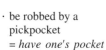

□ 동전을 구멍에 투입하다
3. _____ the coin in the slot

□ 전화기가 동전을 먹다
the phone eats the coin

□ 동전이 다시 나오다
the coin comes out again

More Expressions

□ 여기저기 뛰어다니다   *run all around*
□ 카드를 넣다   *put the card in the slot*
□ 카드를 빼다   *take the card out of the slot*
□ 잔돈으로 바꾸다   *get some change = change some money*

Small Talks

1. A: 오늘 백화점에 갔다가 중학교 동창인 준호를 **우연히 만났어**.

B: 그랬어? 준호는 요즘 어떻게 지낸대?

A: Today when I went to the department store, I **ran into** Jun-ho, an old classmate from junior high school.

B: Did you? How's he doing these days?

2. A: 여기서는 지갑을 조심하세요. **소매치기 당하기** 쉽거든요.

B: 그럼 지갑을 어디다가 넣지요?

A: 재킷 안주머니는 어떨까요?

A: Watch your wallet here. It's easy to **be robbed by a pickpocket**.

B: Then where should I put my wallet?

A: How about in the inside pocket of your jacket?

3. A: 이 근처에 카드 전화는 없습니까?

B: 없는데요.

A: 그럼 **이 지폐를** 25센트 짜리 동전**으로 바꿔주실래요**?

A: Isn't there a card telephone in the area?

B: No, there isn't.

A: Then would you please **change this bill into** quarters?

Tips NYNEX Yellow Pages

Brooklyn
Area Code 718 • July 1995 – June 1996

미국의 전화번호부

전화번호부(telephone directory)는 각 전화회사가 발행하여 전화 가입자에게 무료로 제공해준다. 알파벳순으로 엮은 개인명 전화번호부(white pages)와 업종별 전화번호부(yellow pages)가 있는데 내용은 거주지역을 중심으로 편집되어 있으며 전화번호뿐만 아니라 각종 생활정보를 찾아 볼 수 있도록 되어 있다. 그리고 널리 보급되지는 않고 있지만 공공기관이 실려 있는 전화번호부(blue pages)도 있다.

4. A: 어? 이 전화기 고장났나 봐요.

B: 왜 그래요?

A: **동전을 넣었는데** 그냥 **다시 나와요**.

A: Oh, this phone seems to be broken.

B: Why do you say so?

A: I **put a coin in**, but it just **came out again**.

5. A: 왜 이렇게 땀을 많이 흘리는 거야?

B: **공중전화박스를** 찾느라고 이리저리 뛰어 다녔더니 그래.

A: Why are you sweating so much?

B: It's because I was **running all around looking for a public phone booth**.

□ 다른 사람의 짐을 들어주다
1. _____ sb's bag for him[her]

□ 아이쇼핑하다
go[do] window-shopping

□ 길을 양보하다
yield the way

□ 길거리에서 침뱉다
2. _____ in the street

□ 흙탕물을 튀기다
splash muddy water

□ 교통경찰이 교통정리를 하다
the traffic cop directs the traffic

□ 거리에서 관상 / 손금을 보다
3. _____ faces / palms on the street

□ 데모하다
have a demonstration

□ 경찰이 시위대를 해산시키다
the police scatter the demonstrators

More Expressions

□ 차가 막히다	*the road is jammed with cars = there's a traffic jam = the traffic is jammed*
□ 최루탄을 터뜨리다	*use tear gas = explode tear gas*
□ 각목을 휘두르다	*wave a square bat around*
□ 화염병을 던지다	*throw a Molotov cocktail*

Small Talks

1. A: 오늘 명동 쪽으로는 가지 말자.
   B: 아니 왜?
   A: 뉴스에서 들었는데 학생들이 명동에서 **데모를 한대**.

   A: Today let's not go near Myung Dong.
   B: Why not?
   A: I heard on the news that some students are going to **have a demonstration** there.

2. A: 여기는 3차선에서 1차선으로 줄어드는 곳이기 때문에 항상 차들이 막혀요.
   B: 이런 곳에서는 **교통경찰이** 와서 **교통정리를** 좀 **해주면** 좋을 텐데.

   A: Because the road goes from three lanes to one lane, it's always blocked here.
   B: In a place like this, it would be good if **a traffic cop** came and **directed the traffic**.

3. A: 어디 갔다 왔어?
   B: 머리가 너무 복잡해서 백화점 가서 **아이쇼핑하면서** 기분전환 좀 했어.

   A: Where have you been?
   B: My mind was so cluttered that I went to the department store and **did** some **window-shopping** to relax.

4. A: 아니, 이 무거운 것을 어떻게 들고 왔어요?
   B: 지나가던 사람이 **짐을 들어줘서** 힘들지 않았어요.

   A: Wow, how did you carry that heavy thing here?
   B: A person who was passing by **carried my bag for me** so it wasn't difficult.

5. A: 전 **길거리에서 침뱉는** 사람들을 이해할 수가 없어요.
   B: 정말 보기에 안 좋죠? 그런 사람들에게 벌금이라도 왕창 물렸으면 좋겠어요.

   A: I can't understand people who **spit in the street**.
   B: It really doesn't look good, does it? It would be good if people like that paid gigantic fines or something.

9 미용실·이발소
머리손질

☐ 머리를 다듬다
get[have] one's hair trimmed

☐ 사신의 머리를 자르나
trim one's own hair

☐ 피머하다
1. _____ a perm

☐ 머리를 퍼머기로 말다
2. _____ curlers in the hair

☐ 퍼머기를 풀다
3. _____ the curlers out

☐ 염색하다
get[have] one's hair dyed

· get[have] one's hair
  trimmed
  cf) *trim sb's hair*

· get a perm
  cf) *give a perm*

· get[have] one's hair
  dyed
  cf) *dye sb's hair*

· get[have] one's hair
  set
  cf) *set sb's hair*

☐ 고데하다
use curling irons

☐ 세팅하다
get[have] one's hair set

More Expressions

☐ 탈색하다	*get[have] one's hair bleached ; bleach sb's hair*
☐ 머리를 층이 지게 자르다	*get[have] one's hair cut in layers ; layer the hair*
☐ 머리를 빡빡 밀다	*get[have] one's head shaved ; shave sb's head*
☐ 앞머리를 자르다	*cut the hair in front*
☐ 윗머리를 약간 자르다	*take[cut] a little off the top*
☐ 너무 많이 자르다	*cut off too much*
☐ 새로 머리를 하다	*get a new hairdo*

Small Talks

1. A: 이제 다 됐습니다. 어떠세요?

B: 좋아요. 그런데 **머리 끝을** 좀 더 **다듬어** 주시겠어요? 지금 단정하지 않은 것 같아서요.

A: *Well, that's it. How do you like it?*

B: *I really like it, but could you* ***trim the ends*** *a bit? They look a little uneven.*

2. A: 머리를 어떻게 자르시겠어요?

B: **앞머리는 둥그스름하게** 해주시구요, **뒷머리는 층이 지게** 잘라주세요.

A: *How would you like your hair cut?*
  (= How do you want your hair cut?)

B: *Please* ***cut the hair in front round, and layer the back***.

3. A: 들었니? Tom이 마음을 새롭게 먹느라고 **머리를 빡빡 밀었대**.

B: 참, 다음 번엔 또 무슨 짓을 할까?

A: *Did you hear? Tom decided to make a new beginning and* ***shaved his head***.

B: *Oh boy, what will that crazy guy do next?*

Tips

미용실 명칭과 이용법은?

미국에서는 미용실을 beauty parlor : beauty salon : beauty shop : hair salon : hair studio 등으로 부른다. 미국의 미용실은 남녀 공용이기는 하나 beauty가 붙은 것은 여성 중심이라고 보면 된다. 일반적으로 미국의 미용실은 완전예약제이다. 예약 전화를 걸면 반드시 지명할 미용사 (hairdresser)를 묻는데, 처음인 경우는 물론 미용실에서 정해준다. 통상 미용실에서 지불하는 팁은 요금의 10-15%이다.

4. A: 오늘따라 뭔가 달라 보이는데요, Susan?

B: 알아 맞춰 보세요.

A: 글쎄, 뭘까? 흠 ... 아! 알았다. **퍼머하셨군요**?

A: *Something about you looks different today, Susan.*
  (= You look different today, Susan.)

B: *Take a guess.*

A: *Well, what is it? Hmmm ... Ah! I know. You* ***got a perm***, *didn't you?*

5. A: 요새는 **머리를 노랗게 물들인** 사람들이 참 많죠?

B: 네 그래요. 뒷모습만 보면 어느 나라 사람인지 헷갈린다니까요.

A: *These days a lot of people* ***dye their hair*** *blond, don't they?*

B: *You're right. From the back you can't tell where people are from.*

미용실 · 이발소
기타동작

‖ 가운을 입(히)다
1. _____ a gown on (sb)

□ 수건을 목에 두르디
wrap a towel around sb's neck

□ 레버를 발로 눌러서 의자를 높이다 / 낮추다
step on the lever to raise / lower the chair

□ 빗으로 머리를 빗어서 부풀리다
tease the hair

□ 머리를 핀으로 고정시키다
2. _____ sb's hair with a pin

□ 고개를 앞으로 약간 숙이다
bend one's head forward a little

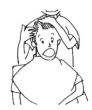

□ 고개를 똑바로 들다
3. _____ one's head straight

□ 이발사에게 면도를 받다
get[have] a shave

□ 머리카락이 눈을 찌르다
get a strand of hair in one's eyes

□ 머리카락을 스펀지로 털어내다
brush off the hairs with a sponge

· put a gown on (sb)
  = *put on a gown*

· step on the lever to raise / lower the chair
  = *raise / lower the chair by pushing on the lever with one's foot*

· tease the hair
  = *backcomb the hair*

· get[have] a shave
  = *be given a shave by the barber*

Small Talks

1. **A:** 머리 좀 자르려고 왔는데요.

   B: 네, 먼저 **가운부터** **입으시고** 이 쪽에서 잠시 기다리세요.

A: I came to get a haircut.

*B: Yes, would you please first **put on a gown** and wait over here for a moment?*

2. **A:** 의자가 너무 낮은 것 같은데. 높이를 어떻게 조정하죠?

   B: **레버를 발로 눌러서 높이시면** 돼요.

A: The chair seems a little too low. How do I adjust the height?

*B: You can **raise it by pushing on the lever with your foot**.*

3. **A:** 아얏! 눈에 뭐가 들어갔나 봐!

   B: 어디 보자. 어, 지금은 없는데. 아마 **머리카락이 눈을 찔렀나** 봐.

A: Ouch! Something got in my eye!

*B: Let me see. Well, it's gone now. Probably you **got a strand of hair in your eye**.*

4. **A:** 오늘 일찍 퇴근하시네요, 한 선생님.

   B: 오늘이 결혼 10주년이거든요. 집에 가기 전에 이발도 하고 **면도도 하려구요.**

A: You're leaving early today, Mr. Han.

*B: Today's my tenth wedding anniversary. Before going home I want to **get** a haircut and **a shave**.*

Tips

이발소 이용법은?

미국의 이발소(barbershop)는 우리나라와 마찬가지로 입구에 빨강과 흰색의 'barber's pole'이 서 있는 곳이 많다. 그러나 우리나라처럼 전체적인 서비스를 제공하지 않기 때문에 세발(shampoo)을 해 달라던가, 면도(shave)를 해 달라고 분명히 주문하지 않으면 컷(cut)만 해준다. 또 파마를 하거나 특별한 헤어 스타일로 하고 싶을 때는 이발사(barber)가 아닌 미용사(hairdresser)에게 가야 한다.

10 목욕탕

목욕 I

□ 목욕탕에 가다
go to a public bath

□ 귀중품을 카운터에 맡기다
1. _____
one's valuables at the counter

□ 옷을 사물함에 넣다
put one's clothes in the cabinet[locker]

□ 열쇠를 구멍에 꽂다
put the key in the lock

□ 열쇠를 돌려 잠그다
turn the key to lock it

□ 열쇠를 빼다
take the key out

□ 열쇠줄을 손목에 끼다
put the elastic band with the key around one's wrist

□ 바가지로 몸에 물을 끼얹다
2. _____
water over one's body with a dipper [a small basin]

□ 탕 속에 들어가다
sit in the tub

□ 때를 밀다
3. _____ off the dirt[dead skin]

□ 사우나에서 땀을 흘리다
sweat in the sauna

□ 서로 등을 밀어주다
scrub each other's backs

More Expressions

□ 신발을 신발장에 올려놓다   *put one's shoes on the shoe rack[in the shoe case]*

□ 냉탕과 온탕을 번갈아 들어가다   *go back and forth between the hot tub and the cold tub*

□ 찜질하다   *apply a (hot / cold) pack*

Small Talks

1. **A:** 이런! 사물함에 넣어 두었던 제 지갑이 없어졌어요.

    B: **귀중품은 카운터에 맡겼어야** 되는데 그나저나 큰일이네요.

A: Oh no! My wallet is gone from my cabinet.

*B: You should have **left your valuables at the counter.** Anyway, that's a shame.*

2. **A:** 한국사람들은 얼마나 자주 **목욕탕에 가나요?**

    B: 잘 모르겠지만 1주일에 한 번 정도 갈 거에요.

*A: How often do Korean people **go to public baths?***

B: I'm not sure, but I think about once a week.

3. **A:** 지난 일요일에 목욕탕에 가 봤다면서요, Susan?

    B: 네. 사람들이 **서로 등을 밀어주는 걸** 보고 우스워서 혼났어요.

A: I heard you went to a public bath last Sunday, Susan?

*B: Yes. I had trouble not laughing when I saw people **scrubbing each other's backs.***

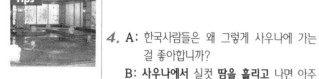

4. **A:** 한국사람들은 왜 그렇게 사우나에 가는 걸 좋아합니까?

    B: **사우나에서** 실컷 **땀을 흘리고** 나면 아주 개운하거든요.

A: Why do Koreans like going to the sauna so much?

*B: After **sweating** a lot **in the sauna,** one feels really refreshed.*

엣?! 저희가 동성연애자 냐구요?

미국의 목욕문화는 한국과 많이 다르다. 미국에서는 대중목욕탕이 흔하지 않고 일반인들은 거의 이용하지 않을 뿐 아니라 대부분의 이용객은 동성연애자인 경우가 많다. 중학교나 고등학교에서 체육시간이 끝나면 다같이 옷 벗고 샤워하기는 하지만 10분 이내에 재빨리 끝내기 때문에 대중목욕탕에서 목욕하며 느긋하게 앉아서 잡담까지 하는 한국인의 모습이 그들에게는 아주 이상하게 보인다고 한다.

5. **A:** **때를 미는 게** 피부에는 안 좋대요.

    B: 네, 저도 알아요. 하지만 때를 밀지 않으면 나중에 상쾌하지 않아서요.

*A: I heard that **scrubbing off the dead skin** isn't good for the skin.*

B: I've heard that too. But if I don't scrub off the dead skin, I don't feel fresh afterwards.

목욕탕
목욕 II

□ 수건으로 머리를 감싸 매나
**wrap a towel
around one's head
and knot it**

□ 수건을 허리춤에 두르다
**wrap a towel
around one's waist**

□ 선풍기를 쐬다
1. _____ off in
front of a fan

□ 땀을 닦다
**wipe (off, away)
the sweat**

□ 마사지를 받다
have[get] a massage

□ 체중을 재다
2. _____ oneself

· wrap a towel
around one's head
and knot it
= *knot a towel
around one's head*

□ 체중기에 올라가다 / 내려오다
get on / off the scale

□ 옷을 사물함에서 꺼내다
**take one's clothes
out of the cabinet
[locker]**

□ 귀중품을 돌려받다
3. _____ back
one's valuables

More Expressions

□ 선풍기 앞에서 머리를 말리다   *dry one's hair in front of a fan*
□ 선풍기를 강하게 하다   *turn the fan on high*
□ 선풍기를 약하게 하다   *turn the fan on low*

   1. cool   2. weigh   3. get

Small Talks

1. A: 선풍기로 머리 좀 **말려야**겠다.

B: 그래? 선풍기를 같이 써야겠네. 나도 더워 죽을 지경이야.

A: I need to **dry my hair in front of the fan**.

B: Really? Then we need to share it. I'm almost dying from the heat.

2. A: 피곤힐 때는 어떻게 피로를 푸세요?

B: 가볍게 운동을 하기도 하고 집사람한테 **안마를 받기도 해요**.

A: When you're tired, what do you do to relax?

B: Sometimes I do light exercise and sometimes I **get a massage** from my wife.

3. A: 선풍기 좀 **세게 해**. 전혀 안 시원하잖아.

B: 이게 가장 센 거야. 날씨가 워낙 더워서 그래.

A: **Turn the fan on high**. It's not cool at all.

B: It's on as high as it can go. It's because the weather is so hot.

4. A: **체중을** 자주 **재** 보세요?

B: 아뇨. 요즘 살이 쪄서 **저울에 올라가기가** 무서워요.

A: Do you **weigh yourself** often?

B: No. These days I gained weight so I'm afraid to **get on the scale**.

5. A: 세수를 할 때 마다 자꾸 머리가 내려와서 거추장스러워.

B: 그럼 **수건으로 머리를 감아서 매 봐**. 괜찮을 거야.

A: Whenever I wash my face, my hair keeps falling in my face and bothers me.

B: Then **wrap a towel around your head and knot it**. It'll be all right.

Tips

욕실바닥에 물을 튀면 안된다구요?

미국의 욕실은 한국과 상당히 다른데. 바닥에 배수구가 없고 바닥이나 벽이 타일로 만들어져 있지 않아 바닥이나 벽에 물을 끼얹는다든지. 물을 튀어서는 안된다. 심지어 카펫이 깔린 바닥도 있고 벽에도 벽지를 발랐기 때문에 물을 튀는 것은 큰 실례가 된다. 미국 가정의 욕실에 샤워 커튼이나 샤워 문이 있는 것은 바로 이런 이유에서이다.

11

우체국

우체국에서 I

□ 편지를 부치다
send[mail] a letter

□ 봉투에 우표를 붙이다
**paste[put] the stamp
on the envelope**

□ 우표에 풀칠하다
**put some paste
on the stamp**

□ 주소를 쓰다
**write the
address**

□ 우편번호부를 뒤지다
**1. _____
through the
postal[zip] code
book**

· put some paste on
  the stamp
= *apply paste to the
  stamp*

More Expressions

□ 빠른 우편으로 보내다	*send sth express*
□ 보통 우편으로 보내다	*send sth by regular mail*
□ 등기로 부치다	*send sth by registered mail = get[have] sth registered*
□ 우편번호를 찾아 보다	*try to find out the postal[zip] code*
□ 종이를 소포 크기에 맞게 자르다	*cut the paper to the size of the package[the parcel]*
□ 소포의 무게를 달다	*weigh the package[the parcel]*
□ 우표에 침을 묻히다	*lick the stamp*

□ 소포를 저울에 올려놓다
put a package[a parcel] on the scale

□ 소포를 부치다
2. _____ a package[a parcel]

□ 우편 요금을 내다
3. _____ for the stamps

□ 소포를 끈으로 단단히 묶다
tie a package[a parcel] tight with string

□ 소포를 종이봉투에 집어넣다
put a package [a parcel] in a paper envelope

□ 소포를 풀로 봉하다
paste the parcel shut

□ 소포를 포장하다
wrap a package[a parcel]

More Expressions

□ (봉투에서) 우표를 뜯다	*tear[rip] off a stamp* (우표가 찢어지는 것에 상관없이 떼어내는 것) *cf) peel off a stamp* (봉투에서 우표만 살짝 떼어내는 것)
□ 주소를 잘못 쓰다	*write the address wrong = write the wrong address*
□ 테이프로 봉투를 붙이다	*tape the envelope shut*
□ 봉투를 풀로 봉하다	*paste the envelope shut*

1. A: 우표에 풀칠해야 되는데, 풀이 어디 갔을까?

B: 글쎄, 분명히 봤는데. 내가 한번 찾아 볼게.

A: *I need to **put some paste on the stamp**, but where did the paste go?*

B: *Well, I definitely saw it. I'll try to find it.*

2. A: 빠른 우편으로 보내시겠어요, 보통 우편으로 보내시겠어요?

B: 빠른 우편으로요. 그리고 등기로 해주세요.

A: *Do you want to **send it (by) express or regular mail**?*

B: *By express mail, and I'd like to **send it by registered mail**.*

3. A: 얼마 전에 제가 보낸 편지 받으셨죠?

B: 아뇨. 제가 한달 전에 이사했다는 말씀을 안 드렸나요?

A: 저런! 그것도 모르고 엉뚱한 주소를 썼군요.

A: *Did you receive the letter I sent a while ago?*

B: *No. Didn't I tell you I moved a month ago?*

A: *Oh no! I didn't know that, so **wrote the wrong address**.*

Tips

미국의 우체국은 다르다면서요?

미국의 우체국은 체신부 산하에 있는 게 아니라 독립 기관이고, 다른 곳(5일 근무)과 달리 6일 근무이며, 정규직원이나 배달원(mail man)은 반드시 미국시민이어야 한다는 특징이 있다. 여권발급 업무도 담당한다. 미국에서는 각종 고지서를 은행에 가지 않고 personal check을 써서 우편으로 보낸다. 수표에 수신자를 표기하므로 사고의 위험이 적기 때문에 수표를 보낼 때에도 등기(registered mail)로 부치지 않고 우리나라의 빠른 우편에 해당하는 First class mail로 보내면 되는데 32센트 짜리 우표를 붙이기만 하면 된다. 그러나 중요한 서류는 등기가 안전하다.

4. A: 이 종이봉투에 소포를 넣을 수가 없는데요. 좀 더 큰 봉투 없습니까?

B: 죄송합니다. 그게 가장 큰 것인데요.

A: *I can't **put this parcel into this paper envelope**. Do you have a larger one?*

B: *I'm sorry. That's the largest we have.*

5. A: 누구한테 소포 보내나 보지?

B: 응. 미국에 있는 사촌 형에게.

A: 너무 헐겁게 매졌네. 다시 한 번 단단히 묶지 그래?

A: *You're **sending** someone **a package**, huh?*

B: *Yeah. To my cousin in America.*

A: *It's tied too loosely. Why don't you **tie it** again **tightly**?*

6. A: Mary, 이 **소포** 좀 뉴욕으로 **부쳐줄래**? **주소는**
이미 **써** 놓았어.

B: 지금 우체국에 들를 건데. 어떻게 보내줄까?

A: 등기우편으로.

*A: Mary, I need you to **send** this **parcel** to New York for me. I already **wrote the address** on it.*

B: I'll run over the post office right now. How do you want it sent?

A: By registered mail.

7. A: 뭐 하는 거야, 왜 우표에 침을 발라! **봉투에 우표를 붙일** 때는 축축한 스펀지를 이용하면 되잖아.

B: 왜 어때서? 난 항상 우표에 침을 묻히는데.

A: 우표에 쓰이는 풀은 건강에 좋지 않아. 그리고 입도 너무 건조해지고.

B: 걱정도 팔자다. 우표에는 완벽하게 안전한 풀만 써. 게다가 맛도 좋다구.

*A: What are you doing licking those stamps! Use a wet sponge when you **paste stamps on an envelope**.*

B: What's the problem? I always lick the stamps.

A: But the glue on the stamps is not good for your health, and your mouth becomes too dry.

B: You worry too much. Stamps use glue that is completely safe. Besides, I like the taste.

11 우체국

우체국에서 II

□ 우체통에 편지를 넣다
put[drop off] a letter in a mailbox

□ 우체통을 열어 편지를 꺼내다
1. _____ **the mailbox and take out the letters**

□ 우편물을 가방에 담다
put the mail in a mail bag

□ 우편물에 도장을 찍다
cancel[void] the stamps

□ 우편물을 분리하다
2. _____ **the mail**

□ 우편물을 오토바이로 배달하다
deliver the mail by motorcycle

□ 우편함을 확인하다
3. _____ **one's mailbox**

□ 남의 편지를 몰래 뜯어보다
open and read sb's letter secretly

□ 편지를 갈기갈기 찢다
rip[tear] a letter up into tiny pieces

□ 소포를 찾으러 우체국에 가다
go to the post office to pick up a package[a parcel]

More Expressions

□ 잘못 배달된 우편물을 받다   *get the wrong letter by mistake*
□ 우편물을 잘못 배달하다   *make a wrong delivery*
□ 남의 편지를 몰래 읽다가 들키다   *be caught reading sb's letter secretly*

Small Talks

1. A: 이번 여름에 우체국에서 아르바이트 하
게 됐어.
B: 어떤 일인데?
A: **우편물을 분리해서 도장찍는 일**이야.

A: *I've got a part time job in the post
office this summer.*
B: *What kind of work is it?*
A: *I have to **sort the mail and cancel
the stamps**.*

☐ *cancel* (우표 등에) 소인을 찍다

2. A: Susan이 너한테 굉장히 쌀쌀맞게 구는
것 같구나.
B: 그럴만도 해. 어제 내가 그녀의 **편지를
몰래 읽다가 들켰거든**.

A: *Susan seems to be acting very cold
to you.*
B: *She has a reason to. Yesterday I
got caught reading one of her
letters secretly.*

3. A: 지금 5시가 지났나요?
B: 아니요. 아직 10분 남았어요. 왜 그러세
요?
A: **소포를 찾으러 우체국에 가야** 되는데, 우
체국이 5시에 닫거든요.

A: *Is it after 5 (o'clock) now?*
B: *No. It's ten to five. Why?*
A: *I have to **go to the post office to
pick up a package**, but it closes at
5.*

4. A: 왜 John이 저렇게 **편지를 갈기갈기 찢
는 거야**?
B: 아마 여자친구가 헤어지자는 편지를 보
냈나 봐.

A: *Why is John **ripping that letter
up into tiny pieces**?*
B: *Maybe his girlfriend sent him a
letter saying she wants to break up.*

Tips

우편환은 언제 사용하나
요?

미국에서는 은행거래가 없
을 때 각종 공공요금의 지
불 또는 송금을 우편환
(money order)으로 한다.
우리나라로 송금할 때의 국
제우편환도 우체국에서 발
행해준다. 현금을 봉투에
넣어 송금하는 것은 법으로
금지하고 있기 때문에 송금
할 경우에도 우편환을 이용
한다.

12 은행
입·출금하기

☐ 입금하다
deposit

☐ 송금하나
1. _____ (sb) money

⊔ 수수료를 내다
pay a service charge

☐ 통장을 정리하다
2. _____ one's
**bankbook[one's
account book]**

☐ 돈을 다른 계좌로 자동이체
시키다
**have money auto-
matically transferred
to another account**

☐ 번호표를 뽑다
**pick up a number
ticket**

☐ 입[출]금 신청양식을 작성하다
3. _____ out the slip

☐ 입[출]금 신청양식을 구겨
버리다
**crumple[scrunch]
up and throw
away the slip**

☐ 돈이 (통장에서) 자동으로
빠져 나가다
**the money is
transferred[taken out]
automatically**

· send (sb) money
= *remit (sb) money*

More Expressions

☐ 수표를 끊다   *make out[write] a check*
☐ 전신환으로 보내다   *wire (sb) money*

   1. send   2. update   3. fill

Small Talks

1. **A:** 돈을 송금하시기 전에 우선 이 **양식을 작성해**주십시오.

  B: 계좌번호 외에 또 무엇을 써야 하나요?

A: Before sending money, please **fill out** this **form**.

B: What do I have to write besides the account number?

2. **A:** 같은 은행의 다른 지점으로 돈을 보낼 때에도 **수수료를 내야** 하나요?

  B: 아니요, 그러실 필요 없어요.

A: Do I have to **pay a service charge** to send money to another branch of the same bank?

B: No, you don't need to.

3. **A:** 저 사람들이 지금 뭐하고 있는 거에요?

  B: **번호표를 뽑고** 있는 거에요.

  A: 번호표요? 아하! 은행이 복잡하니까 순서를 정하기 위해서 그러는군요.

A: What are those people doing?

B: They're **picking up a number ticket**.

A: A number ticket? Ah ha! Since the bank is crowded, they do that to decide the order.

4. **A:** 이상하네 … 통장에 돈이 왜 이것밖에 안 남았지?

  B: 혹시 **돈이 자동으로 빠져 나간 것** 아니에요?

  A: 그런가?

A: It's strange … Why is there only this much money left in my account?

B: Isn't it possible **the money is taken out automatically**?

A: Could that be it?

미국 은행의 거래시간은 언제?

미국 은행의 개점시간은 아침 9시 또는 10시이고, 폐점시간은 3시, 5시, 6시로 은행마다 다르다. 요일을 제한하는 대신 시간을 연장하는 곳, 토요일에도 오전 동안 개점하는 곳 등 각기 특색이 있으므로 자기에게 편리한 시간대를 이용한다.

5. **A:** 미국에서두 사람들이 **통장을 정리합니까**?

  B: 네. 그렇지만 의무적이지는 않아요.

A: In America, do people **update their bankbooks**?

B: Yes, but they're not required to.

12 은행

현금인출기 사용

□ 현금인줄기로 돈을 찾다
**1. _____ [take out]
money from an ATM**

□ 현금카드를 인출기에 집어넣다
**put one's cash card
into the machine**

□ 비밀번호를 누르다
**2. _____ one's
PIN[password]**

□ 잔고를 확인하다
3. _____ the balance

□ 카드를 꺼내다
**take[pull] out the
card**

□ 카드가 인출기에 끼이다
**the card gets stuck
[caught] in the ATM**

□ 돈이 기계에서 나오다/돈을
기계에서 꺼내다
**the money comes out
of the machine / take
the money out of the
machine**

□ 명세표를 뽑다
**take out the transac-
tion report [the
transaction receipt,
the record]**

□ ATM에 현금이 다 떨어지다
**the ATM is out of
money[cash]**

More Expressions

□ 카드를 인출기에 긋다　　　　*swipe one's card through the machine*

Small Talks

1. A: 현금인출기에서 돈을 찾으려고 줄 서 있는 저 많은 사람들 좀 보세요.

B: 네, 이 근처에는 은행이라곤 여기 하나 뿐이에요.

A: *Look at all the people in line to* **withdraw money from the ATM**.

B: *Yes, this is the only bank in the area.*

2. A: 카드가 인출기에 끼었는데 어떡하죠?

B: 이 번호로 관리회사에 연락하세요.

A: *My card* **is stuck in the ATM**. *What should I do?*

B: *Call the company at this number and ask for maintenance.*

3. A: 현금카드를 인출기에 넣고 그었는데 아무 반응이 없네.

B: 카드의 자기대(磁氣帶)가 지워졌을지도 몰라.

A: *I* **swiped my cash card through the cash dispenser**, *but nothing happened.*

B: *Your card might have a problem with its magnetic strip.*

4. A: 여기에 있는 이 빨간 싸인은 뭐예요?

B: ATM에 현금이 다 떨어졌다는 뜻이에요.

A: *What's this red sign here?*

B: *It means* **the ATM is out of cash**.

Tips

영어로 비밀번호는 뭘까?

답은 PIN(Personal Identification Number) 이다. 은행에서 구좌 (checking account)를 개설하면 ATM카드를 발급 받을 수 있다. 이 카드는 PIN을 알아야 사용할 수 있고 사용의 제약이 많아 credit card와는 여러모로 다르며, 우리나라의 직불카드(debit card)와 같은 것으로서 personal check의 기능을 한다. 이 카드를 사용할 때, 주의할 점은 잔고가 얼마인지 꼭 확인하고 사용해야 한다는 것이다. 잔고가 부족한 상황에서 사용하면 부도수표(bounced check)와 똑같은 벌금(약 20-25불)을 물어야 한다.

12 은행

기타 은행업무

□ 잔돈으로 바꾸다
get change

"잔돈을 바꿔주세요"

□ 신용카드 분실신고를 하다
1. _____ a credit card missing

· get change
  = *change money*

· report a credit card missing
  = *report a missing credit card*

· give a loan
  = *provide financing*

□ 자판기에서 커피를 뽑아 마시다
get[have] coffee out of the vending machine

□ A은행과 거래하다
2. _____ with A bank

More Expressions

□ 적금을 들다	*have a savings installment plan*
□ 매월 적금을 붓다	*make the monthly deposit in one's savings installment plan*
□ 예금구좌가 있다	*have a savings account*
□ 구좌를 없애버리다	*close an account*

□ 금고에서 돈을 꺼내다
take money out of the safe

□ 은행원과 새테그 상담을 히디
consult with the banker[bank officer] about investments

□ 돈을 세다(손으로/기계로)
count the money (by hand/by machine)

□ 융자해 주다
give a loan

□ 수표를 현금으로 바꾸다
3. _____ a check

□ 이자를 내다
4. _____ interest

□ 은행구좌를 만들다
open a bank account

□ 은행 대출을 받다
receive[get] a loan from the bank

More Expressions

□ 달러로 환전하다	*change money (in)to dollars*
□ 돈을 예치하다	*deposit money*
□ 헌 돈을 새 돈으로 바꾸다	*change old money into new bills = exchange old money for new money*
□ 동전을 지폐로 바꾸다	*exchange coins for bills[for paper money]*
□ 현금보호를 요청하다	*request security assistance*

Small Talks

1. A: 아무리 찾아도 신용카드가 없네. 분명히 지갑에 있었는데.

R: 그렇다면 빨리 **분실신고를 하세요**.

A: *For the life of me, I can't find my credit card. It definitely was in my wallet.*

B: *You'd better hurry and **report the card missing**.*

2. A: 무슨 일로 그 **돈을** 모두 **새 것으로 바꾸시는** 겁니까?

B: 내일이 설날이라서 새 돈으로 세뱃돈을 주려구요.

A: *Why are you **changing** all that **money into new bills**?*

B: *Since tomorrow is New Year's Day, I want to give out brand new money as New Year's greeting money.*

3. A: 이제 결혼도 했으니 재테크에도 신경을 써야 할 것 같아요.

B: 은행은 **한 군데와** 꾸준히 **기래이는 게** 좋아요.

A: *Now that I'm married, I'll have to concern myself with investments.*

D: *It's good to **deal** consistently **with one bank**.*

4. A: 요즘에는 **은행에서 대출받기가** 어려운가요?

B: 네. 예전보다 훨씬 더 어려워요.

A: *These days, is it difficult to **get a loan from the bank**?*

B: *Yes, it's much more difficult than before.*

5. A: 어서 이 융자를 갚아야지. **이자 내는 것**도 지긋지긋해요.

B: 이해가 돼요. 이자율도 정말 높잖아요.

A: *I've got to pay back this loan quickly. I'm sick of **paying interest**.*

B: *I understand. And the interest rate is very high.*

drive-up window가 뭔가요?

drive-up window란 은행 고객이 은행 안으로 들어가지 않고 자동차에 앉아서 입·출금 등의 은행업무를 볼 수 있도록 은행의 바깥벽에 만들어 놓은 창구를 말한다. 단순한 입·출금뿐만 아니라 banker와 상담해야하는 대출업무를 제외한 대부분의 은행업무를 다루기 때문에 drive-up teller라고도 하며 식당에서는 이와 같은 서비스를 drive-through 라고 한다.

6. A: 돈을 관리하려면 어떻게 하는 게 가장 좋을까요?
　　B: 우선 **적금을 들고** 남는 돈은 저축을 하세요.

A: What's the best way to manage money?
*B: First **have a savings installment plan** and put the rest of your money in a savings account.*

7. A: **달러로 환전하려고** 하는데 이 근처에 은행이 어디 있습니까?
　　B: 이 블럭이 끝나는 지점에 하나 있어요.

*A: I want to **change** some **money to dollars**. Where is a bank in this area?*
B: There's one at the end of this block.

8. A: **은행구좌를 만들려면** 필요한 게 뭐죠?
　　B: 신분증과 본인의 싸인이나 도장이요.

*A: What is needed to **open a bank account**?*
B: Some identification and your signature or seal.

9. A: 와! 오늘따라 은행이 정말 북새통이네.
　　B: 정말 그렇네. 내일 다시 와서 볼 일 보고, 오늘은 **자판기에서 커피나 뽑아 마시고** 가자.

A: Wow! The bank is really crowded today.
*B: It really is. Let's come back tomorrow to take care of our business. Today let's just **have coffee from the vending machine** and go.*

☐ 예배를 보다
attend a (church) service

☐ 두 손을 모으고 기도하다
fold one's hands in prayer

☐ 설교하다
1. _____ a sermon

☐ 찬송가를 부르다
2. _____ hymns

☐ 성가대가 찬양을 하다
the choir sings a hymn of praise

☐ 헌금을 걷다 / 헌금하다
3. _____ the offering / give an offering

· attend a (church) service
= *go to a (church) service*

· fold one's hands in prayer
= *fold one's hands and pray*

· study the Bible
= *do Bible study*

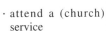

☐ 신자들과 교제하다
enjoy fellowship with other members of the congregation

☐ 성경 공부를 하다
study the Bible

☐ 성경 구절을 찾다
look for a verse in the Bible

More Expressions

☐ 십일조를 내다   *tithe = do tithing = give a tithing*

Small Talks

1. A: 한 소녀가 **두 손을 모으고 기도 드리는** 그림을 본 적 있니?

B: 아, 택시기사 앞 쪽에서 때때로 볼 수 있는 그 그림?

*A: Have you seen the picture of a girl **folding her hands in prayer**?*

B: Ah, the picture we can see sometimes right in front of taxi drivers?

2. A: 어떤 교인들은 예배시간에 **헌금을** 안 **내기도** 해요.

B: 돈이 없으면 그럴 수도 있지 않겠어요?

*A: Some church members don't **give an offering** during the service.*

B: If they don't have money, that's possible, isn't it?

3. A: 가만히 살펴 보면 목사님이 **설교하실** 때 조는 사람들이 많아요.

B: 솔직히 말하면 저도 가끔씩 졸아요.

*A: If you look around carefully, a lot of people doze while the minister is **giving the sermon**.*

B: To be frank, I sometimes doze off, too.

4. A: **예배는** 안 **드리고** 여기서 뭐하는 거에요?

B: 아기가 자꾸 울어서 데리고 나왔어요.

*A: What are you doing here not **attending the service**?*

B: My baby keeps crying, so I took her out.

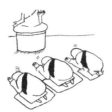

☐ 예불 드리다
1. _____ homage to the Buddha

☐ 손을 '합장' 하다
hold one's hands in 'hapchang'

☐ 스님에게 시주하다
make an offering to a monk

☐ 염불하다
chant a Buddhist prayer

☐ (연주를 세면서) 기도하다
2. _____ one's beads

☐ '목탁'을 두드리다
beat[tap] on a 'moktak'

· count one's beads
= say[tell, bid, recite] one's beads

☐ 불상에 허리를 굽혀 절하다
stand and bow before the Buddha

☐ 탑돌이를 하다
3. _____ the pagoda

More Expressions

☐ 불상에 무릎을 꿇어 절하다   *kneel and bow before the Buddha*

Small Talks

1. A: 불교에서 **손을 '합장' 하는 것**이 무엇을 뜻하는지 아세요?

R: 제가 알기론 겸손과 상대방에 대한 존경을 표시하는 거예요.

A: *In Buddhism what does it mean to* **hold one's hands in 'hapchang'**?

B: *As far as I know, it's a sign of humility and respect for the other person.*

2. A: 스님들이 눈을 감고 **염주를 세는** 모습은 참 경건해 보여.

B: 그래. 염주를 세다 보면 잡념이 사라질 것 같지?

A: *When monks close their eyes and* **count their beads**, *they look very devout.*

B: *Yes. It seems like worldly thoughts just disappear as they count their beads.*

3. A: 오늘은 **탑돌이를 하는** 사람이 유난히 많은 것 같아요.

B: 아마도 대학 입학시험이 가까이 왔기 때문일 거예요.

A: *Today there's an unusually large number of people* **circling the pagoda**.

B: *It's probably because the university entrance exam is soon.*

4. A: 불교 신자들이 **무릎을 꿇고 불상 앞에서** 여러 번 **절하는 건** 정말 힘들어 보여.

B: 어떤 사람들은 절을 1000번씩 하기도 해. 정말 놀랍지.

A: *It looks really hard for the Buddhist believers to* **kneel and bow** *so many times* **before the Buddha**.

B: *Some people bow 1,000 times. It's really amazing.*

☐ 주민등록등본 / 호적등본을
떼다
**get a certified copy
of residence / one's
family register**

☐ 혼인신고를 하다
1. _____ one's
marriage

☐ 신청서를 접수시키다
**hand in[submit, turn
in] an application**

☐ 주민등록증을 발급받다
**be issued one's
resident ID card**

☐ 수감하다
2. _____ sb to prison

☐ 형을 살다
3. _____ one's
sentence

· send sb to prison
= *put sb in prison*

· serve one's sentence
= *do time in jail*

· escape from prison
= *break out of jail*
= *make a jail break*

☐ 탈옥하다
escape from prison

☐ 탈옥하다가 붙잡히다
**be recaptured
while escaping**

☐ 석방하다 / 석방되다
release / be released

Small Talks

1. A: 주민등록등본을 **떼려고** 하는데 이 **신청서를** 어디에 **접수시키나요?**
B: 저 쪽의 3번 창구로 가세요.

A: I came to **get a certified copy of residence**. Where should I **submit** this **application**?
B: Go to window number 3 over there.

2. A: 한국에서는 몇 살이 되면 **주민등록증을 발급받습니까?**
B: 18세가 되면 받아요.

A: In Korea, at what age **is** one **issued a resident ID card**?
B: We receive it at age 18.

3. A: 사이판에 가면 빠삐용이 **탈옥하려고** 뛰어 내렸던 절벽이 있대.
B: 그래? 태국에도 그 절벽이 있다던데.
A: 참, 누구 말을 믿어야 할 지 모르겠네.

A: If you go to Saipan, they say that the cliff which Papillon jumped off when he **escaped from prison** is there.
B: Really? They say that cliff is in Thailand, too.
A: Gees, I don't know which story to believe.

4. A: 며칠 전에 일어났던 비행기 피랍사건은 어떻게 되어가고 있어요?
B: 뉴스를 보니 범인들이 부녀자와 아이들은 **석방했답니다.**

A: What's going on with that airplane hijacking which happened a few days ago?
B: According to the news, the hijackers **released** the women and children.

Tips

미국에도 동사무소가 있나요?

미국에는 한국처럼 동사무소가 있지도 않고 그런 기관을 이용할 일도 별로 없다. 미국에서 사용되는 유일한 서류는 태어난 곳의 시청에 보관되는 출생신고서와 운전면허증. 외국에 갈 때 필요한 여권 정도이다. 가게에서 개인수표나 신용카드를 사용할 때 운전면허증이나 학생증 등이 주요 신분증이 된다.

□ 범인을 쫓다
chase a criminal

□ 범인을 놓치다
1. _____ **a criminal**

□ 범인과 격투를 벌이다
have a fight with a criminal

□ 범인을 체포하다
2. _____ **a criminal**

□ 수갑을 채우다
handcuff sb

□ 용의자를 경찰서로 연행하다
take a suspect to the police station

· handcuff sb
= *put handcuffs on sb*

□ 얼굴을 두 손으로 가리다
3. _____ **one's face with one's hands**

□ 고개를 푹 숙이고 앉다
sit with one's head down

□ 신원을 조회하다
check out[verify] sb's identity

More Expressions

□ 용의자를 추적하다   *pursue a suspect*
□ 용의자의 뒤를 밟다   *follow a suspect*
□ 수갑을 풀다   *take off the handcuffs*

Small Talks

1. A: 난 이런 류의 헐리우드 영화는 정말 지긋지긋해.

B: 그래. 늘 형사는 **범인을 쫓고** 툭하면 총격전이 벌어지니 말이야.

A: I'm really sick and tired of this kind of Hollywood movie.

B: Yeah. The detective **chases the criminal** and there's always a shootout.

2. A: 저 사람들, 왜 저렇게 **손으로 얼굴을 가리고** 가죠?

B: 잘 모르겠지만, 무슨 죄를 지었나 보죠.

A: Why are those people **hiding their faces with their hands** as they go by?

B: I don't really know, but maybe they committed some kind of crime.

3. A: 경찰이 어제 그 **범인을** 코 앞에서 **놓쳤**다는군.

B: 벌써 이번이 세 번째잖아. 그 범인도 정말 대단해.

A: Yesterday the police were face to face with the criminal, and they **lost him**.

B: That's already the third time. That guy is incredible.

4. A: 아니, 얼굴이 왜 그러세요, 이 선생님?

B: 어젯밤에 집에 가다가 불량배들을 만나 **한판 붙었어요**.

A: 저런! 그 정도도 천만다행이네요.

A: What happened to your face, Mr. Lee?

B: On the way home last night, I ran into some hoods and **had a fight**.

A: Good heavens! It's lucky that's all that happened.

경찰서에서 II

☐ 사고 현장을 검증하다
investigate the scene of the accident

☐ 지문을 채취하다
take sb's fingerprints

☐ 난서를 잡다
1. _____ a clue

☐ 용의사의 몽타수를 만들다
make a sketch of the suspect

- make a sketch of the suspect
  = *draw a picture of the suspect*

- patrol
  = *go around on patrol*

  call the police
  = *report (sth/ sb) to the police*

- put sb into detention
  = *keep sb in custody*

- watch a suspect
  = *keep an eye on a suspect*
  = *put[keep] a suspect under surveillance*

☐ 순찰하다
patrol

☐ 경찰에 신고하다
2. _____ the police

☐ 출동하다
go to the scene of a crime

☐ 용의자를 취조하다
interrogate [question] a suspect

☐ 유치장에 집어넣다
put sb into detention

☐ 용의자를 감시하다
watch a suspect

☐ 감시망을 빠져나오다
3. _____ the dragnet

More Expressions

☐ 현상금을 걸다   *offer reward money*
☐ 현상수배 하다   *put sb on the "Wanted List" and offer reward money*
☐ 신문에 현상수배 하다   *put a wanted ad in the paper and offer reward money*
☐ 용의자의 몽타주를 배포하다   *distribute a sketch of the suspect*

Small Talks

1. A: 새로 이사 갈 그 동네는 안전하다며.
  B: 그럴 거야. 경찰서가 가까이 있고 늘 경찰
   든이 **순찰을 돌대**.

A: I heard the new neighborhood you're going to move to is safe.
B: It should be. The police station is nearby and the police are always **going around on patrol**.

2. A: 어젯밤 늦게 택시를 탔는데, 운전사가 취
   해 있었어요.
  B: 어떻게 그런 일이? 그래서 **경찰에 신고하**
   셨습니까?

A: I took a taxi late last night, and the driver was drunk.
B: How could that be? So did you **report it to the police**?

3. A: 경리부서의 Mr. McDowell이 회사 돈
   을 횡령하고 달아났다는군요.
  B: 정말 어이가 없네요. 회사에서는 곧 **신문**
   에 현상수배를 하겠네요.

A: I heard that Mr. McDowell of the accounting department embezzled company money and ran away.
B: That's really incredible. The company will probably **put a wanted ad in the paper and offer reward money**.

4. A: 제가 대학 다닐 때, **유치장에 들어갔던**
   적이 있어요.
  B: 그 때 데모를 열심히 하셨나 보죠?

A: When I was in university, I got **put into detention** once.
B: I guess you demonstrated a lot then, didn't you?

5. A: 도로 위의 이 하얀 표시가 뭐에요?
  B: 아마 **교통사고 현장을 검증하느라** 남겨
   놓은 표시일 거에요.

A: What are these white marks on the road?
B: They're probably the marks left from **investigating the scene of a traffic accident**.

14 관공서

법정에서 1

□ 법원에 출두하다
appear in court

□ 재판을 열다
1. _____ court[a trial]

□ 변호사를 고용하다
hire[retain] a lawyer

□ 피고를 변호하다
represent the defendant

□ 증거를 제시하다
2. _____ evidence

□ 증인이 진술하다
a witness testifies [makes a statement]

· appear in court
= *present oneself in court*

· represent the defendant
= *act as the defense counsel*

□ (변호사가) 최후변론을 하다
(the lawyer) makes a closing statement [argument]

□ (검사가) (몇년 형을) 구형하다
(the prosecutor) 3. _____ a penalty [a sentence] (of … years)

More Expressions

□ 변호사에게 사건을 의뢰하다   *have a lawyer handle a case = bring a case to a lawyer*

□ 증언대에 서다   *go to the witness stand = stand[sit] at the witness stand = take the witness stand*

□ 소송을 제기하다   *bring charges against sb*

Small Talks

1. A: Brown사가 계약을 어기고 다른 회사와도 거래를 한다고 발표했어요.

　B: 네. 그래서 우리 **소송을 제기하려고** 하니나.

A: *The Brown Company is breaking the conditions of the contract. They announced they will do business with other companies.*

B: *Yes. So we're going to **bring charges against them**.*

2. A: O. J. Simpson 사건의 판결은 아직도 이해가 안 가.

　B: 그건 Simpson이 최상의 **변호사들을 고용했기** 때문에 가능했던 것 같아.

A: *I still can't understand the decision in the O.J. Simpson case.*

B: *It was only possible because Simpson could **hire** the best **lawyers**.*

3. A: 한보 비리에 관한 **재판이** 내일 **열리는데,** 한번 안 가 보실래요?

　B: 내일 몇 시에요? 2시 이후면 갈 수 있는데.

A: ***The trial** on the Hanbo irregularities **will be held** tomorrow. Do you want to attend it one time?*

B: *What time is it tomorrow? If it's after two, I can go.*

4. A: 그 유괴범에 대해 **검사가 10년을 구형했다고** 해요.

　B: 10년은 너무 관대하다고 생각하지 않습니까?

A: ***The prosecutor demanded a sentence of 10 years** for that kidnapping.*

B: *Don't you think 10 years is too lenient?*

'고소'도 가지가지!

'고소'를 나타내는 단어는 여러가지가 있다. 'accuse'는 당국 또는 개인이 제소하는 일로, 형사·민사 양쪽에 모두 쓰이고, 'charge'는 당국이 주로 형사 사건에 대하여 기소하는 일에 쓰이며 'sue'는 당국, 개인의 양쪽에 쓰이지만 민사적인 사건에 대하여 제소하는 일에 주로 쓰인다. 또 'complaint'는 개인에 의한 민사상의 제소일 경우에 쓰인다.

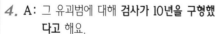

14 관공서
법정에서 II

□ 판사가 판결을 내리다
the judge renders judgment

□ 배심원들이 평결을 내리다
the jury render(s) a verdict[makes its decision]

□ 승소하다 / 패소하다
1. _____ / lose a (law)suit

· the judge renders judgment
= *the judge makes a decision*
= *the judge gives the sentence*

· create a disturbance in the courtroom
= *make disorder in the courtroom*

· confine sb
= *restrict sb*
= *detain sb*

· be released on bail
= *get out on bail*

□ 재판을 방청하다
2. _____ a trial

□ 재판정에서 소란을 피우다
create a disturbance in the courtroom

□ 구치소에 감금되다
be put[held] in a detention center

□ 구속하다
confine sb

□ 보석금을 내고 풀려나다
be released on bail

Small Talks

1. A: Brown사와의 소송에서 **패소하셨다면서요?**

   B: 네, 아무래도 우리가 사전에 철저히 준비를 못한 것 같습니다.

A: I heard you **lost** your **lawsuit** against the Brown Company.

B: Yes. It seems we didn't prepare thoroughly enough before the trial.

2. A: **재판을 방청해** 본 적이 있니?

   B: 아직은 없어. 그런데 재판을 방청해 보면 느끼는 게 많다고들 하더라.

A: Have you ever **attended a trial**?

B: Not yet. But people say attending a trial makes them realize a lot of things.

3. A: 미국영화를 보면 **배심원들이 평결을 내리는** 장면을 종종 볼 수 있어요.

   B: 그렇죠. 한국의 사법제도와는 그 점에서 많이 다르죠.

A: In American movies we can sometimes see **the jury rendering verdicts**.

B: Yes. On that point, our legal systems are quite different.

4. A: Fox사의 대표가 뇌물을 받은 혐의로 체포됐대.

   B: 그러면 뭐해? 곧 **보석금을 내고 풀려날** 텐데.

A: The president of the Fox Company was arrested for receiving bribes.

B: What use is that? He'll just **be released on bail** soon.

5. A: 박 씨가 **재판정에서 소란을 피워서** 구속되었대요.

   B: (그가) 그럴 만도 하죠. 2년을 끌어온 재판에서 졌으니.

A: Mr. Park was just detained for **creating a disturbance in the courtroom**.

B: It's understandable. He lost the trial after it had been going on for two years.

15 회사

취업 · 채용

□ 취업공고를 내다
place an ad to hire people

□ 이력서를 쓰다
1. _____ a résumé

□ 지원하다
apply for sth

□ 지원서를 검토하다
assess the application

□ 입사시험을 보다
take a company entrance exam

□ 면접날짜와 시간을 정하다
set the date and time for the interview

· place an ad to hire
  people
  = *place a want ad*

· assess the applica-
  tion
  = *evaluate the application*

□ 면접을 하다
2. _____ an interview

□ 전화 / 우편으로 결과를 알려주다
notify sb the result by phone / by letter

□ 채용하다
3. _____ sb

Small Talks

1. A: 외국의 큰 회사들은 **취업공고를** 그다지 많이 **내지는** 않더군요.

B: 그득은 늘 **채용하기** 때문에 직접 연락해서 알아 봐야 됩니다.

A: Big foreign companies don't **place many ads to hire people**.

B: Since they **hire people** all the time you have to check directly with them.

2. A: **면접 날짜와 시간이 정해졌나요?**

B: 네, 목요일 오후 3시에요.

A: **Have the date and time been set for** your **interview**?

B: Yes, Thursday afternoon at 3:00.

3. A: ENC 학원에서 영어강사를 모집하고 있대요.

B: 그래요? 어떻게 **지원하면** 되지요?

A: 우선, **이력서를 써서** 팩스로 그 학원에 보내세요.

A: I heard that at the ENC Institute they are hiring English teachers.

B: Is that so? How can I **apply for a job** there?

A: First of all, **write** your **résumé** and send it to them by fax.

Tips

미국의 채용관행은 어떨까?

한국기업이 미국에 채용광고를 낼 때 가장 흔히 저지르는 실수가 '미혼여성, 용모단정' 과 같은 문구를 넣는 것이다. 이런 광고를 보면 미국인들은 'call girl' 모집광고라고 생각한다. 미국에서는 종교, 인종, 나이, 용모, 체격, 성별 등에 고용제한을 두는 것 자체가 불법행위이기 때문에 사원모집광고에 위와 같은 사항을 언급할 수 조차 없다. 다만, 자격이나 경력 등 직무능력과 직결된 것에 한해서는 제한을 둘 수 있다.

4. A: 채용 결과는 어떻게 알 수 있어?

B: 거기서 **전화나 우편으로 알려준대.**

A: How do we find out if we were hired?

B: They'll **notify** you **the result by phone or by letter**.

5. A: 여보세요. 그 회사에 지원서를 낸 사람인데요. 결과가 궁금해서 연락 드렸습니다.

B: 지금 **지원서들을 검토하고 있는** 중이니까 조금만 더 기다려주세요.

A: Hello. I applied for a job at your company. I'm calling to check on the status of my application.

B: Right now we're in the middle of **assessing the applications**, so please wait a while longer.

15 회사
출·퇴근

□ 입사하다
start working at a company

□ 연수를 받다
be trained

□ 명찰을 달다
1. _____ one's ID

· start working at a company
= *enter a company*

· be trained
cf) *attend a training workshop*

· go to work
= *come in to work*

· go out for lunch
= *go out to lunch*

· go for the day
= *leave work for the day*

□ 출근하다
go to work

□ ID카드를 긋다
2. _____ one's ID
(through the machine)

□ 점심 먹으러 나가다
go out for lunch

□ 퇴근하다
3. _____ for the day

More Expressions

□ 명찰을 목에 걸다   *wear one's ID around one's neck*
□ ID카드를 넣다   *put in one's ID*
□ ID카드를 빼다   *take out one's ID*

   1. wear   2. swipe   3. go

Small Talks

1. **A:** 언제 이 **회사에 입사하셨습니까?**
B: 1992년 6월 1일이요. 다음 주 수요일이면 딱 7년이 돼요.

A: When did you **start working at this company?**
B: June 1, 1992. Next week Wednesday it will be exactly seven years.

2. **A:** 우리도 **명찰을 달고** 다니면 어떤까요?
B: 갑자기 명찰은 왜요?
A: 방송국 같은 데서 사람들이 **명찰을 목에 걸고** 다니는 모습이 보기 좋아서요.

A: How would it be if we **wore our IDs?**
B: Where did this idea come from?
A: I like the way people look **wearing their IDs around their necks** ... like at the TV stations.

3. **A:** 여보세요. 박 지영씨 계십니까?
B: 지금 안 계시는데요. 신입사원 **연수받으러** 가셨습니다.

A: Hello. Is Ms. Pak Ji-young there, please?
B: She's not here now. She's **attending a training workshop** for new employees.

4. **A:** **출근은** 보통 몇 시에 **하세요?**
B: 7시요. 차가 안 막히니까 빨리 올 수 있어 좋아요.
A: 그럼 **퇴근은** 언제 **하세요?**
B: 그거야 일에 따라 다르죠.

A: What time do you usually **go to work?**
B: At 7:00. It's good because the traffic is not heavy and I can get there quickly.
A: Then what time do you **leave work?**
B: That depends on how much work I have.

Tips

미국인들의 출·퇴근 시간은 어떻게 되나요?

미국인들의 출·퇴근 시간은 직종에 따라 다르긴 하지만, 대개 아침 9시에 출근해 오후 5시에 퇴근한다. 점심시간(lunch break)은 한 시간 정도인데 대개 12시-2시 사이에 자기가 원하는 시간을 정해 점심식사를 한다. 점심도 brown bag에 간단한 샌드위치 등을 싸오는 사람들이 많다. 가족 중심적인 미국인들은 퇴근 후에도 거의 곧장 집으로 향한다.

5. **A:** 제가 뭘 도와드릴까요?
B: 네. 이 석규 차장님을 만나러 왔는데 문이 잠겨있네요.
A: 아, 네. 비밀 유지를 위해서 사원들의 **ID 카드를** 보안기에 **그어야만** 문이 열려요.

A: May I help you?
B: Yes. I came to meet Mr. Lee Sok-kyu, the assistant manager, but the door is locked.
A: I see. For security reasons, people have to **swipe their IDs** through the security machine to open the door.

회사
일반업무 |

□ 상품을 기획하다
1. _____ products

□ 시장조사 하다
2. _____ a market survey[research]

□ 보고서를 작성하다
prepare a report

□ 보고하다
report sth

□ 보고서를 꼼꼼히 보다
go over a report

□ 손익을 계산하다
calculate[figure out] profits and losses

· prepare a report
 = *work on a report*

· report sth
 = *give a report*

· go over a report
 = *read a report thoroughly*

· order goods [products]
 = *place[put in] an order for sth*

□ 영업하다
3. _____ sales

□ 물건을 주문하다
order goods [products]

□ 새로운 시장을 개척하다
develop[pioneer] a new market

More Expressions

□ 시장분석 하다   *analyze the market*
□ 비용을 계산해 보다   *calculate[figure out] expenses*
□ 원가를 산정하다   *calculate[figure out] the cost*
□ 주문 받다   *receive orders*
□ 거래처를 물색하다   *look for clients = search for customers*

1. plan 2. do 3. make

Small Talks

1. A: 당신이 이 회사에서 하는 일은 뭡니까?

B: 저는 새로운 **상품을 기획하고 시장조사 하는** 일을 합니다.

A: *What do you do in this company?*

B: *I **plan** new **products** and **do market research**.*

2. A: 요즘 **영업하기** 힘들지 않으세요?

B: 힘들죠. 경기가 너무나 침체되어 있어서 걱정이에요.

A: *Isn't it hard to **make sales** these days?*

B: *Yes, it is. The economy is so depressed that it worries me.*

3. A: 우리가 살아 남을 수 있는 길은 **새로운 시장을 개척하는** 것밖에 없어요.

B: 맞아요. 우리가 새로운 시장을 만들어야 해요.

A: *The only way for us to survive is to **pioneer a new market**.*

B: *Yes. We should create a new market.*

4. A: 아니, **보고서를 작성하는데** 왜 밤까지 새웠어요?

B: 저희 부장님은 **보고서를** 아주 **꼼꼼히 보시는** 분이라서 실수가 없어야 해요.

A: *Why did you stay all night **working on the report?***

B: *Our manager **reads every report thoroughly**, so there can't be any mistakes.*

5. A: 당신 회사의 **물건을 주문하려면** 어디로 연락해야 합니까?

B: 영업부로 연락해 보세요. 전화번호는 732-9090입니다.

A: *Where should I contact to **order products** from your company?*

B: *Try contacting the sales department. The phone number is 732-9090.*

mail order의 주문방법 과 유의사항은 무엇일까요?

미국에서 통신판매는 주에 따라 세금이 안 붙기도 하고 가격도 더 싸기 때문에 애용된다. TV를 매체로 하는 것과 카탈로그를 매체로 하는 것이 있는데 다루는 상품은 가전제품, 양복, 장난감, 귀금속류, 다이어트 식품 등 다양하다. 주문할 때는 컬러, 사이즈, 상품 번호를 반드시 확인해야 하고, 회사명, 주소, 전화번호, 가격, 카탈로그 번호, 주문일과 배달예정일 등을 기억해 두는 게 좋다. 전화 주문의 경우는 교환원의 이름과 소속 부서도 확인한다. 지불은 대개 신용카드로 하며, 반품할 때를 고려하여 물건이 도착하면 점검을 끝낼 때까지 포장패키지를 버리지 않아야 한다.

회사

일반업무Ⅱ

□ 재고조사를 히디
1. _____ (an) inventory of current stock

□ 출장 가다
go on a business trip

□ 야근하다
2. _____ overtime (at night)

□ 결근하다
be absent (from work)

□ 월차를 내다
take one's monthly leave

□ 조퇴하다
3. _____ work early

□ 휴직하다
take a leave of absence (from one's job)

□ (A에서) B로 승진하다
be promoted (from A) to B

· go on a business trip
= *go to ... on business*

· be absent (from work)
= *miss work*

· be promoted (from A) to B
= *move up (from A) to B*

□ ...로 발령 나다
be (officially) assigned

□ 전근 가다
be[get] transferred to another branch

More Expressions

□ 출장을 보내다	*send sb on a business trip*
□ 사흘 휴가를 내다	*take a three-day leave*
□ 아파서 못 나온다고 전화하다	*call in sick*

122   15. 회사   **1. take[make]   2. work   3. leave**

Small Talks

1. A: 소식 들었어?

B: 무슨 소식?

A: 오늘 아침 인사발표가 났는데, 김 부장님이 **이사로 승진하시고**, 박 이사님은 전주 지점으로 **발령 받으셨대**.

A: *Did you hear the news?*

B: *What news?*

A: *This morning there was a personnel announcement. Manager Kim* ***was promoted to director****, and Director Park* ***was assigned*** *to the Chun-Ju branch.*

2. A: 정 은주씨 팀은 일주일 내내 **야근한다면서**?

B: 네, 마감일이 얼마 안 남았대요.

A: *I heard the Jung Eun-ju's team is* ***working overtime*** *every day of the week?*

B: *Yes, there's not much time left until the deadline.*

3. A: 여보세요. 김 기운씨 좀 부탁합니다.

B: 부산으로 **출장 가셨는데요**. 금요일에 돌아오십니다.

A: *Hello. I'd like to speak to Mr. Kim Ki-oon, please.*

B: *He* ***went on a business trip*** *to Pusan. He'll be back on Friday.*

4. A: 어제 오후에 사무실로 전화했더니 자리에 없더라.

B: 응. 어제 몸이 안 좋아서 **조퇴했어**.

A: *I called you yesterday at your office, but you weren't there.*

B: *Uh-huh. Yesterday I wasn't feeling well, so I* ***left work early****.*

5. A: 재고관리를 잘 하는 것이 중요하다고 들었어요.

B: 그럼요. 저희 회사에서도 적어도 일년에 세 번은 **재고조사를 하고** 있어요.

A: *I heard that good management of stock is very important.*

B: *Yes, it is. That's why our company* ***takes inventory of*** *our* ***current stock*** *at least three times a year.*

Tips

미국회사의 휴가는 종류가 어떻게 되나요?

한해동안 주어지는 유급휴가인 2-3주 정도의 연차(annual leave)가 있고 한국처럼 매달 한 번 주어지는 월차는 없다. 이 밖에 출산휴가(maternity leave), 가족을 돌보기 위한 휴가(family and medical leave), 병에 걸렸을 때 받는 휴가인 병가(sick leave)가 있는데 이런 경우 유급이나 무급이냐는 그 회사의 보장 내용에 따라 달렸으나 무급인 경우가 많다. 한편, 업무상 상해를 입은 산재휴가는 보험 처리된다.

회사
구조조정

☐ 봉급을 받다
1. _____ one's salary

☐ 정년퇴직 하다
retire at the retirement age

☐ 사표를 제출하다
submit one's resignation

☐ 사표를 수리하다
2. _____ sb's resignation

☐ 해고 당하다
be fired

☐ 퇴사하다
quit a company

· get one's salary
  = *be paid one's salary*

· be fired
  = *be dismissed*
  = *get laid off*

· quit a company
  = *leave a company*

☐ 다른 회사로 옮기다
3. _____ to another company

☐ 노동쟁의를 하다
have a labor dispute

☐ 노사협의를 하다
have discussions [consultations] between management and labor

More Expressions

☐ 봉급을 주다   *pay one's salary*
☐ 보너스를 받다   *receive[get] a bonus*
☐ 정리해고 하다   *lay off*
☐ 사표를 반려하다   *reject sb's resignation*

Small Talks

1. A: 요즘 너희 회사 힘들다면서? **봉급은** 제대로 **받고** 있니?

B: 아니, 20% 삭감됐어.

A: I hear your company is having some difficulties these days. Are you **getting your** regular **salary**?

B: No, it was cut 20%.

2. A: 김 이사님이 이번 ABC사와의 일로 **사표를 내셨다**면서요?

B: 저도 그 소식 들었어요. 그렇지만, 사장님께서 **사표를 수리하실** 지는 아무도 몰라요.

A: I heard that Director Kim **submitted his resignation** over that incident with the ABC Company.

B: I heard that, too. But no one knows whether the president will **accept his resignation**.

3. A: 한국에서는 많은 회사들이 **노동쟁의를 하느라고** 일을 제대로 못하고 있다면서요?

B: 그건 좀 과장된 말인 것 같네요.

A: They say that in Korea many companies are not able to work properly because they are **having labor disputes**.

B: I think that's a bit exaggerated.

Tips

4. A: 강 우석씨를 찾아 뵈러 왔는데요.

B: 그 분은 지난 달에 **퇴사하셨어요.**

A: **해고 당하셨나요?**

B: 아니요. 다른 회사로 스카우트되어 가셨어요.

A: I came to meet Mr. Kang Woo-sok.

B: He **left the company** last month.

A: **Was** he **fired**?

B: No. He was scouted by another company.

미국의 구조조정은 어떨까요?

구조조정은 restructuring 인데 downsizing(인원감축), lay-off(해고)등의 방법으로 나타난다. 이 외에 M&A(Merger and Acquisition 인수 & 합병)가 있는데, 미국에선 기업의 자산가치를 높이기 위한 M&A와 downsizing이 활발하게 이루어진다.

5. A: 기업의 사업축소가 본격화되면 많은 사람들이 **직장을 잃게 될텐데** 걱정이에요.

B: 맞아요. 그러니까 **다른 회사로 옮길** 생각 말고 열심히 일하세요!

A: If the downsizing of enterprises begins in earnest, I'm worried that a lot of people will **get laid off**.

B: You're right. So don't think about **moving to another company**. Just work hard!

회사

발표·회의 I

□ 발표준비를 하다
prepare a presentation

□ 발표를 하다
make a presentation

□ whiteboard 앞으로 가다
1. _____ to the whiteboard

□ whiteboard에 쓰다
write on the whiteboard

□ 도표를 만들다
2. _____ a chart

□ 도표를 보면서 설명하다
explain while looking at the chart

· make a presentation
= *give a presentation*
= *present*

□ 인쇄물을 나누어주다
distribute[hand out] printed materials

□ 발표 중간 중간에 노트하다
3. _____ notes during the presentation

More Expressions

□ OHP를 보면서 설명하다   *explain while looking at the OHP[overhead projector]*

□ 제스쳐를 써가며 설명하다   *explain using a lot of gestures*

□ 도표를 가리키다   *point to the chart*

Small Talks

1. A: Brown씨, 요즘 왜 이렇게 바쁜 거예요?

B: 이번 달 전기 회의에서 할 **발표준비를 하느라고** 좀 바빠요.

A: Mr. Brown, why are you so busy these days?

B: I've been **preparing** my **presentation** for the monthly meeting.

2. A: 이것을 좀 더 효과적으로 설명할 수 있는 방법이 없을까?

B: **도표를 만들어** 봐. **도표를 보면서 설명하면** 사람들이 더 잘 이해할 수 있을 거야.

A: Isn't there any way to explain this a bit more effectively?

B: **Make a chart**. If you **explain things while looking at it**, people can understand more easily.

3. A: 이 **인쇄물**을 가지고 뭘 할 거예요?

B: 지나가는 사람들에게 **나누어 줄** 거예요.

A: What're you going to do with these **printed materials**?

B: I'm going to **hand** them **out** to the people passing by.

4. A: **발표 중간 중간에 노트할** 필요가 있을지도 모르니까 볼펜과 종이 가져가.

B: 알았어요. 하지만, 지난 번에 보니까 쓸 필요가 별로 없던데요.

A: In case you need to **take notes during the presentations**, take a pen and some paper.

B: All right. But judging from last time there wasn't much need to write anything.

5. A: 저, 그 단어의 스펠링을 **whiteboard에** 좀 **써주시겠어요**?

B: 물론이죠. 자, 여기요. 뒤에 계신 분들도 잘 보이세요?

A: Excuse me. Would you please **write** the spelling of that word **on the whiteboard**?

B: Sure. There you are. Can you people in back see as well?

15 회사
발표·회의 II

☐ 질문하다 / 질문을 받다
**ask questions /
take questions**

☐ 답변하다
answer (sb/sth)

☐ 회의를 진행하다
1. _____ a meeting

☐ 자신의 의견을 말하다
**speak[express, say]
one's opinion**

☐ 이의를 제기하다
2. _____ a
different opinion

☐ 의견을 나누다
3. _____ **opinions**

· answer (sb/sth)
  = *respond (sb/sth)*

· have an argument
  = *have a dispute*

☐ 논쟁하다
have an argument

☐ 다른 사람이 말하는 중간
에 끼여들다
**interrupt when sb
is talking**

More Expressions

☐ 질문공세를 퍼붓다　*bombard a person with questions*
　　　　　　　　　　= ask questions aggressively
☐ 질문공세를 받다　　*be bombarded with questions*
☐ 답변을 요구하다　　*request an answer[a response]*
☐ 답변을 피하다　　　*avoid answering[responding]*

　1. conduct　2. submit　3. share

Small Talks

1. A: 내가 내일 출장을 가야 하는데 자네가 나 대신 주례 간부**회의를 주재할** 수 있겠나?

B: 물론입니다. 제가 정확히 무엇을 해야 하죠?

A: 먼저 각자 간단히 보고하게 한 다음 다른 사람이 발표한 것에 대해 **서로 의견을 교환하도록** 시키게. 그리고 한가지 더 – 짧게 하라고.

A: *I have to go out of town tomorrow, so could you **conduct the** weekly staff **meeting** for me?*

B: *Sure. What exactly must I do?*

A: *First, have each person give a brief report. Then ask everyone to **share their opinions** about what they've heard. And one more thing — keep it short.*

2. A: 어제 경제문제에 관한 또 다른 회의에 가셨다고 들었어요. 어땠나요?

B: 늘 그렇듯이 지독히도 지루했죠. 단지 몇 사람만 **의견을 말하고** 그 외에 거의 모든 사람들은 계속 침묵을 지키는 뭐 그런 거죠.

A: *I heard you went to another conference on the economy yesterday. How was it?*

B: *As usual, it was terribly tedious. Just a few people **expressed their opinions** and almost everyone else kept silent.*

3. A: Frank는 **내가 말을 할 때면** 계속 **중간에 끼어들어.** 이러다가는 더 이상 참지 못하고 말 거야.

B: 지금 누구 이야기하는 거야! 너도 항상 남들이 말하는데 끼어들잖아.

A: 내가 그래?

B: 그래, 그거 아주 나쁜 버릇이야. 넌 항상 네 의견, 네 아이디어만 최고라고 생각하잖아. 그러니까 다른 사람들에게 말을 끝낼 기회를 주지 않지.

A: *Frank keeps **interrupting** me **when I'm talking.** I don't know how much longer I can put up with him.*

B: *Look who's talking! You interrupt people all the time.*

A: *I do?*

B: *Yes, it's a bad habit. You always think your opinion or idea is best, so you don't give others a chance to finish what they're saying.*

15 회사

상담 I

□ 악수하다
  1. _____ hands

□ 명함을 교환하다
  **exchange business
  cards[name cards]**

□ 의자를 끌어다 주다
  bring a chair over

□ 의자를 권하다
  2. _____ sb to sit
  down

□ 음료를 대접하다
  serve[offer] a drink

□ 바이어와 상담하다
  3. _____ with a
  buyer

□ 제품에 대해 설명하다
  **explain about the
  product(s)**

More Expressions

□ 고객을 접대하다 *take customers out for dinner[for drinks] ; show one's clients
        a good time*
□ 점심을 대접하다 *invite[take] sb out to lunch = treat sb to lunch*

Small Talks

1. A: 한국사람들은 사업차 누구를 만나면 **악수를 먼저 합니까**, 아니면 고개 숙여 인사를 먼저 합니까?

B: 처음 만나는 사이라면 후자의 경우가 더 많은 것 같아요. 그리고는 항상 **명함을 교환하죠**.

A: When Korean people meet someone on business, do they **shake hands** first, or do they bow first?

B: If they're meeting someone for the first time, I think the latter case is more common. And they always **exchange business cards**.

2. A: 점심식사 하셨어요?

B: 아직 안 했습니다.

A: 그럼 제가 **점심을 대접하고** 싶은데, 괜찮으세요?

A: Have you had lunch?

B: Not yet.

A: Is it all right if I **treat you to lunch** then?

3. A: 왜 이렇게 녹초가 된 거야?

B: **바이어와 상담을 하느라고** 신경을 너무 썼더니 그래. 그는 너무 많은 것을 요구해.

A: Why are you so worn out?

B: It's from being too tense while **talking with a buyer**. He's very demanding.

4. A: 제가 이 신**제품에 대해** 잠시 **설명을 드리도록** 하겠습니다.

B: 그러세요.

A: I'll **explain** briefly **about** this new **product**.

B: Please do.

Tips

미국에도 접대문화가 있나요?

있긴 있지만, 최고 직급의 중역이 아니면 미국의 비즈니스맨은 근무 후에 고객이나 거래처를 접대하는 데 많은 시간을 들이지 않는다. 자신만의 시간이나 가족과 함께 보내는 시간이 중요하기 때문이다. 대신 고위급 중역들이 만나 두시간 정도 점심식사를 하면서 중요한 결정을 내리는 '파워런치(power lunch)'라는 것이 있다. 또 이런 성격의 조찬 모임도 있는데 이를 '파워 브랙퍼스트(power breakfast)'라고 한다.

회사
상담 ||

□ 협상하다
negotiate sth

□ 설득하다
convince sb

· convince sb
= *persuade sb*

· reach a compromise
= *come to[arrive at] an agreement*

· make a business deal
= *make a business transaction*

· make a contract
= *sign a contract*
= *enter into a contract*

□ 상대방의 눈치를 살피다
1. _____ the other's mood [reaction]

□ 합의를 보다
2. _____ a compromise

□ 거래를 성사시키다
make a business deal

□ 계약을 맺다
3. _____ a contract

More Expressions

□ 결렬되다	*break down = be broken off*
□ 계약을 파기하다	*cancel[annul] a contract = make a contract null and void*
□ 계약을 어기다	*violate[break] the (terms of the) contract*
□ 계약을 준수하다	*keep[abide by] the (terms of the) contract*
□ 계약을 따내다	*win the contract*
□ 계약을 이행하다	*fulfill[carry out] the contract*

Small Talks

1. A: **협상할** 때 최상의 거래를 할 수 있는 뭐 좋은 방법 없을까요?

  B: 뭐니뭐니 해도 **상대방의 눈치를 살피는** 게 중요하죠. 상대방이 얼마나 다루기 쉬운 상대인지 간파해야 합니다.

A: Can you give me any advice on how to **negotiate** the best deal with someone?

B: The main thing is to **assess the other's mood**. You have to get a clear feeling about how flexible the person is.

2. A: 우리에게 여기 미국에서의 대행업무를 바라는 한국 기업과의 협상은 잘 돼갑니까?

  B: 아주 좋습니다. 그 회사측에서 모든 판매에 대해 15%의 수수료를 주겠다고 했으나 제가 25%를 달라고 **설득했습니다**. 다음주에 **계약을 할 것**입니다.

A: How are the negotiations going with that Korean company that wants us to represent them here in America?

B: Pretty good. They offered us a 15% commission on all sales, but I **convinced them** to give us 25%. We're going to **sign a contract** next week.

3. A: 당신 차를 사고 싶은데 값을 너무 높게 부르시네요.

  B: 저, 미안하지만 당신의 제안(가격)은 너무 낮아요. 그렇게 싸게 팔 수는 없거든요.

  A: 그렇다면 **서로 합의를 보도록** 합시다. 제가 천 달러를 올리고 당신이 천 달러를 내려주시면 어떻겠습니까?

  B: 좋아요. 그렇게 하도록 하죠. 거래 끝난 겁니다.

A: I'd like to buy your car, but you're asking too much.

B: Well, I'm sorry, but your offer is much too low. I can't sell my car that cheaply.

A: Then let's try to **reach a compromise**. What if I raise my offer $1,000 and you come down $1,000?

B: All right, I can accept that. It's a deal.

Tips

회사 직원을 소개할 때는 어떻게?

외부 사람들에게 회사 직원을 소개할 때는 반드시 'Mr. Brown'이나 'Ms. Brown'이라고 해야한다. 한국에서는 회사의 간부를 소개할 때 보통 '김 과장', '이 부장', '장 이사'처럼 직책을 붙여 말하지만. 미국 사회에서는 'manager', 'director' 등의 직책 대신 'Mr.'나 'Ms.'를 붙인다.

회사

조회

□ 사원들을 강당에 모으다
1. _____ the employees in the auditorium

□ 국기에 대한 경례를 하다
2. _____ the pledge of allegiance (to the flag)

□ 연단에 오르다
go[come] up on the stage[platform]

· bow to sb
= *greet sb*
cf) *salute sb*
   (거수경례하다)

· bow back
= *greet sb back*
= *respond to the greeting*
cf) *salute sb back*

· present awards
= *award prizes*

· appoint[name] sb as[to] sth
= *appoint sb to do sth*

□ 경례하다
bow to sb

□ 경례에 답하다
bow back

□ 연설하다
3. _____ a speech

□ 사원들을 격려하다
encourage the employees

□ 시상하다
present awards

□ 임명하다
appoint[name] sb as[to] sth

More Expressions

□ 연단을 내려오다 *come down from the stage[platform]*

Small Talks

1. A: Mr. 김, 모든 **사원들에게** 10시까지 **강당에 모여달라고** 방송 좀 해주실래요?

B: 알겠습니다. 그런데 무슨 일로 모이는 거죠?

A: 사장님께서 우수 사원 **시상을 하실 거에요.**

A: Mr. Kim, would you please announce that all **the employees** should **gather in the auditorium** by 10:00?

B: All right. But why are they gathering?

A: The president will **present awards** to the outstanding employees.

2. A: 오늘 조회시간에 누가 **연설을 했어?**

B: 물론 사장님이시지.

A: 어땠어?

B: 좋았어. 경제가 어렵더라도 우리 회사는 희망이 있다고 **사원들을 격려하셨어.**

A: Who **gave the speech** at the morning meeting today?

B: It was the president, of course.

A: How was it?

B: It was good. He **encouraged** all our **employees** by saying that although the economy is having difficulties, our company has lots of hope.

Tips

재계의 거물에 해당되는 호칭은 뭘까?

우리나라에도 정계나 재계의 거물, 거두 등을 일컫는 여러가지 호칭이 있듯이 영어에도 호칭이 다양하다. 이름이 널리 알려진 거물은 big name이라고 하고, 이 외에도 재계의 거물이란 말에 tycoon이 있는데 mogul이 이와 비슷한 말이다. 재계의 거물을 나타내는 속된 표현으로는 big shot, big wheel, big noise, big bug, big wig, big man, biggie 등이 있다.

3. A: 다음에 호명하는 분들은 **연단으로 올라와** 주시기 바랍니다.

B: 좀 더 크게 말씀해주실래요? 뒤에서는 잘 안 들려요.

A: Would the following people **come up on the platform** as their names are called?

B: Would you please speak more loudly? We can't hear you well in the back.

4. A: 사장님께서는 누구를 **부사장으로 임명하실까?**

B: 그건 일급비밀이라서 사장님 말고는 아무도 모른데.

A: I wonder who the president will **name as vice president**.

B: That's top secret. No one knows besides the president.

회사
사무용구 이용 I

종이를 반으로 접다
1. _____ a piece of paper in half

종이를 찢다
rip[tear] a piece of paper

종이를 구기다
crumple up a piece of paper

종이를 돌돌 말다
2. _____ a piece of paper up

종이를 클립으로 끼우다
3. _____ the sheets of paper together with a paper clip

풀로 붙이다
paste it

· hold[keep] the sheets of paper together with a paper clip
 = *use a paper clip*
 = *clip the sheets together*

· paste it
 = *glue it*

· attach it with Scotch tape
 = *use Scotch tape*

스카치테이프로 붙이다
attach it with Scotch tape

스테이플러로 찍다
staple sth

스테이플을 빼다
remove[take out, pull out] the staple

More Expressions

클립으로 고정시키다   *clip sth*

Small Talks

1. A: 내가 좀 도와줄까?
    B: 그래줄래요? 이 종이들을 **스테이플러로 찍어**주시겠어요?

A: May I help you a bit?
*B: Would you? How about **stapling** these papers for me?*

2. A: 초대장 준비 다 됐나요?
    B: 네, 이 인쇄물들을 **반으로 접기만** 하면 됩니다.

A: Are the invitations ready?
*B: Yes, these printed sheets just need to **be folded in half**.*

3. A: 이걸 어떻게 여기에다 붙이지?
    B: **스카치테이프로 붙이면** 안 될까요?
    A: 안돼. 너무 약해.

A: How can we attach this here?
*B: Can't we **use Scotch tape**?*
A: No. That's too weak.

4. A: 아니, Jonathan이 왜 저렇게 화가 나 있는 거야?
    B: Jonathan이 어제 밤새워 작성한 **리포트를** Hanna가 모르고 **구겨서** 쓰레기통에 버렸대.

A: Hey, why is Jonathan so angry?
*B: Without knowing it, Hanna **crumpled up the report** Jonathan had worked on all last night and threw it in the wastebasket.*

5. A: 이 책이 다 떨어지려고 해.
    B: **풀로 붙여** 보지 그래?
    A: 이미 해 봤는데 소용이 없어.

A: This book is all falling apart.
*B: Why don't you **glue** the pages back in?*
A: I tried it already, but that didn't work.

□ 시류를 철하다
1. _____ the documents

□ 파일에 넣어 정리하디
put it in the filing cabinet and organize it

□ 가위로 자르디
cut it with scissors

□ 지를 대고 긋다
2. _____ a ruler to draw a line

□ 밑줄을 긋다
underline sth

□ 지우개로 지우다
erase it (with an eraser)

□ 연필을 깎다
sharpen a pencil

□ 연필심이 부러지다
break one's pencil lead

□ 샤프 심을 끼우다
3. _____ lead in a mechanical pencil

□ 볼펜을 똑딱거리다
click one's ball pen

□ 점선을 따라 자르다
cut along the dotted line

More Expressions

□ 눈에 띄게 표시하다   *highlight sth*
□ 지우개 가루를 털다   *brush off the eraser bits*
□ 펜을 돌리다   *twirl a pen with one's fingers*
□ 점선을 따라 떼어내다   *tear along the dotted line*

1. file   2. use   3. put

Small Talks

1. **A:** 칼 있어요?
　　B: 칼은 왜요?
　　A: **연필 깎으려구요.** 사무실에 연필깎기가 하나도 없어요.

A: Do you have an exacto knife?
B: What for?
A: I want to **sharpen a pencil**. I can't find a pencil sharpener in our office.

2. **A:** 어떻게 하면 **볼펜을** 그렇게 **손으로 돌려**?
　　B: 연습하면 돼.

A: How do you **twirl the pen (with your fingers)** like that?
B: All you have to do is practice.

3. **A:** **점선을 따라서** 이 쿠폰 좀 **잘라줄래**?
　　B: 그러죠. 수영복을 30%나 깎아준다구? 이거 정말 괜찮은데!

A: Could you **cut along the dotted line** of that coupon for me?
B: Sure. 30% off for a bathing suit? That's a really good deal!

4. **A:** 이 **서류들을 철해서** 보관해주실래요?
　　B: 그러죠. 나중에 필요하시면 '홍보'라고 쓰여진 파일에서 찾아 보세요.

A: Would you please **file these documents**?
B: All right. If you need them later, look in the file with "Public Relations" written on it.

Tips

칼도 가지가지!

여러가지 '칼'의 명칭을 알아 보면 'exacto knife'는 우리가 사무실이나 학교에서 종이를 자를 때 쓰는, 칼날을 뺐다 넣었다 할 수 있는 칼을 말한다. 그 외에 '부엌 칼'은 'kitchen knives'라고 하며, 여러가지 기능이 있는 '맥가이버 칼'은 'Swiss army knife'라고 한다. 또한, '면도칼'은 'razor'이고, '단검'은 'dagger'이다.

5. **A:** **제목에 밑줄을 그을**까요?
　　B: 그게 좋겠네요. 그리고 볼드체로도[진하게도] 해주세요.

A: Should I **underline the title**?
B: That would be good. And make it boldface type as well.

16 공항
입·출국 |

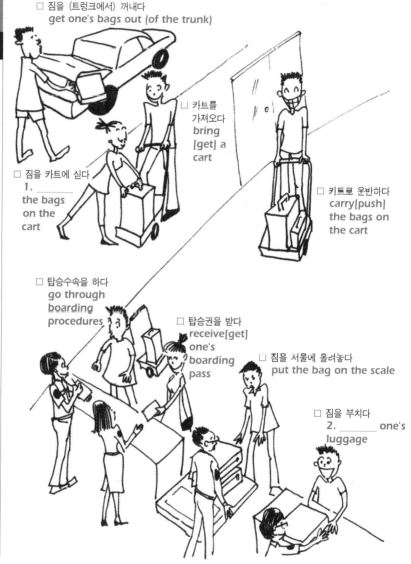

☐ 짐을 (트렁크에서) 꺼내다
get one's bags out (of the trunk)

☐ 카트를 가져오다
bring [get] a cart

☐ 짐을 카트에 싣다
1. _____ **the bags on the cart**

☐ 키트로 운반하다
carry[push] the bags on the cart

☐ 탑승수속을 하다
go through boarding procedures

☐ 탑승권을 받다
receive[get] one's boarding pass

☐ 짐을 저울에 올려놓다
put the bag on the scale

☐ 짐을 부치다
2. _____ **one's luggage**

More Expressions

☐ 가방을 들고 다니다   *carry one's suitcase[bag]*
☐ 금속탐지기가 삐 소리를 내다   *the metal detector beeps[goes off]*
☐ 세관에 걸리다   *be caught by customs*

     1. put 2. check 3. do 4. declare

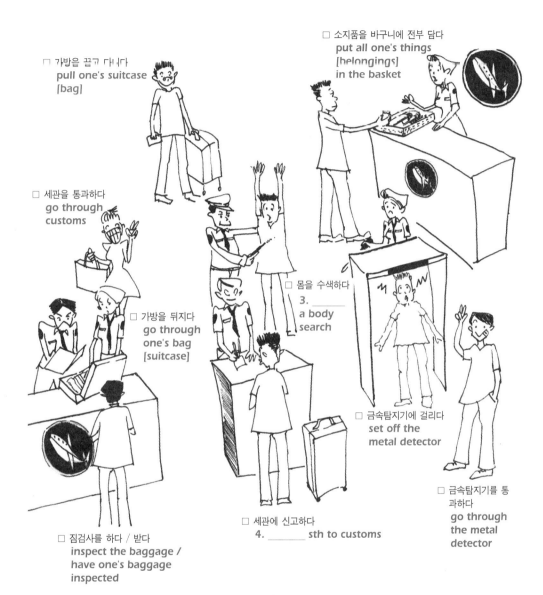

□ 가방을 끌고 다니다
pull one's suitcase [bag]

□ 소지품을 바구니에 전부 담다
put all one's things [belongings] in the basket

□ 세관을 통과하다
go through customs

□ 가방을 뒤지다
go through one's bag [suitcase]

□ 몸을 수색하다
3. _____ a body search

□ 금속탐지기에 걸리다
set off the metal detector

□ 금속탐지기를 통과하다
go through the metal detector

□ 짐검사를 하다 / 받다
inspect the baggage / have one's baggage inspected

□ 세관에 신고하다
4. _____ sth to customs

Small Talks

1. (공항에 도착하여)

A: Cathay Pacific이라고 하셨죠? 자, 다 왔습니다

B: 감사합니다. **짐 좀 꺼내게** 트렁크 문 좀 열어주시겠어요?

A: 네, 그리죠. 그린데 짐이 많으신 것 같군요. 제가 도와드릴게요.

B: 어이구, 감사합니다.

A: 제가 짐을 꺼내고 있는 동안 가셔서 **카트를 가져오시는** 게 낫겠는데요.

(Arriving at the airport)

A: *You said "Cathay Pacific", didn't you? Then, we're here.*

B: *Thank you. Would you please open the trunk so I can **get my luggage out**?*

A: *Yes, of course. But you seem to have a lot of luggage. I'll help you.*

B: *Oh, thank you.*

A: *While I'm getting the luggage out, it would be better for you to go **bring a cart**.*

2. (짐을 부치는 과정)

A: 가방이 총 몇 개예요**?**

B: 큰 것 한 개와 아주 작은 것 한 개, 전부, 두 개에요.

A: 알겠습니다. 하나씩 **저울에 올려 놓으시죠**.

(Checking in the luggage)

A: *How many suitcases in all?*

B: *One big one and one fairly small one, two in all.*

A: *I see. Please **put them** one by one **on the scale**.*

3. A: **짐을 부치려고** 하는데요.

B: 그 전에 이 이름표에 성함과, 주소, 목적지를 적어서 가방에 달아주세요.

A: *I want to **check my luggage**.*

B: *Before doing that, please write your name, address and destination on this name tag and put it on your suitcase.*

Tips

항공 수하물의 양에 제한 있나요?

자기가 타고 가는 비행기에 싣는 무료 수하물(주로 트렁크류)은 양에 제한이 있다. 대개 1인당 2개의 하물이 무료이며, 1개당 중량은 32kg 미만이어야 한다. 어린 아이(2세 미만의 유아)는 성인 요금의 10%를 지불하므로 작은 수하물 1개와 포갤 수 있는 유모차 1개가 허용된다. 무료 수하물 허용량을 초과하면 별도의 초과 수하물 요금이 부과된다.

4. A: 가방이 무거워 보이는데 왜 **들고 다니니?** 다른 사람들처럼 **끌고 다녀**.

B: 끌고 다니기엔 가방 길이가 좀 짧아서.

A: 그러면 **카트로 운반하든가**.

A: *Your suitcase looks heavy. Why are you **carrying it**? **Pull it** like the other people.*

B: *It's a little short to pull along.*

A: *Then **push it on the cart**.*

5. (금속탐지기를 **통과할** 때)

  A: **소지품들은** 이 **바구니에 전부 담으시고** 검사대를 통과하십시오.

  B: 이상한데요. 왜 **삐 소리가 나죠**?

  A: 팔찌를 안 빼셨네요. (팔찌를) 빼시고 나시 한 번 통과하십시오.

*(When **going through the metal detector**)*

*A: **Put all your things in** this **basket** and go through the inspection device.*

*B: That's strange. Why is it **beeping**?*

A: You didn't take off your bracelet. Please take it off and go through the detector again.

6. A: 호주에 가면 한국음식이 먹고 싶을 테니까 챙겨 가야겠어.

  B: 그러다가 **세관에서 걸릴**지도 몰라. 호주는 음식물 반입에 굉장히 엄격하거든.

A: When I go to Australia I'll want to eat Korean food, so I'd better pack some.

*B: If you do that, you might **get caught by customs**. Australia is very strict about carrying in foodstuffs.*

7. A: 저 쪽 카운터는 무엇을 하는 곳이죠?

  B: 저건 체크인 카운터예요. 저기서 여권을 보이고 **탑승권을 받아요.**

A: What do they do at that counter over there?

*B: That's the check-in counter. That's where you show your passport and **get your boarding pass**.*

16 공항
입·출국 II

□ 출[입]국 절차를 밟다
go through the procedures for leaving [entering] a country

□ 티켓과 여권을 내밀다
show[give] one's ticket and passport

□ 여권에 검인을 찍다
1. _____ the passport

□ 출[입]국 신고서를 작성하다
2. _____ out a departure[an entry] card

□ 국내선 / 국제선을 타다
get on[take] a domestic / an international flight

□ 짐을 찾다
3. _____ one's bags [luggage, suitcase(s)]

· go through the procedures for leaving [entering] a country
= *go through immigration procedures*

· report sth missing
= *fill out a missing report*

· see sb off
= *send sb off*

□ 분실신고를 하다
report sth missing

□ 배웅하다
see sb off

□ 공항으로 마중 나가다
go out to the airport to greet[welcome, meet] sb

Small Talks

1. A: 왜 비행기 시간(출발시간)보다 두 시간이나 먼저 공항에 도착해야 하는 거야?

R: 탑승수속에다가 **여권에 검인을 받으려면 이민국도 통과해야 해.** 시간이 많이 걸릴 수 있어.

A: *Why do we have to be at the airport two hours before our flight?*

R: *Besides checking in for the flight, we have to **go through immigrations** to **get our passports stamped**. It can take forever.*

2. A: 김포공항에 갈 때마다 그렇게 많은 사람들이 **배웅하**려고 나와 있는 것을 보면 놀랍더라.

B: 왜? 미국사람들은 사랑하는 사람들이 떠날 때 작별인사를 안 하니?

A: 물론 하지, 하지만 대개는 집에서나 전화로 작별인사를 해.

A: *Whenever I'm at Kimpo airport, I'm surprised to see so many people have gone out there to **see someone off**.*

B: *Why? Don't you Americans care to say good-bye when loved ones travel?*

A: *Of course, but we usually just say good-bye at our homes or over the telephone.*

3. A: **국제선을 타** 보게 될 날도 이제 이틀밖에 남지 않았다.

B: 외국에 나가는 것이 처음이야?

A: 응, 늘 유럽에 가는 걸 계획해왔지.

A: *There's just two days left for me before I **take an international flight**.*

B: *Is it your first time to go abroad?*

A: *Yes, I've been planning my whole life to go to Europe.*

4. A: 얼마나 엉망진창인지! 한 시간을 기다려서 **짐을 찾았더니** 짐이 찢어져서 온통 테이프로 덕지덕지 붙여놓았더라니까.

B: 그것 참 고약했겠네. 항의하지 않았어?

A: 그렇게는 안했지만, 짐이 그렇게 부주의하게 다루어진 것을 보니까 첫인상을 완전히 망쳐버렸지.

A: *What a hassle! After waiting an hour to **claim my suitcase**, I found it torn and all taped up.*

B: *That's terrible. Did you complain to anyone?*

A: *No, but I'll tell you, seeing how carelessly my luggage was handled certainly gave me a bad first impression.*

17 학교

수업시간에 I

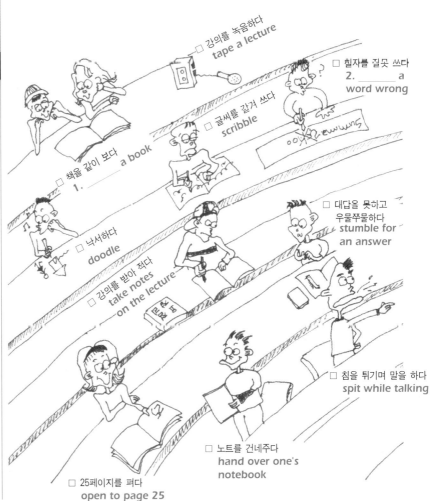

□ 강의를 녹음하다
tape a lecture

□ 칠자를 잘못 쓰다
2. _____ a word wrong

□ 글씨를 갈겨 쓰다
scribble

□ 책을 같이 보다
1. _____ a book

□ 대답을 못하고
우물쭈물하다
stumble for an answer

□ 낙서하다
doodle

□ 강의를 받아 적다
take notes on the lecture

□ 침을 튀기며 말을 하다
spit while talking

□ 노트를 건네주다
hand over one's notebook

□ 25페이지를 펴다
open to page 25

· share a book
= *look at a book together*

· tape a lecture
= *make a tape of a lecture*

· scribble
= *write hastily [carelessly]*

· spell a word wrong
= *misspell a word*

· stumble for an answer
= *mumble (and cannot answer)*

More Expressions

□ 글씨를 또박또박 쓰다   *write neatly[clearly]*
□ 책을 덮다   *close one's book*
□ 손을 내리다   *lower[put down] one's hand*
□ 요점을 파악해 정리하다   *pick out the main points and organize them*
□ 질문에 대답하다   *answer (the) question(s)*

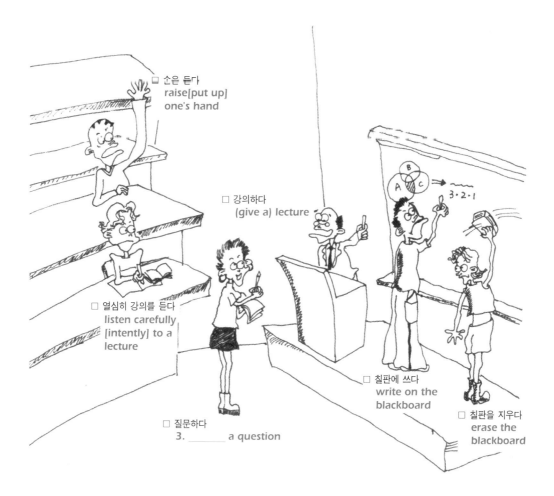

□ 손을 들다
raise[put up]
one's hand

□ 강의하다
(give a) lecture

□ 열심히 강의를 듣다
listen carefully
[intently] to a
lecture

□ 칠판에 쓰다
write on the
blackboard

□ 칠판을 지우다
erase the
blackboard

□ 질문하다
3. _____ a question

Small Talks

1. **A:** 들었니? Allen 교수가 내일 세계경제학 **강의를 한대**.
   B: 그거 꼭 들어야 겠는데. 다들 그 사람 강의는 명강의라고 하잖아.

A: *Did you hear? Professor Allen is **giving a lecture** on world economics tomorrow.*
B: *I'll definitely have to go to that. Everyone says his lectures are great.*

2. **A:** 저는 학교다닐 때 키는 작았지만 늘 뒤쪽에 앉으려고 했어요.
   B: 왜 그러셨는데요?
   A: 어떤 선생님들은 너무나 **침을 튀기며 말씀을 하셨기** 때문에 그게 싫어서요.

A: *When I was in school I was short, but I always wanted to sit in the back.*
B: *Why did you want to do that?*
A: *Some of the teachers **spit** so much **while talking** and I didn't like that.*

3. **A:** 어제 왜 약속장소에 안 나왔는지 빨리 말해 봐.
   B: 그건 말이지, 왜냐면 …
   A: 왜 **우물쭈물 하는** 거야? 빨리 말해!

A: *Hurry up and tell me why you didn't come to the place we were supposed to meet.*
B: *That was, uh, that is to say, because …*
A: *Why are you **mumbling**? Hurry up and tell me!*

4. **A:** 당신 이름이 Bob Ingran 맞습니까?
   B: Bob Ingram 인데요.
   A: **철자를 잘못 쓰셨군요**. m이 아니라 n으로 쓰셨네요.

A: *Your name is Bob Ingran, right?*
B: *It's Bob Ingram.*
A: *Then, you **spelled it wrong**. You wrote an "n" instead of an "m".*

Tips

미국의 강의실 문화는?

분위기는 우리나라보다 자유롭고, 학생들의 자발적인 참여가 중요시 여겨져 대화식 · 토론식 수업으로 진행된다. 대학의 분위기는 동부와 서부의 대학이 조금 다른데, 동부는 서부에 비해 조금 더 권위적이고 서부의 대학들은 히피 문화의 발상지답게 훨씬 자유스럽다. 또, 대학교의 경우는 수업시간에 간단한 스낵과 커피는 마실 수 있다. 하지만 중 · 고교의 경우는 일반적으로 수업시간에 음식물을 먹을 수 없다.

5. A: 내가 오늘 강의에 빠질 것 같은데. 나 대신 **(강의를) 녹음해줄래**?

    B: 좋아. 나중에 점심 사줘야 돼.

A: I think I'm going to miss the lecture today. Could you **tape it** for me?

B: Okay. But you have to buy me lunch some time later.

6. A: 다시 한 번 주소와 이름을 써주시겠어요? 알아보기가 힘들어요.

    B: 죄송합니다. 제가 워낙 **글씨를 갈겨 쓰는** 편이거든요. 이번에는 좀 더 **또박또박 써** 드릴게요.

A: Would you write your address and name one more time? It's hard to read.

B: I'm sorry, it's because I **write** so **hastily**. I'll **write** more **neatly** this time.

7. A: 공부를 잘 하는 사람과 못 하는 사람의 차이는 뭐라고 생각해?

    B: 공부를 잘 하는 사람은 **요점을 파악해서 정리할 줄** 아는 것 같아.

A: What do you think is the difference between a person who studies well and one who doesn't?

B: I think a person who studies well knows how to **pick out the main points and organize them**.

8. A: 예전에 쓰던 칠판은 너무 안 좋았어요.

    B: 맞아요. **지울** 때 가루가 너무 많이 날려서 건강에 안 좋았죠.

A: The blackboards we used to use were so bad.

B: You're right. When we **erased them**, so much dust flew around that it wasn't good for health.

17 학교
수업시간에 II

☐ 떠들지 말라고 학생들에게 주
의를 주다
1._____ the students
to stop talking[not to
be noisy]

☐ 책상에 엎드리다
**put one's head
down on one's desk**

☐ 꾸벅꾸벅 졸다
nod off to sleep

☐ 눈뜨고 자다
**sleep with one's
eyes open**

☐ 학생들이 떠들다
**the students are
(being) noisy**

☐ 쪽지를 몰래 전해주다
2._____ a note
secretly

· nod off to sleep
= *doze off*

☐ 의자를 앞으로 당기다
3._____ a chair
forward

More Expressions

☐ 의자를 뒤로 빼다　　*push a chair back*
☐ 의자에 깊숙이 앉다　*sit back in a chair*
☐ 의자 끄트머리에 앉다　*sit on the edge of a chair*

Small Talks

1. A: 그렇게 **꾸벅꾸벅 졸지** 말고 차라리 **책상에 엎드려서** 자지 그래?

B: 수업시간에 어떻게 엎드려서 자니? 그렇게는 못해.

A: 어이구. 인물 났군.

A: Don't **nod off to sleep** like that. Instead, **put your head down on the desk** and sleep.

B: How can I put my head down on the desk and sleep during school time? I can't do that.

A: Oh, you're such a good boy.

2. A: 어떤 사람들은 **눈을 뜨고도 잘 수 있대요.**

B: 저도 들었어요. 옛날의 유명한 장군들은 그랬다고 하죠.

A: 그건 아마 그 장군들을 더 위대해 보이도록 지어낸 이야기 같아요.

A: Some people can **sleep with their eyes open**.

B: I heard that, too. They say that some famous generals of the past did that.

A: I think maybe those stories are made up to make the generals seem greater.

떠드는 학생 통제는 어떻게 하나요?

미국의 학교에는 체벌이 없으므로 가장 흔한 처벌 방식은 반성문을 쓰게 하는 것이고, "Stand in the corner(구석에 서서 수업 받아)"와 같은 벌도 elementary school에서 자주 사용된다. 수업시간에 이야기를 하거나, 쪽지를 돌리는 학생은 이름을 불러서 주의를 주고 그래도 말을 듣지 않으면 수업에서 쫓아내기도(be kicked out of class) 한다. 문제아의 경우에는 교사가 교장선생님에게 보고를 하고 교장과 학생의 부모가 상담한 다음 처벌을 결정하게 된다.

3. A: 이 선생님, **의자를** 조금만 **앞으로** 당겨주시겠어요? 지나다니기가 불편해서요.

B: 죄송합니다. 미처 생각지 못했어요.

A: Mr. Lee, would you **pull your chair** a little **forward**? It's difficult to get past.

B: Sorry. I didn't realize.

4. A: **의자의 끄트머리에 앉는** 사람과 **의자 깊숙이 앉는** 사람들은 성격이 서로 다르대요.

B: 의자 끄트머리에 앉는 사람은 아무래도 성격이 더 조급하겠죠?

A: 반드시 그렇지는 않겠지만 전반적으로 그렇다는군요.

A: They say that the personalities of people who **sit on the edge of their chair** and people who **sit back in their chair** are different.

B: Wouldn't the people who sit on the edge of their chair be more quick-tempered?

A: It's not absolutely the case, but in general they say that's true.

세미나

□ 세미나를 열다
1. _____ a
seminar

□ 인용해서 말하다
**speak quoting
sth[sb]**

□ 리포트를 제출하다
**hand in[turn
in] a report**

□ 리포트를 돌려 받다
**get a report
back**

· speak quoting sth
  [sb]
= _quote sth[sb]_

· get hands-on
  experience
= _receive practical
  training_

· hand out printed
  materials
= _distribute print-
  outs[handouts]_

· do[make] presen-
  tations in turn
= _go around doing
  [making] presen-
  tations_
= _take turns in doing
  [making] presen-
  tations_

· go around reading
  one sentence each
= _read one sentence
  each in turn_

□ 리포트를 돌려주다
**hand back a
report**

□ 실습하다
**get hands-on
experience**

□ 프린트 물을 나누어주다
**hand out
printed materials**

□ 돌아가면서 발표하다
**do[make]
presentations
in turn**

□ 논문을 발표하다
2. _____
one's paper
[thesis]

□ 한 문장씩 돌아가며 읽다
3. _____ around
reading one
sentence each

Small Talks

1. A: 아이고 나 죽었다. 교수님이 내 **리포트를 돌려주시**면서 다음 수업시간까지 다시 써 오라고 하셨어, 그렇지 않으면 F주시겠대.

B: 무엇이 잘못 된 거야?

A: 내가 남의 책을 베꼈고 내 생각은 하나도 없나는 거야.

B: 된통으로 걸렸구나.

A: *Man, I'm dead. My teacher **handed back the report** I wrote and said I had to rewrite it by the next class or he'll fail me.*

B: *What was wrong with it?*

A: *He said I plagiarized someone else's work and that it contained no ideas of my own.*

B: *Looks like you made a major mistake, dude.*

□ *plagiarize* : 표절하다, 도용하다

2. A: Jane이 **프린트 물을 나눠줄** 때면 항상 모자라.

B: 맞아. 나는 교실의 뒤에 앉는데 나까지 오는 법이 없어.

A: *Whenever Jane **hands out printed material**, there's never enough.*

B: *Yes. I sit in the back of the classroom so it never reaches me.*

3. A: Tom은 자기가 꽤 똑똑하다고 생각하나 봐. 입을 열 때마다 소크라테스나 셰익스피어 같은 사람을 **인용해서 말해**.

B: 나도 네 맘 알아. 미치게 만들지, 그렇지?

A: 어쩜, 맞아. 얘.

A: *Tom thinks he's so smart. Every time he opens his mouth he **quotes** Socrates or Shakespeare or somebody.*

B: *I know what you mean. It really drives you crazy, doesn't it?*

A: *You can say that again.*

4. A: 다음 주에 현대 사회에서 여성의 역할에 대한 **세미나를** 3일 동안 **연다**며.

B: 맞아. 너도 참가할래?

A: 아냐. 난 너희 과격한 여권주의자들과는 의견이 같지 않거든.

A: *I heard you're **having a 3-day seminar** next week on the role of woman in today's society.*

B: *That's right. Would you like to participate?*

A: *No thanks. I don't agree with all you radical feminists.*

17 학교
학교생활

□ 숙제하다
1. _____
one's home-
work

□ 수깅 신칭을 하다
register[apply]
for class

□ 출석하다
be present

□ 첵가방을 풀다
open up one's
school bag

□ 조퇴하다
leave early

□ 책가방을 싸다
2. _____ one's
school bag

□ 결석하다
be absent from

□ 정학당하다
be suspended
from school

· be present
= *attend*

· be absent from
= *miss*

· be expelled
[dismissed] from
school
= *be kicked out of
school*

□ 퇴학당하다
be expelled
[dismissed]
from school

□ 학사모를 쓰고 졸업
가운을 입다
3. _____ one's
cap and gown

□ 학위를 수여하다
confer[grant] a
degree

□ …를 졸업하다
graduate from
…

More Expressions

□ 수업을 빼먹다(땡땡이 치다)   *play hooky*

Small Talks

1. A: 만약 한국에서 부모가 아이들을 데리고 여행을 가려고 애들을 며칠동안 학교에 보내지 않는다면 어떻게 될까?

B: 그런 경우는 거의 없지. 선생님들이 허락을 하지 않거든.

A: 정말? 미국에서는 학생들이 정당한 이유로 **결석하는** 것은 문제가 안되는데. 한국 사람들은 너무 엄격한 것 같구나.

A: What happens in Korea if parents want to take their kids out of school for a few days to go somewhere?

B: That almost never happens. Teachers don't allow it.

A: Really? In America, if students **are absent from** school for a good reason, it isn't a problem. Koreans seem too strict to me.

2. A: 내가 **대학을 졸업할** 때 찍은 이 사진을 보여 준 적이 있나?

B: 야, **학사모를 쓰고 졸업 가운을 입은** 네 모습 정말 웃긴다.

A: 그런 차림새를 하니까 나도 우습더라구. (게다가) 이 사진을 찍자마자 내 학사모가 바람에 날려가서 주우려고 온통 뛰어다녀야 했지.

A: Did I ever show you this picture of me from when I **graduated from college**?

B: Hey, you look pretty funny **wearing your cap and gown**.

A: I felt ridiculous wearing that get-up. Right after this picture was taken, the wind blew my cap off and I had to run all over the place trying to catch it!

Tips

교장선생님 마음대로 휴교를 한다고요?

우리나라에서는 날씨 때문에 휴교를 하는 일은 거의 없고 또 이에 대한 학교장의 재량도 거의 없다. 그러나 미국에서는 학교장에게 재량권이 있으며, 학생들의 안전을 위해 휴교조치를 취하면 즉시 방송국에 이를 알리고 일반 가정에서는 TV나 라디오를 통해서 수업의 유무를 알게 된다. TV에서는 정규방송을 하면서 자막으로 지역별 휴교조치를 알린다.

3. A: Peter, 어렸을 때 **정학 당한** 적이 있니?

B: 사실은 한 번 3일 동안 정학 받은 적이 있어.

A: 무엇때문에?

B: 시험을 보고 싶지 않아서 화재경보기를 울렸거든. 모두 바깥으로 대피하고 심지어 소방차도 왔으니까.

A: 정말로 그랬어?

B: 응, 그 때는 지금보다 훨씬 더 제멋대로였어.

A: Peter, **were** you ever **suspended from school** when you were young?

B: As a matter of fact, I was suspended once for three days.

A: For what?

B: I didn't want to take an exam so I set off the fire alarm. We all had to go outside and even the fire trucks came.

A: You really did that?

B: Yeah, I was a lot more crazy back then.

17

학교

도서관에서 I

□ 책을 빌리다
borrow[loan] a book

□ 컴퓨터로 책을 검색하다
look a book up on the computer

□ 바코드를 찍다
1. _____ the bar code

□ 책을 반납하다
2. _____ a book

□ 서가에서 책을 찾다
look for a book on the bookshelf[in the stacks]

□ 책을 서가에서 뽑다
take a book from the bookshelf[the stacks]

· borrow[loan] a book
= *take[check] out a book*

· look a book up on the computer
= *search for a book on the computer*

□ 엉뚱한 곳에 책을 꽂다
3. _____ a book in the wrong place

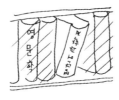

□ 책을 거꾸로 꽂다
put a book upside down

□ 책을 제자리에 갖다 놓다
put a book back in its place

More Expressions

□ 책을 서가에 다시 꽂다   *put a book back on the shelf*
□ 거꾸로 꽂힌 책을 바로 꽂다   *turn a book right side up*

Small Talks

1. A: **책을 반납하러** 왔거든요. **책을 다시 꽂아** 놓을게요.

R: 그러실 필요 없어요. 그냥 여기에 놓고 가세요. 책 정리하는 사람이 알아서 할 거에요.

A: I came to **return a book**. I'll **put it back on the shelf**.

R: That's not necessary. Just leave it here. The person who organizes the books will take care of it.

2. A: **서가에서 책을 찾을** 때 일단 뺀 책은 그냥 탁자 위에 두세요.

B: 왜 그렇죠?

A: 혹시 **엉뚱한 곳에 꽂을까** 봐 그래요.

A: When you **look for a book in the stacks**, just leave the books you have taken off the shelf on the table.

B: Why is that?

A: It's because you might **put them in the wrong place**.

3. A: Tom, 이 봐!

B: 왜 그래?

A: 뒤에 있는 책장에 거꾸로 꽂혀 있는 책 보이지? **그것 좀 똑바로 꽂아줘.**

B: 참, 너도 대단하다. 그렇게 사소한 것까지 신경쓰고 어떻게 사니?

A: Tom. Look!

B: What?

A: Don't you see the book that's upside down in the bookshelf behind you? **Turn it right side up.**

B: Boy, you're really too much. If you're going to worry about small things like that, how can you live?

Tips

미국 도서관도 …!

미국에는 공립 도서관의 수가 많고 누구나 손쉽게 이용할 수 있다. 뉴욕시만 해도 시립 도서관이 82개나 있다. 각종 책은 물론 비디오, 음악 CD, 컴퓨터 게임 소프트웨어까지 대출 받을 수 있으며 지역에 따라서 다양한 문화행사를 열기도 한다. 대학 도서관도 학생은 물론 일반 주민에게도 개방되어 있으며 인터넷을 사용할 수 있도록 컴퓨터가 마련되어 있다.

4. A: 환경에 관한 책 좀 찾아보고 싶은데요.

B: 저 쪽에 컴퓨터 보이시죠? 저 **컴퓨터로 검색해** 보세요.

A: 알려주셔서 감사합니다.

A: I'd like to find some books about the environment.

B: You see that computer over there? You can **look up** what you need **on the computer**.

A: Thank you for telling me.

17 학교

도서관에서 II

□ 책을 뒤적이다
thumb[browse] through a book

□ 책을 한 장 한 장 자세히 보다
look through a book page by page

□ 책에서 뭔가를 베끼다
1. _____ sth from a book

□ 사전에서 단어를 찾다
look up a word in a dictionary

□ 책을 베고 자다
sleep using a book as a pillow

□ 책에서 몇 장을 찢어 가다
rip[tear] out some pages from a book

· leave one's bag at the baggage counter
= *check one's bag*

□ 신분증을 보여주다
2. _____ one's ID card

□ 가방을 보관소에 맡기다
leave one's bag at the baggage counter

□ 자리를 잡다
3. _____ a seat

More Expressions

□ 누군가를 위해 자리를 잡아주다   *save a place for sb*

Small Talks

1. **A:** 어떤 사람들은 도서관에서 정말 시끄럽게 굴어요.
B: 네, 어제도 내 옆에 앉은 사람이 얼마나 시끄럽게 **책을 뒤적이는지** 간신히 참았어요.
A: 참기 왜 참았어요? 조용히 히라고 주의를 주지.

A: Some people are really noisy in the library.
B: Yes. Yesterday the person sitting next to me was making so much noise **thumbing through a book**, I could barely contain myself.
A: Why did you endure it? You should have told him to be quiet.

2. **A:** 잠깐만요, 이 열람실은 가방을 가지고 들어갈 수 없습니다.
B: 아, 네. 그러면 어디에 맡기죠?
A: 2층의 **보관소에 가방을 맡기세요.**

A: Just a moment. You can't take a bag into this reading room.
B: Oh, yeah. Then where can I leave it?
A: You can **leave it at the baggage counter** on the second floor.

3. **A:** 지난 일요일에 도서관에 갔는데 사람이 너무 많아서 **자리도 못 잡고** 그냥 왔지 뭐야.
B: 지금이 시험기간이라 그랬을 거야.

A: Last Sunday I went to the library, but there were so many people I couldn't **find a seat** and just came back.
B: That's probably because it's exam time.

Tips

대출과 반납은 어떻게?

공립 도서관에서 책을 대출하려면 도서관에서 발행하는 카드가 필요한데 이 카드는 신분증과 주소지를 증명할 수 있는 자기 앞으로 온 편지의 겉봉을 가지고 가면 그 자리에서 만들어 준다. 지역에 따라 대출규정에 차이는 있으나 책은 10권까지 빌릴 수 있고 기한은 2주에서 4주 정도이다. 연체료는 1권당 하루에 10센트 정도로 경미하다. 그러나 비디오는 5개가 한도이고 기한은 3일이다. 연체료는 개당 하루에 1달러로 제법 높다.

4. **A:** 왜 그러니, Roy?
B: 글쎄 내가 원하던 책을 찾았는데 중요한 대목이 없는거야.
A: 누가 **그 부분을 찢어 갔군.**

A: What's the matter, Roy?
B: Well, I found the book I wanted, but the most important part was missing.
A: Someone must have **ripped out that part.**

5. **A:** 대학 다닐 때, 책 값으로 쓴 돈이 정말 많아요.
B: 저는 거의 안 샀어요. 리포트 쓸 때는 주로 서점에 가서 **필요한 부분을 베꼈거든요.**

A: When I was in college, I really used a lot of money on books.
B: I almost didn't buy any. When I wrote reports, I usually went to the bookstore and **copied the parts I needed.**

17 학교
시험시간에

□ 시험을 보다
1. _____ a test

□ 시험지를 배부하다
**hand out the exams
[the test sheets]**

□ 시험지를 뒤로 넘기다
2. _____ the exams
[the test sheets] back

□ 답을 찍다
3. _____
answers

□ 부정행위를 하다
cheat

□ 시험 감독을 하다
supervise an exam

· supervise an exam
= *proctor an exam*

□ 답안을 작성하다
**fill out the answer
sheet**

□ 문제를 풀다
solve (the) problems

□ 시험지를 걷다
**collect the exams
[the test sheets]**

More Expressions

□ 객관식 시험을 치다 *take multiple-choice exams*
□ 답안지를 배부하다 *hand out the answer sheets*
□ 답안지에 표기하다 *mark one's answer sheet*
□ 답안지를 걷다 *collect the answer sheets*

Small Talks

1. A: 객관식 시험을 **칠** 때 잘 모르는 문제는 어떻게 **답을 찍었어요**?

B: 연필에다가 수자를 써 놓기 책상 위에다 굴렸어요. 그래서 숫자가 나타나는 대로 **답안지에다 표기를 했죠**.

A: 제 경우에는 그냥 가장 긴 답을 골랐는데.

2. A: 시험 시간이 모자라지는 않았어?

B: 말도 마. 반쯤 풀었을 때에야, 실수로 번호를 하나 건너뛰고 **답안을** 잘못 **작성한** 걸 알았어. 답을 지우고 다시 작성하느라고 시간을 많이 뺏겼지.

A: 나도 예전에 그런 일이 있었어.

Tips

시험의 종류와 각 용어는?

비중이 큰 시험은 mid-term examination(중간고사)과 final exam(기말고사)이고 때때로 quiz를 내기도 한다. 시험보기 전에 벼락치기(cramming)를 하는 것은 우리나 그들이나 똑같다. 평가기준은 첫 수업시간에 나누어주는 syllabus(수업 시간표)에 나와있고 이때 syllabus에 과제물도 함께 제시되는데 mid-term이나 final대신에 research paper(리포트)를 내는 경우가 있다.

3. A: 대부분의 학생들이 시험 볼 때 **부정행위를 한다**는 신문기사를 읽었는데 그것이 사실일까?

B: 누가 알겠어? 부모님과 선생님들은 잘 하라고 엄청 스트레스를 주지, 시험은 너무 어렵지, 부정행위를 하는 수밖에 없다고 느낄지도 몰라.

A: *When you used to **take multiple-choice exams**, how did you **guess answers** you weren't sure about?*

B: *I wrote numbers on the sides of my pencil and rolled it on the desk. Then I'd **mark my answer sheet** according to whatever number was facing up.*

A: *In my case, I simply chose whichever answer was the longest.*

A: *Were you able to finish your exam on time?*

B: *No. Halfway through it, I realized I had skipped a number by mistake and had **filled out the answer sheet** wrong. I lost a lot of time erasing my answers and marking them down again.*

A: *That happened to me once before, too.*

A: *I read an article in the newspaper saying that most students **cheat** on exams. Could that be true?*

B: *Who knows? Their parents and teachers put so much pressure on them to do well, and the tests are usually so hard, they may feel they have no choice but to cheat.*

17 학교

□ 답을 맞춰보다
check the answers

□ 답안지를 채점하다
1. _____ **answer sheets**

□ 성적표를 받다
receive[get] one's report card

□ 시험 준비를 하다
prepare for an exam [a test]

□ 소리내서 외우다
2. _____ **out loud**

□ 벼락치기를 하다
cram

· cram
= *prepare hastily*

· study all night
= *stay up all night studying*

□ 밤새워 공부하다
3. _____ **all night**

□ 다른 책들을 참고하다
refer to other books

More Expressions

□ 쓰면서 외우다   *memorize by writing*

Small Talks

1. **A:** 난 평소에 꾸준히 공부하는 편이야. 넌 어때?

B: 난 평소에는 열심히 놀고, 시험이 있을 때 **벼락치기로 공부하는** 편이야.

A: I tend to study regularly. How about you?

B: I tend to have a good time, and when there is a test, I **cram** for it.

2. **A:** **성적표를 받고** 부모님께 보여드릴 걱정을 하던 때가 까마득하네요.

B: 이제 자식의 성적표를 보고 걱정할 때가 되었으니.

A: It seems like long ago that I worried about **getting my report card** and showing it to my parents.

B: Now it's time to worry about our children's report cards.

3. **A:** 지하철에서 옆에 앉은 사람이 미친 사람마냥 뭔가를 계속 중얼거리는 거야.

B: 그래서?

A: 알고 보니 단어장을 들고 **소리내면서 외우는** 중이더라고.

A: The person next to me in the subway seemed completely crazy. He kept muttering something.

B: So?

A: It turned out he had a word list and was **memorizing** it **out loud**.

Tips

미국 대학교의 성적표

미국의 대학에서는 성적표를 letter grade라고 하며 A, B, C, D, F로 나타낸다. 이 기호의 의미는 A가 'excellent' (4.0), B가 'very good' (3.0), C가 'satisfactory' 혹은 'good' (2.0), D가 'passing' (1.0), F가 'failure' 또는 'unsatisfactory' (0)로 되어 있다. 많은 대학에서 이를 세분하여 A+, A, A-, B+, B, B-, …로 나누고 있다. 학위를 취득하려면 일반적으로 GPA(Grade Point Average)가 학부에서는 2.0 이상, 대학원에서는 3.0 이상을 받아야 한다.

17 학교

실험하기

□ 비이커를 흔들어 섞다
**shake the beaker
to mix the contents**

□ 가열하다
heat

□ 시약을 한 방울 떨
어뜨리다
**put in one
drop of the
reagent**

□ 양을 재다
**1. _____ the
amount**

□ 실험실에서 실험하다
**do experiments in
the laboratory**

· shake the beaker to
  mix the contents
  = *mix by shaking
     the beaker*

· do experiments in
  the laboratory
  = *experiment in the
     laboratory*

· watch the process
  of the experiment
  = *observe the course
     [process] of the
     experiment*

□ 시약을 실린더에 따르다
**2. _____ the reagent
into the cylinder**

More Expressions

□ 성분을 분석하다	*analyze the ingredients*
□ 성분을 추출해내다	*extract an element[an ingredient]*
□ 현미경의 배율을 조절하다 / 높이다 / 낮추다	*adjust / increase / decrease the magnifying power[magnification] of the microscope*
□ 물체를 현미경에 갖다 대다	*put an object under the microscope*

□ 집게로 물건을 집다
pick up sth with tweezers|tongs|

□ 개구리를 해부하다
dissect a frog

□ 실험용 쥐에게 약을 시험하다
3. _____ **medicine on lab[experimental] rats**

□ 현미경을 들여다보다
look through a microscope

□ 침전물이 쌓이다
sediment settles

□ 수치를 기록하다
4. _____ **the numerical value**

□ 실험과정을 관찰하다
watch the process of the experiment

□ 온도를 측정하다
measure the temperature

More Expressions

□ A를 B에 용해시키다   *dissolve A in B*
□ A와 B를 섞다   *combine A and B*
□ 응고되다   *become solid = solidify*
□ 화학반응을 일으키다   *cause a chemical reaction*

1. A: 우리 또래들 중에서 예전에 **개구리 해부** 안 **해 본** 사람 있을까요?

B: 전 안 해 봤어요. 붕어는 해 봤지만.

A: Do you think there's anyone in our age group who hasn't **dissected a frog**?

B: I haven't. We dissected the silver carp.

2. A: 어제 TV에서 의사들이 **실험용 쥐에게 약을 시험하는 걸** 봤어. 잔인하다고 생각 안해?

B: 그렇기도 하지만, 우리가 얻어낸 정보가 생명을 구할 수도 있잖니.

A: Yesterday on TV, I saw doctors **test medicine on experimental rats**. Doesn't it seem cruel?

B: Maybe, but the information we collect might help save lives.

3. A: 엘니뇨가 없어졌다는 걸 어떻게 알 수 있었을까요?

B: 페루 해변의 바닷물 **온도를 재 보고** 알았대요. 평상시 온도로 내려갔다나 봐요.

A: How could they tell that El Nino was over?

B: They **measured the temperature** of the sea off the coast of Peru. Apparently, it has come down to its normal temperature.

4. A: **현미경으로** 생물을 **들여다 보면** 정말 신기해요.

B: 신기하긴 하지만 너무 자세히 보이면 오히려 징그럽던데요.

A: When you **look** at living things **through a microscope**, it's really fascinating.

B: It's fascinating but if you look too carefully, it's sometimes disgusting.

5. A: 이 벌레는 현미경으로 봐도 구조가 잘 안 보이는데.

B: **배율**이 낮아서인지도 몰라. 조금 더 **높여** 봐.

A: *Even when I look at this insect through a microscope, I can't see its structure well.*

B: *Maybe **the magnifying power** is too low. Try **increasing it** a little.*

6. A: 이런! 틈 사이로 지폐가 빠셨는데 손가락이 안 들어가요.

B: 제가 **집게**를 갖다 드릴 테니 **그걸로 집어 올리세요**.

A: *Oh no! A bill fell through the crack and my fingers don't fit in there.*

B: *I'll get you **tweezers** and you can **pick it up with that**.*

17 학교

수학여행 · 소풍

□ 수학여행을 가다
go on a (school) field trip

□ 유적지를 둘러보다
1. _____ historic sites

□ 단체로 이동하다
move as a group

□ 단체사진을 찍다
2. _____ a group picture

□ 밤새워 놀다
stay up all night having fun

□ 반별 장기자랑을 하다
have a talent show compotition between different classes

· go on a (school) field trip
= *go on a school excursion*

□ 캠프화이어를 하다
3. _____ a campfire

□ 모닥불 주위에 둘러 앉다
sit around a bonfire[a campfire]

More Expressions

□ 소풍을 가다   *go on a picnic*
□ 나무를 때다   *burn wood*
□ 모닥불을 피우다   *build a bonfire = make a campfire*
□ 불을 쬐다   *warm oneself by the fire*

Small Talks

1. A: 김 선생님, 잘 못 주무셨나 봐요. 눈이 충혈되었어요.
R: 딸아이가 오늘 **소풍을 가거든요.** 새벽부터 소란을 피워 잠을 못 잤어요.

A: Mr. Kim, it looks like you didn't sleep well. Your eyes are bloodshot.
B: Our daughter is **going on a picnic** today. She started making noise before dawn, so I couldn't sleep.

2. A: 경주에 가 보신 적이 있으세요?
B: 네. **수학여행을** 경주로 **갔었어요.** 경주는 **유적지를 둘러보는** 데만 꼬박 하루가 걸리더라구요.
A: 언제 한번 가 볼 만하겠네요.
B: 그럼요.

A: Have you ever been to Kyungju?
B: Yes. I **went on a school field trip** to Kyungju. Just **visiting the historic sites** of Kyungju took a whole day.
A: It would probably be worth it for me to go there sometime.
B: It sure would be.

3. A: 아니, David, 아까 **단체사진 찍을** 때 왜 같이 안 찍으셨어요?
B: 저는 사진찍는 걸 유난히 싫어해요. 특히 여럿이 함께 찍으면 더 어색해서요.

A: Oh, David, when we **took the group picture**, why didn't you join us?
B: I really don't like having my picture taken. Especially taking a picture together with a bunch of people seems unnatural.

4. A: 여름만 되면 항상 떠오르는 기억이 있어.
B: 뭔데?
A: **모닥불을 피워 놓고 그 주위에 둘러 앉아** 친구들과 이런 저런 얘기를 했던 일.
B: 정말 재밌었겠구나.

A: Whenever summer comes, there's something I remember.
B: What's that?
A: **Building a bonfire and sitting around it** with my friends talking about this and that.
B: That must have been really a lot of fun.

5. A: 이번 야유회 때 **부서별 장기자랑을 한다**는 말 들으셨어요?
B: 그래요? 그렇다면 춤에 일가견이 있는 제가 나서야겠군요.

A: Did you hear that at this outing we're going to **have a talent show competition between departments**?
B: Is that so? Then since I'm a good dancer, I'll have to appear.

17 학교

체벌

□ 팔을 꼬집다
1. _____ sb's
arm

□ 손바닥을 자로 때리다
hit sb's palms
with a ruler

□ 회초리로 때리다
hit sb with a
stick[a rod]

□ 엉덩이를 때리나
spank sb

□ 손 들고 무릎 꿇고
앉다
sit kneeling
with one's
arms raised

□ 머리를 쥐어박다
punch sb in
the head

□ 학생을 꾸중하다
yell at students

□ 벌주다
punish

· spank sb
= *hit sb's behind*
[buttocks]

· punch sb in the head
= *punch sb's head*
= *hit sb in the head*

· yell at students
= *give students a*
scolding
= *give students a*
lecture

□ 구석에 세워 두다
2. _____ sb
stand in the
corner

□ 반성문을 쓰다
write a confession

□ 토끼뜀을 뛰다
3. _____ like a
rabbit

More Expressions

□ 체벌하다   *give physical punishment to sb = hand out physical*
punishment to sb
□ 주먹으로 때리다   *hit sb with one's fist = punch sb*
□ 뺨을 때리다   *slap sb in the face = slap sb's cheek*
□ 코를 비틀다   *twist sb's nose*
□ 꾸짖다, 잔소리하다   *scold sb = rebuke sb*

Small Talks

1. **A:** 학생을 **체벌한** 선생님이 그 부모로부터 고소당했대요.

 B: 저런! 잘못한 학생을 체벌하는 건 당연하지 않습니까?

 A: 뭐, 체벌의 강도에 따라 다르겠지요.

A: The teacher who **gave physical punishment to** a student was sued by his parents.

B: No! Isn't it natural that a student who has done something wrong receives corporal punishment?

A: It depends on the level of punishment.

2. **A:** 왜 **내 다리를 꼬집는** 거야?

 B: 대체 뭐가 문제니? John에게 어떻게 그런 말을 할 수 있어?

 A: 바람둥이더러 바람둥이라고 하는데 뭐가 잘못됐어?

A: Why are you **pinching my leg**?

B: What's the matter with you? How can you say that kind of thing to John?

A: What's wrong with calling a playboy a playboy?

3. **A:** 자녀가 잘못을 하면 주로 어떻게 하세요?

 B: 예전에는 **회초리로 때렸는데** 지금은 그냥 (가볍게) **꾸짖습니다**..

A: If your child does something wrong, what do you usually do?

B: Before I used to **hit him with a stick**, but now I just **scold** him.

4. **A:** 지하철 안에서 부모가 어린 자녀의 **뺨을 때리는** 걸 볼 때가 있어요.

 B: 네, 저도 봤는데 아무리 어린 아이라지만 그건 모욕감을 주는 행위에요.

A: Sometimes in the subway I see parents **slap** their small children **in the face**.

B: Yes, I've seen that, too. But no matter how young the children are, that's insulting.

5. **A:** 저는 중학교 다닐 때 지각을 참 많이 했어요.

 B: 지각하면 벌이 있었어요?

 A: 네. 10분동안 **토끼뜀을 뛰는** 거였어요.

A: When I was in middle school, I was late a lot.

B: Was there a penalty for being late?

A: Yes. We had to **hop like a rabbit** for ten minutes.

Tips

징계의 종류

위반 정도가 가벼운 경우 수업이 없는 시간에 학교에서 지정한 장소에서 일정한 시간을 보내는 In-school Detention(교내에 붙들어 두기)이 있고, 위반이 되풀이되었을 때 방과 후에 50분 정도 학교의 지정된 장소에 남는 After-school Detention (방과후 남게 하기)이 있으며, 수업에 참가하지 못하고 지정된 교실에서 교사의 감독 하에 자습하는 In-school Suspension (수업참가 금지), 그 외에 External Suspension (정학)과 Expulsion(퇴학) 같은 강력한 징계도 있다.

18 병원
진료

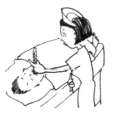

□ 체온을 재다
**have one's
temperature taken**

□ 온도를 읽다
1. _____ the
temperature

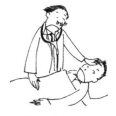

□ 이마를 짚어 보다
2. _____ sb's
forehead

□ 청진기로 진찰하다
**listen to sb's heart
with a stethoscope**

□ 의사에게 증상을 말하다
3. _____ one's symp-
toms to the doctor

□ 건강진단 수속을 밟다
**register for a
check-up**

· have one's temper-
ature taken
cf) *take sb's temper-
ature*

· read the temperature
= *read the ther-
mometer*

· have a medical exam
= *be examined*

□ 진찰을 받다
have a medical exam

□ 진찰대에 눕다
lie down on the examination table

More Expressions

□ 진찰을 하다	*give an exam = examine*
□ 겨드랑이에 체온계를 꽂다	*put the thermometer under sb's arm*
□ 혈압을 재다	*have one's blood pressure taken*
	cf) take sb's blood pressure
□ 맥박을 재다	*have one's pulse taken cf) take sb's pulse*
□ 의료보험증을 내다	*show one's medical insurance card*
□ 진찰료를 내다	*pay the consultation fee*
□ 진료비를 내다	*pay the doctor's bill*

Small Talks

1. A: 얼굴이 왜 그렇게 벌겋니?

B: 모르겠어. 머리도 아프고 열도 있는 것 같애.

A: 병원에 가서 **체온도 재고 진찰도 받아봐**. 요즘 독감이 유행이야.

A: *Why is your face so red?*

B: *I don't know. I've got a headache, and I probably have a fever.*

A: *Go to the hospital and **have your temperature taken and be examined**. These days there's a bad flu going around.*

2. A: 지난 번에 병원에 갔더니 제가 고혈압이라고 하더군요.

B: 어머, 그거 참 위험한 거잖아요?

A: 네. 그래서 아내가 매일 아침 제 **혈압을 재고** 기록을 해 둡니다.

A: *The last time I went to the hospital, they said I had high blood pressure.*

B: *Oh no, that's very dangerous, isn't it?*

A: *Yes. So every morning my wife **takes** my **blood pressure** and records it.*

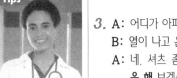

Tips

병원의 종류

미국의 부유한 가정은 family doctor를 두고 있다. 개업의사(medical practitioner)는 자신의 의료실(doctor's office)을 따로 갖고 진료를 하며 특별한 검사가 필요하다고 생각될 때에는 시설이 좋은 General Hospital (종합병원)에 예약을 해서 검사를 받도록 하고 있다. 철저한 의약 분업제이기 때문에 병원에서는 약을 구할 수 없고 약은 의사의 처방전(prescription)을 가지고 반드시 pharmacist로부터 구입해야 한다.

3. A: 어디가 아파서 오셨어요?

B: 열이 나고 온 몸이 쑤셔서요.

A: 네. 셔츠 좀 걷어 올려 보실래요? **진찰을 해** 보겠습니다.

A: *What's the problem?*

B: *I have a fever and my whole body aches.*

A: *All right. Would you please lift up your shirt? I'll **examine** you.*

4. A: 대학병원은 사람이 너무 많아서 갈 엄두가 안 나요.

B: 그래요. **건강진단 수속을 밟는 데도** 한참 걸려요.

A: *At the university hospitals there are so many people that I can't even think about going.*

B: *I know what you mean. Just **registering for a check-up** takes a long time.*

18 병원
치료 · 수술 |

· have a baby
  = *give birth (to a baby)*

· take off the tape
  = *untape*

· visit a person in the hospital
  = *visit a person who is hospitalized*

· use crutches to walk
  = *be on crutches*

· raise one's sleeve
  = *put one's sleeve up*

· have one's decayed tooth pulled out
  cf) *pull out a decayed tooth*

· have one's tooth filled
  cf) *fill a tooth*

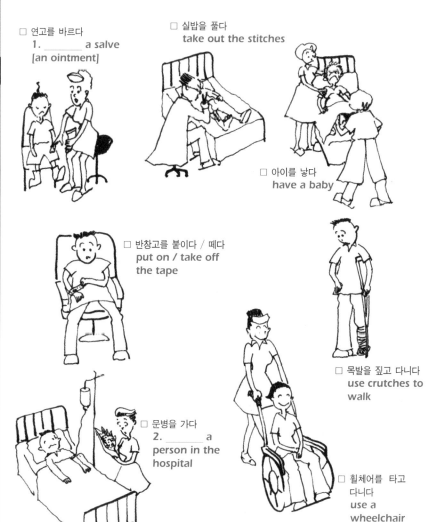

☐ 연고를 바르다
1. _____ a salve [an ointment]

☐ 실밥을 풀다
take out the stitches

☐ 아이를 낳다
have a baby

☐ 반창고를 붙이다 / 떼다
put on / take off the tape

☐ 문병을 가다
2. _____ a person in the hospital

☐ 목발을 짚고 다니다
use crutches to walk

☐ 휠체어를 타고 다니다
use a wheelchair

More Expressions

☐ 스케일링을 받다	*have one's teeth scaled*
☐ 안약을 눈에 넣다	*put eye drops in one's eyes*
☐ 산고를 겪다	*go into labor = be in labor*
☐ 링겔을 맞다	*get[receive] an intravenous injection*
☐ 얼굴이 화끈거리다	*one's face feels hot = feel like one's face is on fire*
☐ 발바닥이 가렵다	*feet itch = have itchy feet*

1. apply   2. visit   3. set

□ 소매를 걷어 올리다
raise one's sleeve

□ 바지를 내리다
lower one's pants

□ 깁스를 하다 / 풀다
put on / take off a cast

□ 주사를 놓다 / 맞다
give / get[receive] a shot[an injection]

□ 부러진 뼈를 맞추다
3. _____ the broken bone

□ 충치를 뽑다
have one's decayed tooth pulled out

□ 이를 때우다
have one's tooth filled

More Expressions

□ 금니를 박아 넣다	*have a gold tooth put in*
□ 치아에 금을 씌우다	*put a gold cap on sb's tooth = cap a tooth with gold*
□ 때운 이를 갈다	*have a filling replaced*
□ 손이 시렵다	*have cold hands*
□ 다리가 쑤시다	*have sore legs*

Small Talks

1. **A:** Heyman 씨가 요새 왜 **목발을 짚고 다 니는지** 아세요?

   B: 친구들과 축구를 하다가 무릎을 다쳤대 요.

A: Do you know why Mr. Heyman **uses crutches to walk** these days?

B: He hurt his knee while playing soccer with his friends.

2. **A:** 오늘 저녁식사 나랑 같이 하자.

   B: 어, 미안해. 난 오늘 **상사한테 문병을 가 야** 돼.

A: How about having dinner with me tonight?

B: Oh, sorry. Today I have to **visit one of my superiors in the hospital**.

3. **A:** 전 어릴 때 **주사 맞는** 걸 하도 무서워해 서 주사만 보면 울었어요.

   B: 그래요? 전 속으론 무서웠어도 겉으론 내색을 안 했는데.

A: When I was a child, I was so afraid of **getting a shot** that if I just saw a needle I cried.

B: Is that so? I was scared inside but I didn't show it outside.

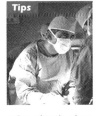

미국의 진료비는 얼마나 비쌀까?

미국의 진료비는 우리나라 와 비교도 할 수 없을 만큼 비싸다. 갑자기 아파서 ER (응급실-Emergency Room)을 찾으면 당장 90 달러 정도의 진료비가 날아 오고 아이를 낳는 비용은 상상을 초월한다. 그럼 미 국의 빈민들은 어떻게 병원 에 다닐까? 다행히도 Medicaid나 Medicare (노인 대상)라는 사회보장 제도가 있어 치료비 전액을 면제받거나 deductible(자 기부담액)을 제외한 의료비 를 감면 받는다.

4. **A:** Julie, 왜 어제 점심시간이 한참 지나도 록 안 들어왔죠?

   B: 치과에 가서 **스케일링도 받고 이도 때우 느라고요**.

   A: 나도 치과에 갈 때가 됐는데 안 가고 계 속 미루고 있어요.

A: Julie, why did you take such a long lunch break yesterday?

B: I went to the dentist and **had my teeth scaled and a tooth filled**.

A: It's time for me to go to the dentist, too, but I keep putting it off.

5. A: 에어컨 바람 때문인가? 눈이 너무 건조해요.
   B: 제 **안약을** 조금 **넣으시겠어요**? 훨씬 괜찮아질 거예요.

A: Could it be because of the air conditioner? My eyes are so dry.
*B: Would you like to **put** some of my **eye drops in your eyes**? They'll feel much better.*

6. A: 그 **주사를** 어디에 **놓으실** 건가요? 엉덩이에요, 아니면 팔이에요?
   B: 엉덩이에 놓을 거예요. **바지를 내려**주세요.

*A: Where are you going to **give me** that **shot**? In the rear or in the arm?*
*B: In the rear. Please **lower your pants**.*

7. A: **기브스를 풀** 때는 어떻게 해요? 전 한 번도 본 적이 없어서요.
   B: 의사가 전기톱으로 기브스를 잘라내요.
   A: 그거 위험하겠는데요.

*A: How do they **take the cast off**? I've never seen it done.*
B: The doctor saws it off with an electric saw.
A: That sounds dangerous.

18 병원
치료·수술 II

□ 치료하다
treat sb/sth

□ 입원(수속)을 하다
check into the hospital

□ 퇴원(수속을) 하다
check out of the hospital

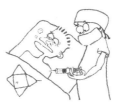

□ 해열시키다
1. _____ sb's temperature

□ 마취시키다
anesthetize sb

□ 수술을 하다
2. _____ an operation

· check into the hospital
= *be hospitalized*

· anesthetize sb
= *put sb under anesthesia*

· do an operation
= *do surgery*
= *operate*

□ 약을 복용하다
3. _____ medicine

□ 약물치료를 받다 / 하다
be treated with medicine / treat sb with medicine

□ 상처를 소독하다
sterilize[disinfect] the wound

More Expressions

□ 마취에서 깨어나다   *come out from under the anesthesia*
   = *wake up from the anesthesia*
□ 수술을 받다   *have an operation = have surgery*
□ 수술대에 환자를 눕히다   *lay the patient on the operation table*
□ 칼로 째다   *make an incision = cut open*
□ 5바늘 꿰매다   *sew up with five stitches = close the incision[wound] with 5 stitches*

1. lower 2. do 3. take

Small Talks

1. **A:** 다리에 이 상처 좀 봐. 근사하지, 그렇지?

 B: 그래 참 멋있기두 하겠다. 그런데 어떻게 생긴 상처야?

 A: 오토바이를 타고 가다가 벽에 충돌해서 다리가 두 동강이 났어. 의사들이 (칼로) 다리를 **째고 상처를 봉합하기 위해 20바늘도 더 꿰맸어.**

 B: 죽지 않은 게 다행이지.

A: Look at this scar on my leg. Pretty neat, isn't it?

B: Yeah, it's real cool. How'd you get it?

A: I smashed my motorcycle into a wall and broke my leg in two places. The doctors **cut** it **open** to fix it and it took more than **twenty stitches to sew up the incision**.

B: You're lucky you weren't killed.

2. **A:** 백 년 전 아니 그보다 더 전에 **수술받는** 게 어땠을지 상상이 되니?

 B: 아이고 생각만 해도 떨리네. **마취시키지**도 않고 칼로 쨌을 거 아냐.

 A: 맞아, 예전에는 수술이 병으로 아픈 것보다 훨씬 더 아팠었대.

A: Can you imagine what it must have been like to **have an operation** a hundred years ago or more?

B: Just thinking about it makes me shudder. They cut people open without **putting them under anesthesia**.

A: Yeah, the operation was often worse than the ailment itself.

Tips

미국인의 구강검사는?

미국인은 평균적으로 1년에 두 번 이상 치아의 정기 검진을 받는다. 치과는 보통 의료보험이 적용되지 않으므로 치과의료보험을 따로 드는 일도 많다. 가끔 영화에서 보면 화재현장에서 치아만으로도 그 신원을 확인하는 경우가 나오는데 이는 대부분의 주(州)에서 아이들의 입학 전에 치아 검사를 받도록 규정하고 매년 검사를 기록해서 보관하기 때문에 가능한 일이다.

3. **A:** 어제 Tom이 아랫배가 아파서 **병원에 입원수속을 했다**는 거 알아? 요도에서 큰 담석이 나왔대.

 B: 와, 아팠겠는걸. 담석은 애를 낳는 것처럼 아프다고 하던데.

 A: 병원에서는 어떻게 **치료한대**?

 B: 아마도 초음파를 이용하여 담석을 여러 조각으로 부순 다음 소변을 통해 나오도록 할거야.

A: Did you know Tom **checked into the hospital** last night because of sharp pains in his lower abdomen? They found a big stone in his urinary tract.

B: Wow, that must be painful. I've heard it's almost like having a baby.

A: How do they **treat something** like that?

B: They use ultrasound waves to break the stone into tiny pieces. Later, the pieces come out when the person is urinating.

18 병원
각종검사

☐ X-ray를 찍다
　1. _____ an x-ray

☐ 혈액검사를 받다 / 하다
　2. _____ / 3. _____
　a blood test

☐ 정밀검사를 받다 / 하다
　have / do a detailed
　test

☐ CT 촬영을 하다
　have a CAT scan
　taken

☐ 피를 뽑다
　have some blood
　taken out

☐ 정기 종합검진을 받다 / 하다
　have / do a regular
　general physical exam

- have a CAT scan
  taken
  cf) *take a CAT scan*
  *CAT: Computerized
  Axial Tomography*
- have some blood
  taken out
  cf) *take out some
  blood*
- have an ultrasound
  taken
  cf) *take an ultra-
  sound*

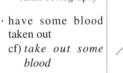 

☐ 초음파 검사를 받다
　have an ultrasound
　taken

☐ 소변검사를 받다 / 하다
　have / do a urine test

☐ 시력검사를 받다 / 하다
　have one's eyes tested /
　test sb's eyes

More Expressions

☐ 헌혈하다	*give blood*
☐ 약을 조제하다	*prepare the medicine = fill the prescription*
☐ 약을 타다	*get[receive] one's medicine*
☐ 물리치료를 받다 / 하다	*have[receive] physical therapy / give sb physical therapy*
☐ 무릎에 물리치료를 받다	*have[receive] physical therapy on one's knee*

Small Talks

1. A: 얼마나 창피하던지! 오늘 아침에 하복부가 아파서 병원에 갔는데 **소변검사를 받아야 했어**.

B: 그게 뭐가 그렇게 창피한데?

A: 플라스틱 컵에다 쉬를 하다가 실수해서 바지에다 해버렸거든.

A: How embarrassing! I went to the hospital this morning because of a pain in my lower stomach and had to **have a urine test**.

B: What's embarrassing about that?

A: When I was peeing in the plastic cup, I missed and peed all down my trousers.

2. A: 헌혈할 때 가장 안 좋은 것은 헌혈하고 나서 바로 느껴지는 어지러움과 구역질이라고 들었어요.

B: 예전에 헌혈한 적이 있는데 뭐니뭐니 해도 가장 싫었던 것은 간호사가 그 큰 바늘을 내 팔에 찌를 때였어요.

A: 피가 몸에서 빠져나가는 것을 봤을 때 기분이 어떻던가요?

B: 보지 않았어요. 너무 두려웠거든요.

A: I've heard the worst thing about **giving blood** is that you feel dizzy and nauseous right afterwards.

B: I gave blood once and the worst thing for me was when the nurse was sticking that huge needle in my arm.

A: How did it feel to watch your blood flowing out of your body?

B: I didn't watch. I was too afraid.

3. A: 잘 해 봐, Billy! 어젯밤에 Michelle에게 팔을 두르고 집에 가던데.

B: 나하고 Michelle이라고? 말도 안돼! 너 안경 쓰게 **시력검사** 한번 **해 봐야**겠다.

A: 에이, Billy. 어젯밤 Michelle이랑 같이 있었던 것을 설마 부인하지는 않겠지?

A: Way to go, Billy! I saw you walking home last night with your arm around Michelle.

B: Me and Michelle? No way! You'd better go **have your eyes tested** for glasses, man.

A: Come on, Billy. Don't tell me you and Michelle weren't together last night.

18 병원

증상 1

□ 재채기하다
sneeze

□ 콧물이 흐르다
1. _____ a runny nose

□ 기침하다
cough

□ 딸꾹질하다
hiccup

□ 부어 오르다
swell up

□ 경련을 일으키다
2. _____ a cramp

· have a runny nose
= *one's nose is running*

· hiccup
= *have the hiccups*

□ 가려운 곳을 긁다
3. _____ an itchy spot

□ 다리를 절뚝거리다
limp

□ 가슴이 두근거리다
one's heart beats rapidly

More Expressions

□ 콧물을 훌쩍거리다	*sniffle = have the sniffles*
□ 사레들다	*choke*
□ 아픔을 못 이겨 데굴데굴 구르다	*roll around in agony*
□ 배가 콕콕 찌르듯이 아프다	*have a stabbing pain in one's stomach*
□ 열이 난다	*have a fever*
□ 허리가 아프다	*one's lower back aches*

Small Talks

1. A: 연거푸 **재채기하시는 걸** 보니 감기 걸리셨나 봐요.
B: 그러면 안 되는데. 내일 발표하기로 되어 있거든요.

A: Seeing that you keep **sneezing** continuously, you must have caught a cold.
B: It's a real problem. I'm supposed to give a presentation tomorrow.

2. A: 물 한 잔만 갖다주실래요?
B: 네. 그런데 왜요?
A: 자꾸 **딸꾹질이 나와서요**. 물을 좀 마시면 멈출 것 같아요.

A: Would you please bring me a glass of water?
B: Sure, but why?
A: I keep **hiccuping**. I think it'll stop if I drink some water.

3. A: 얼굴이 많이 **부었네**. 어디 아파?
B: 아니. 어젯밤에 엎드리고 자서 그런가 봐.

A: Your face **is** really **swollen**. Are you ill?
B: No. It's probably because I slept on my stomach last night.

4. A: 이상하네. 갑자기 **가슴이 두근거려**.
B: 알았다! 방금 Helen이 지나갔기 때문이지?
A: 무슨 소리야? 난 Helen에게 아무 관심도 없어.

A: That's strange. Suddenly **my heart is beating rapidly**.
B: I know! It's because Helen just passed by, isn't it?
A: What are you talking about? I don't care about Helen at all.

진료과의 종류와 용어

내과(Internal Medicine)
산부인과(Obstetrics and Gynecology)
안과(Ophthalmology)
소아과(Pediatrics)
치과(Dentistry)
피부과(Dermatology)
종양 전문과(Oncology)
신경과(Neurology)
정형외과(Orthopedics)
이비인후과(Otolaryngology)
성형외과(Plastic Surgery)
정신과(Psychiatry)
비뇨기과(Urology)

18 병원
증상 II

□ 이빨이 빠지다
a tooth falls out

□ 오한이 들다
1. _____ (the)
chills

□ 턱뼈가 빠지다
**the jaw bone is
dislocated**

□ 발목을 삐다
2. _____ one's
ankle

· a tooth falls out
= *a tooth comes out*

· be bruised
= *have[get] a bruise*

□ 피가 흐르다
bleed

□ 멍들다
be bruised

More Expressions

□ 혈관이 터지다	*a blood vessel bursts*
□ 혈압이 올라가다 / 내려가다	*one's blood pressure goes up / comes down*
□ 피가 붕대에 스며나오다	*the blood soaks through a bandage*
□ 맥박이 빨리 뛰다	*have a fast pulse = one's pulse is fast*
□ 다리가 저리다	*one's legs are numb[asleep]*
□ 손가락이 따끔거리다	*one's finger stings*

Small Talks

1. A: 산모들은 딱딱한 음식을 씹다가 **이빨이 빠지는** 수가 있대요.

   B: 그래요? 우리 부인도 곧 아기를 낳을 건데 조심하라고 해야겠네요.

A: *I heard that if a woman who just had a baby chews hard food, her* **teeth** *can* **fall out**.

B: *Really? My wife is going to have a baby soon, so I'll have to tell her to be careful.*

2. A: 일회용 반창고 가진 것 있니?

   B: 하나 있어. 자 여기. 그런데 왜?

   A: 손가락을 베었는데 계속 **피가 흘러서**.

A: *Do you have a Band-Aid?*

B: *I have one. Here it is. But why?*

A: *I cut my finger and it keeps* **bleeding**.

3. A: 어떻게 하다 **멍이 든** 거야?

   B: 조금 전에 책상을 옮기다가 책상에 발등을 찧었어.

A: *How did you* **get bruised**?

B: *I was moving my desk a little while ago, and rammed the back of my foot into it.*

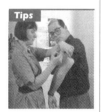

Tips

중요 병명 소개

천식(asthma)
결핵(tuberculosis)
홍역(measles)
폐렴(pneumonia)
편도선염(tonsillitis)
기관지염(bronchitis)
위궤양(ulcer)
설사(diarrhea)
소아마비(polio)
담(phlegm)
전립선암(prostate cancer)
무좀(athlete's foot)

Chapter two

각종활동을 중심으로

19 운전

□ 키를 돌려서 시동을 걸다
1. _____ the key to start the ignition [the engine]

□ 안전벨트를 매다 / 풀다
put on / take off one's seat belt

□ (자동차의) 기어를 넣다
2. _____ (the car) **in gear**

□ 엑셀레이터[브레이크 · 클러치]를 밟다
step on the accelerator [the brake · the clutch]

□ 속력을 내다
speed up

□ 기어를 바꾸다
change gears

· put on one's seat belt
= *buckle up*

□ 차선을 바꾸다
change lanes

□ 추월하다
3. _____ the car **in front**

□ 끼어들다
cut in

More Expressions

□ 비상등을 켜다　　　*put on the emergency lights*
□ 깜빡이를 켜다　　　*use the turn-signal*
□ 시동을 끄다　　　　*turn off the ignition*
□ 속력을 줄이다　　　*slow down*
□ 제한속도를 지키다　*keep the speed limit*
□ 난폭운전을 하다　　*drive recklessly[carelessly]*

　1. turn   2. put   3. pass

Small Talks

1. A: 차들이 조금도 움직이질 않아.
   B: **시동을 끄고** 있는 게 어때? 기름이라도 아껴야지.

A: *The cars aren't moving at all.*
B: *Why don't you **turn off the ignition**? We can at least save gas.*

2. A: **기어를 바꿀** 때마다 클러치를 함께 **밟아** 쉬야 해.
   B: 난 그럴 필요가 없어. 내 차는 오토매틱 이거든.

A: *Each time you **change gears** you have to **step on the clutch**.*
B: *I don't have to do that. My car is an automatic.*

3. A: 여기서는 **속도를 줄여야 해**.
   B: 왜?
   A: 저기 앞에 감시카메라가 있거든.

A: *You have to **slow down** here.*
B: *Why?*
A: *There's a speed trap up ahead.*

4. A: 서울에서는 **끼어드는** 차들 때문에 운전 하는 것이 너무 위험해.
   B: 맞아. 그래서 난 운전할 때는 언제나 **안 전벨트를 꼭 매고** 다니지.

A: *In Seoul driving is dangerous because the cars **cut in** so much.*
B: *Right. So I always **put on my seat belt** when I drive.*

Tips

안전벨트 착용규정은?

미국에서는 1980년대 후반 에 법률로 운전자와 조수석 의 안전벨트(seat belt) 착 용을 의무화했다. 어기면 초범은 22불, 재범은 55불 의 벌금에 처한다. 또, 4세 미만 혹은 체중이 40파운 드 미만인 아이들은 반드시 보호좌석(car seat)에 앉 혀야 하는데 이를 위반하면 초범이 100달러, 재범은 500달러의 벌금을 문다. 일례로 미국의 산부인과에 서는 산모와 신생아가 타는 차에 car seat이 없으면 퇴원을 시키지 않는다. 병 원에 돈을 내고 car seat 을 빌려야 퇴원할 수 있다.

19 운전

운전동작 II

☐ 클랙션을 울리다
1. _____ the horn

☐ 양보하다
yield

☐ 신호를 기다리다
wait for[at] a light

☐ 커브 틀다
2. _____ a turn

☐ 핸들을 꺾다
turn the steering wheel

☐ 좌회전 / 우회전하다
3. _____ left / right

· honk the horn
= *blow the horn*

☐ U턴하다
make a U-turn

☐ 와이퍼를 작동시키다
turn on the windshield wipers

More Expressions

☐ 차선을 지키다	*keep one's lane = stay in one lane*
☐ 차간거리를 충분히 두다	*leave enough room between one's car and the car in front*
☐ 앞차 뒤를 바싹 따라가다	*tailgate (sb)*
☐ 안전거리를 유지하다	*maintain a safe distance between one's car and the car ahead*
☐ 급회전하다	*turn sharply = make a sharp turn*

1. honk 2. make 3. turn

Small Talks

1. **A:** 당신이 말한 그 음식점이 어디 있어요?
B: 우리 회사 앞 큰 사거리에서 **우회전하시면** 바로 오른 편에 있어요.

A: Where is the restaurant you mentioned?
B: If you **turn right** at the big intersection in front of our company, it's just there on the right-hand side.

2. **A:** 저 사람 운전매너가 빵점이구만.
B: 왜 그래요?
A: 내가 **양보까지 해줬는데**, 고맙다는 인사로 손을 흔들어 주지도 않고 가잖아.

A: I'd give that person's driving manners zero points.
B: Why do you say that?
A: I **yielded** to him and he didn't even wave his hand to say thank you.

3. **A:** 어, 우리가 아무래도 그 빌딩을 지나친 것 같아요.
B: 그래요? 그러면 저 앞에서 다시 **유턴을 해야**겠군요.

A: Oh, it seems we've definitely passed that building.
B: Really? Then we'll have to **make a U-turn** up there.

4. **A:** 앞차 주인 어디로 갔지? 내 차를 뺄 수가 없잖아.
B: **클락션을 울려**봐. 멀리 있지는 않을 거야.

A: Where did the owner of the car parked in front go? I can't get my car out.
B: Try **honking your horn**. He shouldn't be far away.

Tips

속도 제한 규정은?

미국에서는 주(州)마다 고속도로 속도제한(아리조나주 75마일 : 뉴욕주 65마일)이 다르고 같은 interstate(州間) 고속도로라도 구간별로 제한속도가 다르다. 조금 한가한 고속도로에서는 경찰들이 길목을 지키고 speed gun으로 과속을 단속하고 혼잡한 도로에서는 순찰차가 뒤에서 따라오면서 제한속도를 어기는 차량을 잡는다.

5. **A:** **핸들을** 오른쪽으로 끝까지 **돌려**. 그래, 잘 했어. 자, 이젠, 반대방향으로 핸들을 풀어.
B: 고마워. 네가 없으면 주차도 못 할 거야

A: **Turn the steering wheel** all the way to the right. Yes, very good. Now turn it in the opposite direction.
B: Thanks. If it weren't for you, I wouldn't be able to park.

19 운전

운전동작 Ⅲ

□ 백미러를 보다
1. _____ in the rearview mirror

□ 고개를 돌려 뒤를 보다
2. _____ one's head and look behind

□ 자장을 올리다 / 내리다
roll up[close] / roll down [open] the car window

□ 히터를 켜다 / 끄다
turn on / turn off the heater

□ 주차하다
park

□ 후진하다
back up

· back up
= *go in reverse*
= *drive in reverse*

· take out insurance
  on the car
= *have auto insurance*
= *buy auto insurance*

□ 톨게이트를 통과하다
go through the tollgate

□ 통행료를 내다
3. _____ the toll

□ 자동차보험에 들다
take out insurance on the car

More Expressions

□ 히터온도를 높이다 / 낮추다   *turn up / turn down the heater*
□ 길가에 차를 대다   *park along the street*
□ 개구리 주차하다   *park up on the curb*
□ 후진해서 나가다   *back out*
□ 후진해서 들어가다   *back in*
□ 도난보험에 들다   *insure against theft*

  1. look 2. turn 3. pay

Small Talks

1. **A:** 아유, 놀래라. 도대체 저 차는 어디서 나온 거야?

    B: 백미러로는 안 보이는 차가 있어. 그래서 항상 차선을 바꿀 때는 **고개를 돌려 뒤를 보는** 게 좋아.

A: *Wow, that scared me. Where the heck did that car come from?*

B: *It wasn't visible in the rearview mirror. That's why when you change lanes it's always good to **turn your head and look behind**.*

2. **A:** Jim, **차창** 좀 **올려줄래요?** 바람이 너무 세요.

    B: 그러죠. 이젠 됐어요?

A: *Jim, would you **roll up the car window** a little bit? The wind is too strong.*

B: *Sure. Is it okay now?*

3. **A:** 죄송합니다. 여기는 주차금지 구역입니다.

    B: 그럼, 이 근처에 **주차할** 만한 곳이 있습니까?

A: *I'm sorry. This is a no parking zone.*

B: *Then, is there a place to **park** near here?*

4. **A:** 막다른 골목이군. **후진해서 나가야겠는**데.

    B: 조심해. 뒤에 오토바이 한 대가 있어.

A: *This is a dead-end road. I guess we'll have to **back out**.*

B: *Be careful. There's a motorcycle in back of us.*

5. **A:** 공휴일에도 남산 2호 터널의 **통행료를 내나요?**

    B: 잘 모르겠지만. 아마 안 낼 거예요.

A: *Do you have to **pay the toll** for the second Nam San tunnel on holidays, too?*

B: *I'm not sure. Probably not.*

Tips

'back up'과 'back out'의 차이?

'back up'은 말 그대로 '후진하다'라는 뜻인데 반해. 'back out'은 '어떤 특정한 장소에서 차를 뒤로 빼 나오다'라는 의미이다. 예를 들어. 주차할 때 차의 앞부분이 화단을 향해 세워둔 것을 뺄 때는 후진해서 빼야하므로 'back out'을 쓴다. 반대로 차를 후진시켜 차고에 넣거나 주차할 때는 'back in'이라고 한다.

19 운전
교통위반

□ 교통규칙을 위반하다
violate[break] the traffic regulations

□ 과속하다
1. _____ **the speed limit**

□ 중앙선을 침범하다
2. _____ **over the center line**

□ 운전면허증을 보여주다
3. _____ **one's driver's license**

□ 벌금을 물다
pay a fine

□ (검문소에서) 검문하다 / 받다
check people / be checked (at a check point)

· break the speed limit
= *go[drive] over the speed limit*

· pay a fine
cf) *be fined*
(벌금을 무는 것 뿐만 아니라 딱지를 떼는 경우에도 사용)

· have the car towed
= *tow the car*

□ 음주측정 받다
be checked for drunk driving

□ 음주운전 하다
drive drunk

□ 차를 견인해 가다 / 견인되다
have the car towed / be towed

More Expressions

□ 차선을 위반하다	*change lanes illegally*
□ 신호를 위반하다	*go through a red light = run a red light*
□ 주차위반 하다	*park illegally = park in a no parking zone*
□ 벌금을 부과하다	*fine sb (for a traffic violation)*
□ 음주운전을 단속하다	*check for drunk drivers*

1. break 2. go 3. show

Small Talks

1. A: 왜 이렇게 늦었어?

B: 빨리 오려고 하다가 **속도위반으로** 딱지 떼었어.

A: *Why are you so late?*

B: *I was trying to hurry here and got a ticket for **breaking the speed limit**.*

2. A: 아니 왜 이렇게 차가 막히는 거지?

B: 앞에서 경찰이 **음주운전 단속을 하고** 있어요.

A: *Oh no, why is there such a traffic jam?*

B: *The police are **checking for drunk drivers** up there.*

3. A: 왜 여기에서 군인들이 **검문하고** 있는 거죠?

B: 군인이 한 명 탈영을 했대요.

A: *Why are the soldiers **checking people** here?*

B: *One soldier went AWOL(absent without leave).*

4. A: 이 표지판이 무엇을 뜻하는 건가요?

B: 여기에 주차하면 차를 **견인해 간다는** 표시예요.

A: *What does this sign mean?*

B: *It means that if you park here, your car will **be towed** away.*

5. A: 네가 무슨 잘못을 했길래 딱지를 떼었어?

B: 횡단보도의 **신호를** 못 보고 그냥 **지나갔거든**.

A: 그래서 **벌금을** 얼마나 **물었어**?

B: 2만원.

A: *What did you do to get that ticket?*

B: *I didn't see **the light** at the crosswalk and just **went** right **through it**.*

A: *So how much of **a fine** did you pay?*

B: *Twenty thousand won.*

Tips

미국의 교통법규는 얼마나 엄한가요?

미국의 교통법규는 우리나라보다 훨씬 엄격하다. 속도위반도 몇 번 계속하면 면허정지를 당하며 음주운전의 경우는 그 자리에서 면허 정지된다. 면허 정지뿐만 아니라 보험액의 급등 등 금전적인 피해도 크다. 단, 가벼운 교통위반이나 처음 18개월 동안 저지른 위반일 경우는 법원에 벌금과 수수료 24달러를 지불하고 운전학교에서의 수강 등으로 끝낼 수 있다. 또, 장애인 표지가 있는 곳에 주차하다가는 150불 짜리 딱지를 떼인다.

운전

차 수리 I

□ 브레이크가 말을 안 듣다
the brake isn't working right

□ 엔진이 털털거리다
the engine is sputtering

□ 차를 수리하다 / 수리받다
repair the car / be repaired

□ 본네트를 올리다
1. _____ **the hood**

□ 엔진소리를 들어보다
listen to (the sound of) the engine

□ 엔진오일을 갈다
2. _____ **the engine oil**

· recharge the battery
cf) *get a jump*
(두 차를 연결하여 배터리를 충전하는 방법)

□ 배터리를 충전하다
recharge the battery

□ 펑크나다
3. _____ **a flat tire**

More Expressions

□ 엔진에서 노킹소리가 나다   *the engine is knocking = there's a knocking sound in the engine*

□ 차를 점검하다 / 점검받다   *inspect the car / be inspected*

1. open   2. change   3. have

Small Talks

1. A: 네 차는 왜 안 가지고 나왔어?
   B: 수리받으려고 서비스센터에 두고 왔어.
   A: 왜? 어디가 말썽인데?
   B: 브레이크가 말을 안 들어.

A: *Why didn't you bring your car?*
B: *I left it at the service center to* **be repaired**.
A: *Why? What's wrong with it?*
B: **The brakes aren't working right.**

2. A: **엔진이** 왜 **털털거리는지** 알아?
   B: 아니 잘 몰라. **본네트** 좀 **올려줄래?** 내가 한 번 볼게.

A: *Do you know why* **the engine is sputtering**?
B: *No, I don't. Would you* **open the hood**? *I'll take a look at it.*

3. A: 어, 시동이 안 걸려.
   B: 배터리가 나갔나 봐요.
   A: 그럼, 어디서 **충전을 시켜야** 되죠?

A: *Oh, I can't start the engine.*
B: *The battery must be dead.*
A: *Then, where can I* **have the battery recharged**?

Tips

4. A: 잠깐 카센터에 들러도 될까요? **엔진오일 갈아야** 할 때가 된 것 같아서요.
   B: 그렇게 하세요. 시간도 충분하니까요.

A: *Could we stop at the car repair center[garage] for a moment? I think it's time to* **change the engine oil**.
B: *Go ahead. We have plenty of time.*

차수리는 어디서 할까?

미국에서는 학교에서 기본적인 자동차 정비교육을 받는다. 따라서 사소한 고장은 부품을 사서 스스로 수리한다. 자동차 body shop은 차량의 외관을 주로 수리하는 곳이다. 새 차일 경우에는 차를 산 곳에서 수리하는 것이 가장 바람직하고 warranty가 끝난 차는 자동차 정비소(repair shop)에서 대개 무료로 견적(estimate)을 뽑아주므로 여러 곳을 돌아다녀 본 후 싼 곳을 찾아 수리하면 된다.

5. A: 저, **타이어에 펑크가 났는데,** 타이어 어떻게 가는지 아세요?
   B: 대충 알아요. 연장은 다 있으세요?

A: *Excuse me, I* **have a flat tire**. *Do you know how to change tires?*
B: *Sort of. Where are all the tools?*

운전

차수리 II

□ 타이어에 공기를 주입하다 / 빼
다
1. _____ air in the
tire / take air out of
the tire

□ 타이어를 갈다
change the tire

□ 타이어를 땜질하다
2. _____ the tire

□ 찌크리긴 것을 펴다
straighten out a bent
part

□ 주유소에 들르다
3. _____ at the
gas station

□ 주유하다
put gas in

· fill the tank
= *fill her up*

□ 가득 채우다
fill the tank

More Expressions

□ 자가주유 하다   *fill the tank by oneself*
□ 부동액 / 냉각수를 보충하다 *put in antifreeze / coolant*
□ 차의 움푹 들어간 곳을 펴다 *remove dents*

Small Talks

1. A: 차가 너무 통통 튀는 것 같지 않아요?

B: 그런 것 같아요. 나중에 **타이어의 공기를** 좀 **빼야겠어요**.

A: *Doesn't the car seem to be bouncing too much?*

B: *Yes, it does. I'll have to **take** a little **air out of the tires**.*

2. A: 펑크난 **타이어를 땜질해서** 쓸까요, 아니면 새 것으로 하나 살까요?

B: 이번 기회에 하나 사지 그래요**?**

A: *Should I **patch the** flat **tire** and use it or buy a new one?*

B: *Why not take the opportunity to buy a new one?*

3. A: 대구까지 갈 기름은 충분히 있어요**?**

B: 걱정 말아요. 어제 **주유소에 들러서 가득 채워놓았으니까**.

A: *Do we have enough gas to get to Daegu?*

B: *Don't worry. Yesterday I **stopped at the gas station and filled the tank**.*

4. A: 차가 많이 찌그러졌어요?

B: 아니요. 문이 움푹 들어갔어요.

A: **움푹 들어간 부분 펴주는 곳을** 알고 있어요.

A: *Is the car bent up bad?*

B: *No. But there's a dent on the door.*

A: *I know a good place where they **remove dents**.*

미국의 주유소는 이게 달라요!

미국은 self-service로 주유하는 곳이 많다. 주유원이 주유해주는 경우는 gallon당 20-30센트를 더 지불해야 한다. 주유원이 있는 곳에서는 엔진오일 교환이나 엔진 튠업과 같은 경정비를 함께 해주는 곳이 많다. 주유소에서는 또 지도, 담배, 스낵, 음료수 등도 파는데 이런 곳일수록 20불 이상의 현금은 받지 않는 것이 원칙이므로 소액권이나 크레딧 카드가 있어야 한다.

20 교통
수단
전철1

□ 매표구에서 줄서다
stand in line at the ticket window

□ 표를 끊다
get[buy] a ticket

□ 개찰구에 표를 넣다
1. _____ one's ticket in the machine at the entrance

□ 표를 뽑다
take the ticket out

□ 계단을 내려가다 / 올라가다
go[walk] down / up the stairs

□ 열차가 플랫폼으로 들어오다
the train arrives at the platform

□ 전철을 타다 / 내리다
2. _____ on / off the subway

□ 사람들을 밀어넣다
3. _____ people (onto[into] the subway)

□ 밀려서 열차에 들어가다
be pushed into the train

More Expressions

□ 계단을 뛰어 내려가다	*run down the stairs*
□ 계단을 뛰어 올라가다	*run up the stairs*
□ 전철을 타려고 서둘러 가다	*rush to get on the subway*
□ 문에 눌리다	*get pressed against the door*

Small Talks

1. A: **열차가** (지금) **들어오고 있으니까** 노란선 안 쪽으로 물러나주세요.
  B: 알겠어요. 그런데, 이 쪽이 인천 방면이 맞나요?

A: *The train is arriving*, please move back behind the yellow line.
B: Okay, am I on the right side for Incheon?

2. A: 전화카드를 사려면 어디로 가야 하나요?
  B: **계단을 내려가서** 오른쪽으로 50m 정도 가면 있어요.

A: Where can I buy a telephone card?
B: If you **go down the stairs** and about 50 meters to the right, there's a place that sells them.

3. A: 어, 이거 누구 표지?
  B: 아마 누군가가 **개찰구에 표를 넣고 뽑는 것을** 잊어버렸나 봐요.

A: Oh, whose ticket is this?
B: Maybe someone **put his ticket in the machine** and forgot to **take it out**.

4. A: 당신의 사무실에는 어떻게 가면 됩니까?
  B: 3호선 전철을 타셔서 고속버스 터미널 역에서 **내리세요**. 그리고는 5번 출구로 나오시면 됩니다.

A: How can I get to your office?
B: Take the number 3 subway and **get off** at the express bus terminal. Then come out the number 5 exit.

5. A: 뉴스에서 보니까 출퇴근 시간에는 어떤 사람들이 승객들을 **전철 안으로 마구 밀어 넣더군요**.
  B: 정말 그래요. 저도 오늘 아침에 사람들에게 **떠밀려서 전철을 탔는데** 하마터면 못 내릴뻔 했어요.

A: On the news I saw that during the morning and evening rush hours, some people recklessly **push others into the trains**.
B: They sure do. This morning I **was pushed into the train** by some people, and I almost couldn't get out.

Tips

미국의 지하철은?

미국에서도 지하철이 있는 곳은 New York, Washington D.C., Boston, Chicago, San Francisco 정도의 대도시이다. 우리나라와 차이점은 지하철과 도시버스를 시에서 운영하기 때문에 정기권을 끊으면 지하철과 버스를 다 이용할 수 있다는 점이다. 지하철의 명칭도 New York과 Washington D.C.에서는 Metro라고 불리고 San Francisco에서는 BART라 불린다. 우리나라처럼 색이나 알파벳으로 노선구분을 한다.

20 교통수단
전철 II

□ 옆사람을 밀치다
1. _____ the person next to oneself

□ 짐을 선반에 올려놓다
put one's packages up on the rack

□ 손잡이를 잡다
2. _____ onto the strap

□ 문에 몸을 기대다
3. _____ on the door

□ 옆 칸으로 옮기기다
move[go] to the next car

□ 갈아타다
change[switch] trains

· change[switch] trains
= transfer (to another train)

□ 전철을 반대방향으로 타다
get on a train going the opposite[wrong] direction

More Expressions

□ 선반에서 짐을 내리다   *take one's packages down from the rack*

Small Talks

1. A: 손잡이를 잡으세요. 열차가 많이 흔들리는데.
　 B: 전 괜찮아요.

A: Hold onto the strap. The train is shaking a lot.
B: I'm okay.

2. A: 가방을 선반 위에 올려놓지 그래요?
　 B: 괜찮아요. 지난 번에 한번 올려놓고 그냥 내려서 아주 혼이 났었거든요.

A: Why don't you **put your bag up on the rack**?
B: It's okay. One time, I put my bag up on the rack and forgot it. It was terrible.

3. A: 여기 너무 덥지 않아요? 에어컨이 잘 작동이 안 되는 것 같아요.
　 B: 그렇네요. **옆 칸으로 갈까요?**

A: Isn't it too hot here? The air conditioner doesn't seem to be working well.
B: That's right. Shall we **move to the next car**?

뉴욕의 지하철은 위험?

뉴욕의 지하철은 온통 낙서로 지저분하고 위험하다고 알려져 있다. 그래서 뉴욕시 당국은 지하철 경찰대를 운영하면서 지하철에서 쓰레기 버리는 행위, 각종 파피행위, 과다한 소음을 내는 행위, 낙서, 흡연, 음주, 총기휴대. 남을 방해하는 행위 등을 금지하고 있고 이를 어길 시에는 25불에서 100불의 벌금을 물리고 있다. 뉴욕시의 지하철은 늦은 밤이면 열차가 서지 않는 정거장들이 있기 때문에 지하철 운행시간 및 정차 여부를 미리 확인해야 한다.

4. A: 마포에 가려면 어디서 **갈아타야** 하나요?
　 B: 종로 3가에서요. 안내방송이 나올 테니까 벌써부터 내릴 준비를 하실 필요는 없어요.

A: Where do I need to **transfer** to go to Mapo?
B: At Chongno samga. There will be an announcement, so you don't have to get ready just yet.

5. A: 일본의 전철은 한국보다 훨씬 복잡한 것 같더라구요.
　 B: 맞아요. 저도 지난 번 출장 갔을 때 **전철을 반대방향으로 타서** 회의에 1시간 늦은 적이 있어요.

A: The subways in Japan seem to be much more complicated than the ones in Korea.
B: You're right. Once when I was on a business trip I **got on the subway going the opposite direction** and was an hour late for a meeting.

□ 버스를 타나 / 내리나
get on / off the bus

□ 술늘 서서 자례대로 버스
에 올라타다
1. _____ in line to
get on the bus

□ 새치기 하다
cut in line

□ 요금을 요금함에 넣다
put the fare in the fare box

□ 버스카드를 대다
2. _____ the machine
with a bus card

□ 버스가 갑자기 출발하다
the bus starts suddenly

· the bus starts
  suddenly
= *the bus takes off
  suddenly*

□ 몸이 앞 / 뒤로 갑자기 쏠리다
one's body jerks forwards / backwards

□ 누군가의 발을 밟다
3. _____ on sb's foot

More Expressions

□ 몸이 앞 / 뒤로 기울다   *one's body leans forwards / backwards*

Small Talks

1. A: 버스 요금이 얼마지요?

B: 일반버스는 500원이에요. **요금은** 직접 **요금함에 넣어도** 되지만 버스카드를 사용하면 편해요.

A: **버스카드를** 그냥 **기계에다 대기**만 하면 되니요?

B: 네, 잔돈을 정확히 준비할 필요가 없어서 좋아요.

A: *How much is the bus fare?*

B: *The ordinary buses are 500 won. You can **put the fare** directly **in the fare box**, but using a bus card is much more convenient.*

A: *Do you just **touch the machine with your card**?*

B: *Yes, it's good because you don't need exact change.*

2. A: 미스터 최, 오늘 아침 기분이 안 좋은 것 같은데, 무슨 일이 있었어요?

B: **줄을 서서 차례대로 버스에 올라타**고 있는데, 갑자기 누군가가 제 앞에서 **새치기를 하**잖아요.

A: 난 또 뭐라구. 그런 일은 종종 있잖아요.

B: 그건 시작에 불과해요. 그리고는 **버스가 갑자기 출발하는** 바람에 넘어질 뻔했죠. 그리고 버스에서 **내리려고** 하는데 누군가가 **내 발을 밟았어요.**

A: *This morning you seemed upset, Mr. Choi. What happened?*

B: *I was **standing in line to get on the bus** when suddenly somebody **cut in line** before me.*

A: *Oh, I wondered what happened. Those kinds of things happen every once in a while.*

B: *That was only the beginning. **The bus started** so **suddenly** that I almost fell over. And when I was **getting off**, someone **stepped on my foot**.*

Tips

미국의 버스는 이게 달라요!(Ⅰ)

미국에서는 버스노선이 짧고 구간운행간격이 보통 30분을 넘기 때문에 시간적 여유가 있지 않으면 버스를 이용하기가 어렵다. 한가지 재미있는 것은 버스를 갈아타도 추가의 요금을 내지 않는 transfer ticket (1불 10센트)가 있어서 한 방향으로 갈 때 여러 번 갈아탈 수가 있다. 이 티켓은 요금을 내면 버스기사가 뽑아서 주며, 2시간 이내에 사용해야 하고 되돌아 올 때는 사용할 수가 없다.

☐ 창 밖을 내다보다
**look out the
window**

☐ 창 밖으로 머리를 내밀다
**put one's head out
the window**

☐ 노인에게 자리를 양보하다
1. _____ one's seat
to an elderly person

☐ 실수로 내려야 할 곳을 지
나치다
**miss one's bus stop
by mistake**

☐ 버저를 누르다
2. _____ the buzzer

☐ 버스가 급정거하다
**the bus stops
suddenly**

· the bus stops
suddenly
= *the bus comes to a
sudden stop*

☐ 버스를 잘못 타다
**take[get on] the
wrong bus**

☐ 버스가 정류장을 지나쳐 가다
the bus 3. _____
by[skips] a bus stop

Small Talks

1. A: **창 밖을** 좀 **보세요**. 경치가 너무 아름답지 않아요?

B: 정말 그렇네요. 카메라가 없는 것이 안타깝군요.

A: *Look out the window.* Isn't the scenery really beautiful?

B: *It really is. I regret not having a camera.*

2. A: 실례합니다. 이 승주씨를 뵈러 왔는데요.

B: 제가 이 승주입니다. 아까 전화 거셨던 분이지요?

A: 네. 그렇습니다.

B: 오시느라고 힘드셨죠?

A: 조금요. **버스를 잘못 타서** 좀 많이 걸었어요.

A: *Excuse me. I came to see Mr. Lee Seung-joo.*

B: *I'm Lee Seung-joo. Are you the person who phoned a while ago?*

A: *Yes, I am.*

B: *Did you have any trouble finding our office?*

A: *A little. I* ***took the wrong bus*** *and had to walk quite a bit.*

Tips

3. A: 학생들이 **노인에게 자리를 양보하는** 모습은 언제 봐도 참 보기 좋아요. 그렇죠?

B: 그럼요. 청소년 문제가 심각하다고 하지만, 이런 모습을 보면 희망이 생겨요.

A: *Students who* ***offer their seats to elderly people*** *always look good, don't they?*

B: *Yes. It's said that the problems with youth are serious, but when we see this kind of behavior, I feel hope.*

미국의 버스는 이게 달라요!(Ⅱ)

버스 내에 우리나라와 같이 경로석은 없으나 장애인석(disabled)은 있다. 버스에서 내릴 때는 창 옆에 있는 버저(buzzer)를 누른다. 그러면 벨이 울리면서 'stop requested'라는 빨간 램프가 켜지고 다음 정류장에 세워준다. 버스가 정차한 다음에 문 위에 'Exit'라는 녹색 불이 들어오면 손잡이를 밀어서 내린다. 우리나라에서처럼 문이 열리기만을 기다려 봤자 소용이 없으므로 주의한다.

4. A: 어머, **버스가 정류장을** 그냥 **지나쳐 갔어요.**

B: **버저를 누르셨어야죠.**

A: *Oh,* ***the bus*** *just* ***passed by*** *my* ***bus stop.***

B: *You should have* ***pushed the buzzer.***

교통 수단
택시

□ 택시를 잡다
1. _____ a taxi

□ 손님을 태우다
pick up a passenger

□ 택시를 타다 / 내리다
get in / out of the taxi

□ 앞좌석 / 뒷좌석에 앉다
sit in front / in back

□ 행선지를 말하다
2. _____ the driver where to go

□ 미터기를 켜다
start the meter

· tell the driver where to go
= *tell one's destination*

· start the meter
= *click on the meter*

· explain the way to the taxi driver
= *show the way to the taxi driver*

□ 기사에게 길을 일러주다
explain the way to the taxi driver

□ 합승하다
3. _____ several fares at once

□ 요금을 내다
pay the fare

More Expressions

□ 손을 들어 택시를 세우다   *flag[wave] down a taxi = wave to stop a taxi*
□ 소리쳐 택시를 부르다   *hail a taxi*
□ 미터기가 올라가다   *the meter is going up*
□ 택시요금을 나누어 내다   *share a taxi fare*
□ 잔돈을 거슬러 받다   *get the change*

Small Talks

1. A: 길을 건너서 **택시를 잡을까요**? 이 쪽에는 택시들이 별로 없어요.
B: 그렇죠. 좋은 생각인 것 같아요.

A: Should we cross the street and **catch a taxi**? *There aren't many taxis on this side.*
B: Yes. That's a good idea.

2. A: 너희들은 **뒤에 앉아**. 내가 **앞에 앉을게**.
B: 좋아요. 그렇지만, **요금은** 저희들이 **낼게요**.

A: You all **sit in back**. *I'll* **sit in front**.
B: Fine. But we'll **pay the fare**.

3. A: 여기는 교통이 좀 불편하니까 택시를 타고 오세요.
B; 그렇죠. **운전사에게 어디로 가자고 해야** 하나요?
A: 무역센터에 가자고 하세요.

A: Since there's no public transportation in this area, take a taxi when you come.
B: Okay. **Where** *should I* **tell the driver to go**?
A: Tell him to go to the World Trade Center.

Tips

앞 자리에 타면 안된다구요?

미국에서는 대도시가 아니면 길거리에서 택시를 잡아 타는 것은 거의 불가능하고 택시회사에 전화를 해서 불러야 한다. 요금은 거리제 (mileage system)나 구역제(zone system)를 실시하는데 곳에 따라 다르다. 구역제인 경우 왕복시에 요금을 흥정할 수도 있으며, 팁은 요금의 10-15%를 주면 적당하다. 또 미국에서는 택시를 탈 때 뒷좌석에 타며 우리나라처럼 앞자리에 타는 경우는 없다. 특히 뉴욕의 경우에는 앞좌석과 뒷좌석이 방탄유리로 막혀있는 경우가 많다. 이것은 택시강도를 예방하기 위한 자구책이다.

4. A: 손님을 이미 태웠는데 어떻게 **또 다른 손님을 태울** 수가 있지요?
B: 알아요. 이해하기 힘들겠죠. 하지만, 한국에서는 **합승하는 것이** 일반적이에요.

A: How can they **pick up another passenger** *when there is already a passenger in the car?*
B: I know it's hard to understand, but in Korea **having several fares at once** *has become a common occurrence.*

비행기

□ 탑승하다
get on the plane

□ 자리를 안내하다
show one to one's seat

□ 짐을 짐칸에 넣다
1. _____ one's bag in the (overhead) compartment

□ 창가 쪽 / 복도 쪽에 앉다
sit in a window seat / an aisle seat

□ 의자를 뒤로 젖히다
put one's seat back

□ 안전수칙을 듣다
2. _____ to the safety regulations

· get on the plane
= *get on board*
= *board the plane*

· show one to one's seat
= *direct one to one's seat*

· put one's seat back
= *recline*

□ (비행기가) 활주로를 달리다
taxi along the runway

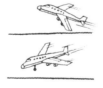

□ (비행기가) 이륙 / 착륙하다
take off / land

□ 승무원을 부르다
3. _____ a flight attendant

More Expressions

□ 자리를 묻다 — *ask where one's seat is*
□ 짐을 짐칸에서 꺼내다 — *take one's bag out of the (overhead) compartment*
□ (좌석을) 원위치 시키다 — *put one's seat forward = put one's seat back in the upright position = put one's seat up[upright]*

Small Talks

1. **A:** 비행기는 **이륙할** 때나 **착륙할** 때가 가장 위험하다면서요?

    B: 일반적으로는 그렇지요.

A: You said that it's most dangerous when the plane **takes off** and **lands**?

B: In general that's true.

2. **A:** 실례합니다. **이 짐을 짐칸에 넣어주시겠어요**?

    B: 하지만, 제가 필요한 것들을 꺼내 써야 할 때는 어떻게 하죠?

    A: 그러시다면 이것을 의자 밑에 넣으셔도 됩니다.

A: Excuse me. Could you please **put this bag in the overhead compartment**?

B: But what if I need to take it out and use my things?

A: If that's so, you can feel free to put it under the seat.

3. **A:** **복도 쪽에 앉아서** 왔어, 아니면 **창가 쪽에 앉아서** 왔어?

    B: 복도 쪽. 화장실에 갈 때마다 옆에 있는 사람에게 비켜달라고 하기 싫어서.

A: Did you **sit in an aisle seat** or **in a window seat** when you came?

B: In an aisle seat. I didn't want to bother the person next to me everytime I had to go to the bathroom.

Tips

미국에서의 주요 항공사 무료 예약 전화는?

※ 맨 먼저 1을 누르고, 800을 누른 후, 각 번호를 누른다.
American Airlines
  433-7300
TWA
  221-2000
United Airlines
  241-6522
Delta Airlines
  221-1212
Northwest Airlines
  225-2525

4. **A:** 이코노미 클라스의 의자는 **뒤로** 많이 **젖혀지지도** 않고 불편해.

    B: 맞아. 게다가 다리를 완전히 펼 수도 없잖아.

A: The seats in economy class do not **recline** very far and they are uncomfortable.

B: Right. And on top of that you can't stretch out your legs.

5. **A:** 머리가 계속 아프면 **승무원을 불러** 아스피린 좀 달라고 할까?

    B: 그렇게 해줄래? **탑승하기** 전에 약을 사는 건데 그랬어.

A: If your head still aches, shall I **call a flight attendant** and ask for some aspirin?

B: Would you do that for me? I should have bought some aspirin before **getting on board**.

□ 수리[수선]하다
repair sth

□ 나사를 풀다
1. _____ the screw

□ 분해하다
2. _____ apart (the machine)

□ 부품 / 전구 / 형광등을 갈다
change[replace] a part / the light bulb / the fluorescent light

□ (다시) 조립하다
3. _____ it back together

□ 나사를 조이다
tighten the screw

· repair sth
= *mend sth = fix sth*

· loosen the screw
= *unscrew*

· test-run a machine
= *run a test on a machine*
= *test a machine*

□ 기계를 시험작동시키다
test-run a machine

More Expressions

□ (남에게 의뢰해서) 수선하다   *have[get] sth repaired[fixed]*
□ 수선을 맡기다   *ask sb to repair sth*

Small Talks

1. A: 이 워크맨 고장난 것 같아.
　　B: 그래? 내가 한번 봐줄까?
　　A: 됐어 지난 번에도 네가 **고치다고** 기계를 다 **분해해놓**고는 **다시 조립하지도** 못 했잖아.

A: This Walkman seems to be broken.
B: Really? Should I look at it for you?
*A: No, thanks. The last time you said you'd **fix** something, you **took** it all **apart** and couldn't **put it back together** again.*

2. A: 심 선생님, **형광등 갈** 줄 아세요?
　　B: 네. 뭐가 문제예요?
　　A: 자꾸 깜박깜박거려서 눈이 피곤해요.

*A: Mr. Sim, do you know how to **change a fluorescent light**?*
B: Yes. What's the problem?
A: It keeps blinking so it's bothering our eyes.

3. A: 여기 조그만 드라이버 있어요?
　　B: 어디에다 쓸 건데요?
　　A: 안경다리가 흔들흔들해서 **나사를 조이려구요.**

A: Do you have a little screwdriver here?
B: Where do you want to use it?
*A: The arm of my glasses keeps wobbling, so I want to **tighten the screw**.*

4. A: 이거 다 고치셨어요?
　　B: 네. **시험작동을 해 보았는데** 완벽한 것 같아요.

A: Have you fixed it completely?
*B: Yes. I **ran some tests**, and it seems perfect.*

21 수선·수리

수리일반 II

□ 드릴로 구멍을 뚫다
1. _____ a hole

□ 못을 박다
hammer[drive] a nail in

□ 못을 빼다
take[pull] out a nail

□ 기계에 기름을 치다
2. _____ the machine

□ 톱으로 자르다
cut with a saw

□ 전구를 돌려 빼다
unscrew the light bulb and take it out

· hammer[drive] a nail in
= *nail sth*

· cut with a saw
= *saw sth*

□ 망치로 때려서 굽은 것을 펴다
3. _____ out sth with a hammer

More Expressions

□ 못을 깊이 박다	*drive[hammer] a nail in deep = nail sth in deep*
□ 못을 잘못 박다	*nail sth wrong = put a nail in wrong*
□ 시계방향으로 돌리다	*turn sth clockwise*
□ 반 시계방향으로 돌리다	*turn sth counterclockwise*

Small Talks

1. A: 손가락은 어떻게 하다가 다쳤어?
  B: (망치로) **못을 박다가** 손가락을 쳤어.
  A: 어유! 생각만 해두 아프다

A: How did you injure your finger?
B: I was **hammering a nail in** and I accidently hit it.
A: Ouch! It hurts just thinking about it.

2. A: 어디가 고장이 났어요?
  B: 자전거 페달이 너무 뻑뻑한 것 같아서요.
  A: 그건 **기름을** 좀 **치면** 괜찮아져요.

A: What is the problem?
B: The bike peddle seems too stiff.
A: **Oil** a little on it. It should be fine.

3. A: 이 그림 어디에다가 걸까요?
  B: 저기가 좋겠어요. 들어오면서 바로 보이니까요.
  A: 알겠어요. 우선 **드릴로 구멍을 뚫은** 다음에 **못을 박아야 하니까** 잠시만 기다리세요.

A: Where should I hang this picture?
B: Over there would be good because you will be able to see it as soon as you come in.
A: All right. First I'll **drill a hole** and then **put in a nail**, so please wait a moment.

4. A: 전구를 **반 시계방향으로 돌려야** 빠지나요?
  B: 그럼요. 대부분의 것들이 다 그렇잖아요.

A: Do I have to **turn** a light bulb **counterclockwise** to take it out?
B: Of course. Most things are like that.

Tips

못과 망치는 어디서 사나요?

못과 망치는 hardware store에서 산다. 미국은 인건비가 비싸기 때문에 집안수리는 개인이 하는 경우가 많고, 가구도 DIY(Do-It-Yourself)가 많아서 hand tools(손으로 다루는 연장)와 power tools(전원을 연결해서 작동시키는 연장)가 가정마다 필요하다. 집안수리를 가르쳐주는 TV프로그램도 있으며 Father's Day에 가장 많이 팔리는 선물도 tool box이다.

□ 실을 감다
wind the thread

□ 실을 풀다
1. _____ the thread

□ 실이 엉키다
the thread is[gets, becomes] tangled

□ 바늘에 실을 꿰다
2. _____ the needle

□ 실 끝에 매듭을 만들다
knot[tie a knot] at the end of the thread

□ 골무를 끼다
put on[use, wear] a thimble

□ 바느질하다
sew sth

□ 양말 구멍을 꿰매다
mend the socks

□ 단추를 달다
3. _____ on[put on] the buttons

More Expressions

□ 매듭이 풀리다	*the knot is coming untied*
□ 바지 솔기가 터지다	*the seam of the pants comes open[opens up]*
□ 단추가 떨어지다	*a button falls off*

Small Talks

1. **A:** 미스 김, 바늘과 실 있어요?
  B: 네. 그런데 그건 왜요?
  A: 재킷 **단추가 떨어졌어요** 오늘 오후에 중요한 약속이 있어서 그 재킷을 꼭 입어야 하는데.
  B: 지, 어기 있어요 제기 **달아드릴게요**

A: Miss Kim, do you have a needle and thread?
B: Yes. But why do you need them?
A: **A button** on my jacket **fell off.** And this afternoon I have an important appointment, so I definitely need to wear it.
B: Here, let me **sew** it **on** for you.

2. **A:** David, 이 **바늘에 실 좀 꿰줄래?** 난 안경이 없어서 잘 안 보여.
  B: 알았어요. **실 끝에 매듭도 만들어드릴까요?**
  A: 아니, 그건 내가 할게.

A: David, would you please **thread this needle** for me? I can't see well because I don't have my glasses.
B: Okay. Do you want me to **tie a knot at the end of the thread** for you, too?
A: No, I'll do that.

3. **A:** 아야! 바늘에 찔렸어.
  B: 그러게 내가 **골무를 끼라고** 했잖아.

A: Ouch! I pricked my finger on the needle.
B: See, I told you to **use a thimble,** didn't I?

4. **A:** 뭐하는 거야?
  B: 양말 꿰매고 있어.
  A: 너도 **바느질 할 줄** 알아?
  B: 날 너무 무시하지 말라구.

A: What are you doing?
B: I'm **mending** my **socks.**
A: Do you know how to **sew,** too?
B: Don't underestimate me so much.

5. **A:** 실을 너무 길게 하지 마.
  B: 왜 안 되지?
  A: 그러면 바느질하다가 꼭 **엉키게 돼.**

A: Don't make the thread too long.
B: Why not?
A: If it's too long, it **gets tangled** when you're sewing.

21 수선·수리

바느질 II · 신발수선

□ 가위로 실을 자르다
1. _____ the thread with scissors

□ 이빨로 실을 끊다
bite off the thread (with one's teeth)

□ 바늘집에 바늘을 꽂다
put the needle in a needle case[cushion]

□ 뜨개질하다
knit sth

□ 스웨터를 다시 풀다
unravel the sweater

□ 재봉틀로 박다
2. _____ on a (sewing) machine

· shorten sth
  = take sth in

· let down a hem
  = lengthen a skirt [pants]

□ (길이, 사이즈를) 줄이다
shorten sth

□ 단을 내다
let down a hem

□ 굽을 갈다
3. _____ the heel

More Expressions

□ (길이, 사이즈를) 늘리다   *lengthen sth = let sth out*
□ 신발 굽이 나가다   *the heel falls off the shoe*
□ 구두끈이 풀리다   *the shoelace is undone*
□ 신발 굽이 다 닳다   *the heels completely wear down*
□ (옷을) 수선하다   *alter sth*

   1. cut 2. sew 3. change

Small Talks

1. **A:** 가위 있어?

B: 아니, 그냥 **이빨로 끊어**.

A: Do you have a pair of scissors?

B: No, just **bite** it **off with your teeth**.

2. **A:** 이 스커트가 조금 짧은 것 같아요.

B: 그렇다면 **단을 내 드릴까요**?

A: This skirt seems a bit short.

B: Then should I **let down the hem**?

3. **A:** 이건 못 보던 옷인데?

B: 아니야. 오래 전에 샀는데 너무 커서 못 입다가 지난 주에 **수선을 했어**.

A: Isn't that a new outfit?

B: No. I bought it long time ago, but I couldn't wear it because it was too big. I had it **altered** last week.

4. **A:** 왜 **스웨터를 다시 푸는 거야**?

B: 이건 오래된 거라서 아무도 안 입어. 이 실로 **목도리 뜨려고**.

A: Why are you **unraveling that sweater**?

B: Because it's old, and no one wears it. I'm going to **knit a muffler**.

5. **A:** 어? 여기에 웬 바늘이 있지? 하마터면 다칠 뻔했잖아.

B: 어머. 내가 **바늘을 바늘 집에 꽂는** 것을 잊어버렸나 봐. 미안해.

A: Oh-oh, what's a needle doing here? Someone could have been hurt.

B: Oh my. I must have forgotten to **put the needle** back **in the needle case**. I'm sorry.

Tips

옷을 수선하려면 어디로 가야 하나요?

수선은 'alteration'이라고 하는데, 우리나라에서는 세탁소나 수선집에서 기장을 줄이거나 단을 내리는 등, 쉽게 수선을 맡길 수 있지만, 인건비가 비싼 미국에는 수선을 맡길 만한 곳이 그리 흔치 않다. 또 대부분의 옷이 별도의 수선이 필요치 않을 만큼 워낙 다양한 사이즈로 나오기 때문에 수선하는 일이 거의 없으며, 부득이 수선해야 할 경우에는 구입처에서 별도의 돈을 지불하고 수선한다.

□ 옷을 고르다
1. _____ what to wear

□ 옷을 입다
get dressed

□ 옷을 갈아입다
2. _____ clothes

□ 바지를 잽싸게 입다 / 벗다
jump into / out of
one's pants

□ 정장[성장]을 하다
dress up

□ 캐쥬얼하게 입다
dress casually

· decide what to wear
= choose [select]
clothes

· get dressed
(전체적으로 옷입는 동작)
cf) put on one's
clothes
(개별적인 옷입는 동작)

□ 단추를 열다 / 잠그다
unbutton / button

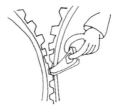

□ 지퍼를 올리다 / 내리다
3. _____ up / unzip

More Expressions

□ 앞뒤를 거꾸로 입다	put[have] one's clothes on backwards
□ 뒤집어서 입다	put[have] one's clothes on inside out
□ 옷을 덧입다	wear several layers = put on[wear] sth over sth
□ 허겁지겁 입다	throw on one's clothes
□ 옷을 벗다	get undressed (전체적으로 옷 벗는 동작)
	cf) take off one's clothes (개별적인 옷을 벗는 동작)
□ 옷을 훌훌 벗다	slip out of[throw off] one's clothes
□ 옷을 급히 갈아입다	jump into sth else = change clothes quickly

Small Talks

1. A: 내일 승헌이의 결혼식에 입고 갈 **옷** 좀 **골라줄래**?

B: 그러지 뭐. 어떤 옷들이 있는 지 보여줘.

A: *Would you **choose an outfit** for me to wear to Seung Hun's wedding tomorrow?*

B: *Okay. Show me what clothes you have.*

2. A: 너 내일 동창회에 갈 거지?

B: 응, 그런데, 우리 꼭 **정장을 해야** 하나? 난 **캐쥬얼하게 입는** 것이 더 편한데.

A: *Are you going to go to our alumni meeting tomorrow?*

B: *Sure, but do we really have to **dress up**? I'm more comfortable **dressing casually**.*

3. A: 저, **양말을 거꾸로 신으신** 것 같은데요.

B: 어머나 세상에! 너무 **급히 갈아 신었더니** 그러네요.

A: *Excuse me, but you seem to **have your socks on inside out**.*

B: *Oh my goodness! It's because I **changed** too **quickly**.*

미국인은 캐쥬얼 복장 문화?

미국사람들은 계절에 맞춰서 옷을 입기보다는 날씨에 맞춰서 옷을 입는다. 그리고 상황에 따라서 옷을 입는다. 평상시에는 편한 복장—면T에 반바지차림으로 돌아다니다가도 파티가 있는 날이면 정장을 입는다. 미국의 가을에는 Indian Summer라고 불리우는 여름 같은 날씨가 다시 시작되기도 하는데 그 무렵이 되면, 또 11월이라도 날이 따뜻하면 간단한 반바지 차림을 한다.

4. A: 밖은 추우니까, 그 **티셔츠 위에 가디간이라도 하나 걸치는 게** 좋겠어.

B: 알았어요.

A: *You'd better **put on a cardigan over your T-shirt**. It's cold outside.*

B: *All right.*

5. A: **지퍼** 좀 **올려주실래요**?

B: 그러죠. 당신에게 아주 잘 어울리네요.

A: *Would you **zip up** this dress please?*

B: *Of course. It looks really good on you.*

□ 벨트를 매다 / 풀다
put on[wear] /
take off one's
belt

└ 넥타이를 셔츠 색깔
에 맞추다
1. _____
one's tie with
one's shirt

□ 목걸이 / 귀걸이 /
반지 / 시계를 하다
put on one's
necklace / ear-
rings / ring /
watch

□ 모자를 쓰다 / 빗다
put on / **2.**
_____ off
[remove] one's
hat

□ 가방에 수지품을 넣다
put one's things in
one's bag [briefcase ·
handbag · purse]

□ 가방을 휴대하다
carry a bag

□ 거울 앞에 서다
stand in front
of the mirror

· put on (동작)
  cf) *wear* (상태)

· brush[get] the dust
  off one's clothes
  = *remove the dust*

□ 옷에 묻은 먼지를 털어내다
brush[get] the dust off
one's clothes

□ 옷이 구겨지다
one's clothes are
wrinkled

□ 옷매무새를 확인하다
3. _____ one's
appearance

More Expressions

□ 거울을 보다   *look in the mirror*
□ 옷매무새를 가다듬다   *adjust[straighten] one's clothes*
□ 멜빵 / 스카프 / 넥타이를 매다   *put on a pair of suspenders / scarf / tie*

1. match   2. take   3. check

Small Talks

1. A: 내가 살이 빠졌나 봐. 이 바지가 다 헐렁헐렁한데?

R: 어디 봐. 정말이네. **멜빵을 매야**겠는걸.

A: *I must have lost some weight. These pants are loose all over, aren't they?*

B: *Let's see. You're right. You'll have to **put on suspenders**.*

2. A: Jackson씨, 오늘 **넥타이하고 셔츠 색깔이 아주 잘 맞는데요.**

B: 감사합니다. 당신도 아주 멋진 **귀걸이를 하고** 있군요.

A: *Mr. Jackson, today **your tie and the color of your shirt** really **match**.*

B: *Thank you. And you're **wearing** some really attractive **earrings**, too.*

3. A: 실례합니다. 실내에서는 **모자를 벗어** 주시겠어요?

B: 아, 네. 그러죠.

A: *Excuse me. Would you please **take off your hat** inside?*

B: *Oh, yes. All right.*

4. A: 바이어를 만나러 가기 전에 반드시 **거울 앞에 서서 옷매무새를 확인하도록** 하세요.

B: 잘 알겠습니다. 첫인상이 중요한 것이니까요.

A: *Before going to meet a buyer, make sure to **stand in front of a mirror and check your appearance**.*

B: *Yes, I understand. Because the first impression is most important.*

5. A: **가방에 필요한 것 다 넣었어요?**

B: 잠깐만요... 네, 이제 다 챙겨 넣었어요.

A: 무거워 보이는데, 제가 들어드릴게요.

A: *Did you **put** everything you need **in your suitcase**?*

B: *Just a moment ... Yes, everything is packed.*

A: *It looks heavy. I'll carry it for you.*

□ 스킨을 손에 따르다
dab some skin lotion onto one's hand

□ 스킨을 얼굴에 대고 탁 치다
1. _____ one's face with skin lotion

□ 화장을 하다 / 지우다
put on / take off one's makeup

□ 분첩으로 분을 바르다
powder one's face with a puff

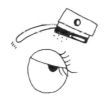

□ 눈썹을 다듬다
2. _____ one's eyebrows

□ 아이라인을 그리다
line one's eyes

□ 립스틱 / 아이샤도우를 바르다
put on[apply, do] one's lipstick / eyeshadow

□ 향수를 뿌리다
put on(동작) / **wear**(상태) **some perfume**

□ 티슈로 화장을 닦아내다
3. _____ [take off] one's makeup with a tissue

· line one's eyes
= *put on eyeliner*

More Expressions

□ 화장솜으로 스킨을 바르다   *apply skin lotion with a cotton ball*
□ 화장을 고치다   *fix one's makeup = check one's makeup*
□ 눈썹을 뽑다   *pluck one's eyebrows*
□ 눈썹을 그리다   *draw[darken, define] one's eyebrows (with an eyebrow pencil)*
□ 속눈썹을 말다   *curl one's eyelashes*

224   22. 외출준비   **1. pat   2. trim   3. remove**

Small Talks

1. **A:** 여자들은 아침에 **화장하느라고** 시간을 많이 **뺏기죠?**

B: 그런 편이에요. 아무리 **빨리** 해도 시간이 걸려요.

A: 뭐가 그렇게 오래 걸려요?

B: 단지 **분 바르고, 아이라인 그리고, 아이샤도우 바르고** 하는 데에만 적어도 10분은 걸려요.

2. **A:** 가위같이 생긴 이건 뭐예요?

B: **속눈썹을 말 때** 사용하는 거예요.

3. **A:** 향기 좋은데, **향수 뿌렸죠?**

B: 예. 'BEAUTIFUL'이에요. 제가 가장 즐겨 쓰는 향수죠.

4. **A:** **화장은** 하는 것 보다 **지우는 게** 훨씬 더 중요하다고 들었어요.

B: 맞아요. 그래서 클렌징 크림만큼은 좋은 것을 써야 해요.

5. **A:** '나홀로 집에'라는 영화에서 주인공 아이가 아빠의 **에프터 쉐이브를 얼굴에 대고 탁 칠 때** 너무 귀엽지 않니?

B: 아니, 난 애가 너무 어른 같아서 싫었어.

A: Women lose a lot of time **putting on makeup** in the morning, don't they?

B: That's pretty true. No matter how fast one does it, it takes time.

A: Why does it take so long?

B: Just to **powder your face, line your eyes**, and **put on eye shadow** takes at least 10 minutes.

A: What's this thing that looks like a pair of scissors?

B: It's used for **curling the eyelashes**.

A: Something smells good. Did you **put on some perfume**?

B: Yes. It's "BEAUTIFUL." It's the perfume I enjoy using most.

A: I heard that **removing makeup** is much more delicate than putting it on.

B: That's right. That's why one should use a good cleansing cream.

A: In the movie "Home Alone" when the little boy, the main character, **patted his face with** his father's **after-shave**, wasn't he cute?

B: No, he seemed too adult to me. I didn't like it.

22 외출
준비
머리손질

□ 가르마를 타다
1. _____
one's hair

□ 머리를 빗나
comb / brush
one's hair

□ 핀을 꽂다
put[wear] a
barrette in
one's hair

□ 머리띠를 하다
2. _____ a
hair band

□ 머리를 뒤로 묶다
tie one's hair in
back

□ 머리를 땋다
braid one's
hair

□ 머리를 올리다
put[wear] one's
hair up

□ 무스를 바르다
put[apply]
some mousse

· part one's hair
= *put a part in one's
hair*

□ 앞머리를 세우다
spike one's
hair in front

□ 세팅기로 말다
3. _____ one's
hair (with
electric curlers)

□ 스프레이를 뿌리다
spray one's hair

□ 앞머리를 내리다
wear one's hair
down on one's
face

More Expressions

□ 머리를 (말 꼬리처럼) 높이 올려 묶다   *tie one's hair in a pony tail*
□ 드라이어로 머리를 말리다   *blow-dry one's hair*
□ 앞머리를 가지런히 내리다   *have bangs*

226   22. 외출준비   **1. part 2. wear 3. set**

Small Talks

1. A: **가르마를** 어느 쪽으로 **타세요**?
   B: 왼쪽으로요.

*A: On which side do you **part your hair**?*
B: On the left.

2. A: 요새는 **머리를 빗을** 때마다 머리키락이 많이 빠져요.
   B: 머리가 길어서 그런 것은 아닐까요?

*A: These days, every time I **comb my hair**, a lot of it falls out.*
B: Isn't that because your hair is long?

3. A: 머리 모양을 바꾸고 싶은데 어떻게 바꿀까?
   B: **앞머리를 가지런히 잘라** 봐. 청순하고 어려보일거야.

A: I want to change my hairdo, but how should I change it?
*B: Try **having bangs**. You'll look young, pure and innocent.*

4. A: 요즘 여학생들 사이에서는 작고 귀여운 **핀을 꽂는** 게 유행인가 봐.
   B: 맞아. 우리 때는 **머리띠**를 많이 **하고** 다녔는데.

*A: These days **wearing** small cute **barrettes** seems to be a fad among school girls.*
*B: Right. In our days, most girls **wore hair bands**.*

5. A: 미스터 김이 헤어스타일을 바꿨던데.
   B: 그래요? 어떻게요?
   A: **앞머리를 세웠어.**

A: Mr. Kim has changed his hair style.
B: Really? How?
*A: He **spiked his hair in front**.*

□ 손톱 / 발톱을 깎다
**cut [clip, trim]
one's fingernails /
toenails**

□ 매니큐어를 바르다 / 지우다
**put on[apply] / take
off [remove] nail
polish**

□ 신발을 솔질하다
1. _____ one's
shoes

□ 구두약을 칠하다
**put on[rub on]
shoe polish**

□ 신발을 닦다
polish one's shoes

□ 신발을 신다 / 벗다
**put on / take off
one's shoes**

· put on[rub on] shoe
  polish
  = *apply shoe polish*

· polish one's shoes
  cf) *clean one's shoes*

□ 구둣주걱을 이용하다
2. _____ a
shoehorn

□ 신발끈을 매다 / 풀다
3. _____ / loosen
[untie] one's shoelaces

More Expressions

□ 손톱을 줄로 다듬다   *file one's fingernails*
□ 손톱을 다듬고 매니큐어를 바르다   *manicure one's (finger)nails = give oneself a
manicure*

□ 얼굴 마사지를 받다   *get a facial massage = have a facial massage*
□ 신발의 먼지를 털다   *brush the dust off one's shoes*
□ (남에게) 신발을 닦게 하다   *get a shoeshine = have one's shoes polished*

Small Talks

1. A: 어이쿠, 구두가 너무 딱딱해서 잘 안 신겨지네.
B: 이 **구둣주걱을 이용해** 부시죠

A: These shoes are so tight that they don't go on easily.
B: Try **using** this **shoehorn**.

2. A: 여기는 **신발을 벗고** 들어가시야 합니다.
B: 그래요? 그럼 잠깐만요. **신발끈을 풀어야** 하거든요.

A: You have to **take your shoes off** here.
B: Really? Then, give me just a moment please. I have to **loosen my shoelaces**.

3. A: 이 스폰지로 **신발을 닦아 봐**. 따로 **구두약을 칠하지** 않아도 되기 때문에 아주 편해요.
B: 이거 혹시 전철 안에서 사지 않았어요?

A: Use this sponge when you **polish your shoes**. It's very convenient because you don't have to **apply the shoe polish** separately.
B: Did you buy this in the subway by any chance?

4. A: 내 피부가 너무 거칠어졌어. **마사지라도 받아야 할** 것 같아.
B: 집에서 달걀마사지라도 하면 되잖아.

A: My skin has gotten too rough. I'll have to **get a facial massage** or something.
B: You can just give yourself an egg massage at home.

5. A: **발톱 좀 깎아라**. 그러니까 자꾸 양말에 구멍이 나지.
B: 안 그래도 깎으려고 그랬어.

A: **Cut your toenails**. That's why your socks keep getting holes.
B: I was just about to cut them anyway.

23 청소

집안 청소 |

□ 집 안을 청소하다
1. _____ the house

□ 진공청소기로 청소하다
vacuum (sth)

□ 바닥을 쓸다
sweep the floor

□ 걸레로 바닥을 닦다
2. _____ the floor
on one's hands and
knees

□ 이불을 쳐서 먼지를 털어
내다
beat the blanket

□ 가구를 닦아 윤을 내다
dust and 3. _____
the furniture

· wipe the floor on
one's hands and
knees
(엎드려서 걸레질 하는 것)
cf) mop the floor
(자루걸레로 바닥을 닦는
것)

· put water in a
bucket
= fill the bucket with
water

□ 물을 양동이에 담다
put water in a bucket

More Expressions

□ 대청소하다   *do a major cleaning job*
□ 쓰레기를 쓸어 모으다 *sweep the trash into a pile*

1. clean 2. wipe 3. polish

Small Talks

1. **A:** 당신 어디 아파요?

　　B: 아니요. 주말에 집에서 **대청소를 했더니** 몸이 뻐근해서 그래요.

A: *Are you sick?*

B: *No. Over the weekend we **did a major cleaning job**, so I'm a little stiff.*

2. **A:** 사무실이 너무 지저분한 것 같지 않아요?

　　B: 그런 것 같아요. 청소하시는 아줌마가 쓰레기통만 비우고 **바닥은** 안 **쓰시나** 봐요.

A: *Doesn't the office seem awfully dirty?*

B: *Yes. It seems the cleaning lady only empties the trash and doesn't **sweep the floor**.*

3. **A:** 저는 뭘 하면 됩니까?

　　B: 제가 **진공청소기로** 바닥은 **청소했으니까,** 당신은 **걸레로 바닥을 닦아**줄래요?

A: *What should I do?*

B: *Since I **vacuumed** the floor, would you **mop** it?*

4. **A:** **양동이에 물** 좀 **받아**줄래?

　　B: 뭐 하려고?

　　A: 세차하게.

A: *Would you **put** some **water in the bucket**?*

B: *What are you going to do?*

A: *Wash the car.*

5. **A:** 이것은 뭐에 쓰는 거예요?

　　B: **가구를 윤낼** 때 쓰는 거예요.

A: *What's this for?*

B: *It's for **polishing the furniture**.*

□ 욕조를 문질러 닦다
1. _____ the bathtub

□ 락스로 살균하다
disinfect things with chlorine bleach

□ 변기가 막히다
the toilet is stopped up[clogged]

□ 변기를 뚫다
unclog the toilet

□ 커튼을 벗기다 / 달다
take down / 2. _____ the curtains

□ (기체) 소독약을 살포하다
fumigate the room

· scrub the bathtub
= *scour the bathtub*

· unclog the toilet
= *unplug the toilet*

□ 쓰레기통을 비우다
3. _____ the wastebasket

□ 쓰레기를 분리해서 버리다
separate the trash before throwing it away

Small Talks

1. A: 그것은 여기에다 버려주세요.
B: 우리 사무실에서는 **쓰레기를 분리해서 버리고** 있어요

A: *Throw that away here.*
B: *In our office we **separate the trash before throwing it away [out]**.*

2. A: 이 쪽 변기는 사용하지 마세요. **막혔대요**.
B: 얼마 전에도 막혀서 **뚫지** 않았나요?

A: *Don't use the toilet on this side. **It's stopped up**.*
B: *Wasn't it stopped up a while ago, too, and we **unclogged** it?*

3. A: 와, 화장실이 정말 깨끗해졌네.
B: 아침 내내 **욕조를 문질러 닦고 락스로 살균**까지 **했어**.
A: 잘했다, 정말.

A: *Wow, the bathroom is really a lot cleaner.*
B: *All morning I **scrubbed the bathtub** and **disinfected it with chlorine bleach**.*
A: *You did a good job.*

4. A: 오늘은 사무실 전체에 **소독약을 뿌린**다니까 일찍 퇴근하세요.
B: 그럼, 모처럼 함께 저녁을 하는 것은 어떨까요?

A: *Today the whole office is going to **be fumigated**, so go home early.*
B: *Then how about having dinner together? It's been a long time.*

5. A: 누가 이 **쓰레기통 비웠어**?
B: 청소하시는 아줌마가 비웠지. 왜 그래?
A: 중요한 서류가 쓰레기통으로 딸려 들어간 것 같아.

A: *Who **emptied** this **wastebasket**?*
B: *The cleaning lady did. Why?*
A: *I think an important document fell into the wastebasket with some of the trash.*

□ 옷의 얼룩을 빼다
take out the stains

□ 이불을 밟아서 빨다
wash a blanket by stepping on it

□ 빨래를 삶다
1. _____ the laundry

□ 빨래에 풀을 먹이다
starch the laundry

□ 빨래를 표백하다
2. _____ the laundry

□ 빨래를 털어서 펴다
shake the laundry and spread it out

· take out the stains
 =get the stains out

· collect the dirty clothes
 =gather the laundry

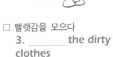

□ 빨랫감을 모으다
3. _____ the dirty clothes

□ 옷의 때를 비벼서 떨어내다
rub off the dirt

More Expressions

□ 빨랫감을 분리하다   *separate the wash[the laundry]*
□ 흙을 긁어서 떨어내다   *scrape the mud off*
□ 옷을 빨다   *wash the clothes = do the laundry*

Small Talks

1. **A:** 당신은 평소에 부인이 집안일 하는 것을 많이 도와주나요?

B: 그럼요. 특히 **빨래하는 거은** 언제나 제 담당입니다.

A: *Do you usually help your wife a lot with the housework?*

B: *Yes. It's always my responsibility to* ***do the laundry***.

2. **A:** 아유, 속상해. 새로 산 바지에 파란 물이 들었어.

B: 그러게 내가 빨래하기 전에는 **세탁물을** 흰 빨래와 색깔있는 빨래로 **분리하랬잖** 아.

A: *Oh, I'm so upset. There's a blue stain on my new pants.*

B: *That's why I said to* ***separate the wash*** *into whites and colors before you do the laundry.*

3. **A:** 이 이불은 너무 커서 세탁기 안에 안 들어가요.

B: 걱정 마. 욕조 속에 집어넣고 **발로 밟아** 서 **빨면** 돼.

A: *This blanket is too large to fit in the washing machine.*

B: *Don't worry. You can put it in the bathtub and* ***wash it by stepping on it***.

Tips

미국의 빨래문화는?

세탁물을 우리나라처럼 문 밖에 널어 말리는 사람은 없다. 대부분 세탁기와 건조기를 집에 가지고 있거나 아파트일 경우는 1층이나 지하에 세탁실을 두고 있는 일이 많다. 없을 때는 근처의 빨래방(coin laundry, laundromat)에서 세탁, 건조하는 것이 보통이다. 요즘은 장소에 따라 조금씩 다르지만 한 번 세탁(washing)하는 데 1달러, 건조기(dryer)로 한 번 건조하는 데 75센트 정도이다.

4. **A:** 흙 묻은 옷은 바로 세탁기에 넣어 빨지 마.

B: 그럼 어떻게 해?

A: 우선 흙을 말린 다음 **긁어서 떨어내야** 돼.

B: 그럼, 옷에 남은 **얼룩은** 어떻게 **빼는지** 알아?

A: *Don't put clothes with mud on them right into the washing machine.*

B: *Then what should I do?*

A: *First you should dry the mud and then* ***scrape*** *it* ***off***.

B: *Then how do I* ***take out the stain*** *that's left?*

5. **A:** 와, 너의 셔츠가 새 것 같아.

B: **빨래에 풀을 먹여서** 다렸더니 그래.

A: *Wow, your shirt looks brand new.*

B: *I ironed it after* ***starching*** *it.*

청소

세탁·빨래 II

□ 빨래를 물에 잠그다
1. _____ the laundry

□ 빨래를 손으로 빨다
wash by hand

□ 빨레를 손으로 짜다
2. _____ out the laundry by hand

□ 빨래를 세탁기에 넣다
3. _____ the laundry in the washing machine

□ 세제를 넣다
put in the detergent

□ 세탁시간을 맞추다
set[select] the timer

□ 세탁기를 작동시키다
start[turn on] the washing machine

□ (세탁물을) 탈수하다
spin-dry sth

More Expressions

□ 빨래를 세탁기에서 꺼내다 *take the laundry[wash] out of the washing machine*
□ 물의 양을 맞추다 *set[select] the water level*

1. soak   2. wring   3. put

Small Talks

1. A: 이 걸레 좀 **짜줄래**? 난 손목이 아파서 못하겠어.

   B: 모두 한꺼번에 **탈수하면** 되잖아.

   A: 그거 좋은 생각이다.

A: Would you **wring out** this rag? My wrist is so sore, I can't do it.

B: Why don't you **spin dry** everything at once?

A: That's a good idea.

2. A: 가정용 폐수도 수질을 많이 오염시킨다고 들었어.

   B: 맞아. 그래서 나도 빨래할 때 **세제를** 적게 **넣어**.

A: I heard that the waste water from homes is severely polluting the water.

B: You're right. That's why when I do the laundry, I only **put in** a little **detergent**.

3. A: 이제서야 빨래를 가지고 오면 어떡해? 벌써 **세탁기를 돌려**버렸는데.

   B: 괜찮아. 많지 않으니까 **손으로 빨지** 뭐.

A: Oh, no. You're too late. I've already **started the washing machine**.

B: That's okay. There's not much, so I'll **wash** it **by hand**.

4. A: 빨래할 것이 있으면 지금 **세탁기에 넣어요**. 제가 빨아드릴게요.

   B: 없어요. 어쨌든 감사합니다.

A: If you have anything to wash, **put it in the washing machine** now. I'll wash it for you.

B: I don't have anything. But thanks for offering.

5. A: **물의 양을** 어디에 **맞출까**?

   B: 중간으로 해 놔. 빨래도 별로 많지 않잖아.

A: Which **water level** should I **select**?

B: Put it on the middle one. There isn't much laundry.

Tips

미국에서의 세탁소 이용법은?

미국에는 지하철 역이나 아파트가 많이 있는 곳에는 반드시 세탁소가 있다. 최근에는 슈퍼마켓에 인접한 세탁소가 많이 생겨 세탁물을 맡기고 쇼핑도 할 수 있어 편리하다. 세탁에 필요한 일 수는 보통 2, 3일인데 세탁소에 따라 24시간 서비스 또는 당일 서비스도 있으므로 미리 확인한 뒤에 세탁물을 갖고 가는 게 좋다. 업종별 전화번호부(yellow pages)에서 'cleaner' 항을 보면 된다.

23 청소
세탁 · 빨래 Ⅲ

□ 빨래를 널다
1. _____ the laundry on the line

□ 빨래를 뒤십어 말리나
dry the laundry inside out

□ 빨래집게로 집디
hang the laundry with clothespins

□ 빨래를 걷다
take the laundry down

□ 옷을 개다
2. _____ the clothes

□ 옷을 서랍에 넣다
put the clothes in the drawer

· hang the laundry with clothespins
= *fasten the laundry with clothespins*

· take the laundry down
= *take the laundry off the line*
= *bring in the laundry*

□ 드라이클리닝 하다
dryclean sth

□ 세탁물을 찾아오다
3. _____ up things from the drycleaners

□ 베갯보를 끼우다
put on a pillow case

More Expressions

□ 호주머니를 뒤집다   *turn the pockets inside out*

Small Talks

1. A: 실례지만, 저 지금 좀 먼저 일어나야겠어요.

B: 무슨 다른 약속이라두 있으세요?

A: 아니요. 사실은 오늘 저녁에 비가 온다고 들었는데, **빨래를** 아직 안 **걷어**서요.

A: *Excuse me, but I think I'll have to leave now.*

B: *Do you have another appointment?*

A: *No. But I heard it's going to rain tonight, and I haven't **brought in the laundry** yet.*

2. A: 어디 가는데?

B: 서점에. 뭐 필요한 것 있어?

A: 응, 오는 길에 **세탁소에 들러서 바지 좀 찾아**올래?

A: *Where are you going?*

B: *To the bookstore. Do you need anything?*

A: *Uh huh, on your way back would you **pick up my pants from the drycleaners**?*

3. A: 어? 여기 있던 빨래 어디 갔지?

B: 내가 **개서 서랍에 넣어** 뒀어.

A: 너무 너무 고마워.

A: *Oh? Where's the laundry that was here?*

B: *I **folded it and put it in the drawer**.*

A: *Thank you very very much.*

4. A: 이 스커트 물빨래해도 되나요?

B: 아니요. **드라이크리닝을 해**주셔야 합니다.

A: *Can this skirt be washed in water?*

B: *No. You have to **dryclean** it.*

5. A: 이 옷은 꼭 **뒤집어서 말려**주세요. 안 그러면 색이 쉽게 바래니까요.

B: 잘 알겠어요. 또 다른 주의사항은 없나요?

A: *Please make sure you **dry this inside out**. Otherwise the color can easily fade.*

B: *I understand. Is there anything else to be aware of?*

23 청소
다림질

□ 다림질하다
iron (sth)

□ 다리미대를 세우다
put up[take out] the ironing board

□ 다리미 온도를 맞추다
1. _____ the temperature of the iron

□ 물을 뿌리다
spray with water

□ 꾹꾹 눌러가며 다림질하다
press hard as one irons

□ 수건을 덧대고 다리다
cover sth with a cloth and iron

· put a crease in the pants
= *crease the pants*

□ 바지 줄을 세우다
2. _____ a crease in the pants

□ 다림질로 주름을 펴다
iron out the wrinkles

□ 옷을 태우다
3. _____ the clothes

More Expressions

□ 다리미대를 접다   *put away [take down] the ironing board*
□ 다리미 온도를 높이다   *raise the temperature of the iron*
□ 다리미 온도를 낮추다   *lower the temperature of the iron*
□ 옷을 눋게하다   *scorch the clothes*

Small Talks

1. A: 왜 그래? 어디 다쳤어?

B: 아니, 너무 **힘주어 누르면서 다림질했더니** 힘이 들어서 그래.

A: *What's wrong? Did you hurt yourself?*

B: *No. I pressed so hard while ironing that I'm tired.*

2. A: 이 스커트는 **수건을 덧대고 다려야** 돼.

B: 안 그러면 어떻게 되는대?

A: 옷이 번들거려서 보기 안 좋아.

A: *You have to cover this skirt with a cloth when you iron it.*

B: *What happens if I don't?*

A: *The cloth gets shiny and doesn't look good.*

3. A: 집에서 뭔가 타는 냄새가 나는데.

B: 내가 다림질하다가 **셔츠를 태웠어.**

A: 누구 옷인데?

B: 걱정 마. 네 옷은 아니니까.

A: *It smells like something's burning in the house.*

B: *I burned a shirt while ironing.*

A: *Whose shirt was it?*

B: *Don't worry. It was not yours.*

4. A: 양복 **다릴** 줄 알아요?

B: 그럼요. 제가 군대에 있을 때, 다림질을 제일 잘 했어요. 특히 **바지 줄 세우는 것**은 자신 있어요.

A: *Do you know how to iron a suit?*

B: *Of course. When I was in the army, I ironed better than anyone else. I'm especially good at putting a crease in pants.*

23 청소
세차

☐ 세차하다
1. _____ the car

☐ 바닥깔개를 털다
shake out the floor mat

☐ 양동이로 물을 끼얹었다
throw buckets of water at[on] the car

☐ 비누를 칠하다
soap the car

☐ 호스로 물을 뿌리다
2. _____ down the car

☐ 왁스칠해서 광택을 내다
wax and polish the car

· vacuum the interior of the car
= *clean the inside with a vacuum*

☐ 진공청소기로 내부를 청소 하다
vacuum the interior of the car

☐ 시트 커버를 씌우다
put on the seat covers

☐ 시트 커버를 걷다
3. _____ off the seat covers

More Expressions

☐ 자동세차를 하다   *go to[go through] an automatic car wash*

Small Talks

1. A: 내일 비 올 거야.
B: 네가 그걸 어떻게 알아?
A: 내가 **세차한** 다음 날은 꼭 비가 오거든.

A: It's going to rain tomorrow.
B: How do you know that?
*A: It always rains the day after I **wash the car**.*

2. A: 너 셀프세차장에 가 봤지? 얼마정도 들어?
B: **비누칠하고 물 뿌리는** 데는 2000원이면 충분해.
A: **진공청소기로 내부도 청소할** 수 있어?
B: 당연하지.

A: You went to a do-it-yourself car wash, didn't you? How much does that cost?
*B: For **soaping and hosing down the car**, 2,000 won is enough.*
*A: Can you **clean up the inside with a vacuum** as well?*
B: Of course.

3. A: 날씨가 점점 더워지니까 여름용 **시트 커버로 씌워야**겠어.
B: 아직은 괜찮은 것 같은데.

*A: The weather's getting warmer, so I'd better **put on** some summer **seat covers**.*
B: These still seem to be okay.

4. A: 어디서 **바닥깔개를 털지**?
B: 저기 전봇대 기둥에 대고 털면 되겠다.

*A: Where should I **shake out the floor mats**?*
B: You can hit them against that telephone pole over there.

Tips

미국의 세차문화는?

미국인들은 주로 직접 세차하고 가끔 세차장에서 drive-in[drive-through] car wash를 한다. 아이들에게 용돈을 주면서 시키는 일도 많다. 도로가 어는 것을 방지하기 위해 염화칼슘을 뿌리는 겨울에는 주로 세차장에서 세차를 한다.

24 정원
손질

정원·화분손질

☐ 나무를 심다
plant a tree (trees)

☐ 나무에 물을 주다
water the trees

☐ 비료를 주다
1. _____ **fertilizer**

☐ 가시치기를 하다
trim the branches

· give fertilizer
= *fertilize*

· trim the branches
= *prune the tree* (나무의 모양을 보기좋게 하는 것)

· change the soil
= *put new soil into a pot*

· weed (sth)
= *pull out the weeds*

· mow the lawn
= *cut the grass*

· do[make] a flower arrangement
= *arrange flowers*

☐ 분갈이를 하다
change the soil

☐ 잡초를 뽑다
weed (sth)

☐ 잔디를 깎다
mow the lawn

☐ 화초를 가꾸다
2. _____ **plants**

☐ 꽃꽂이를 하다
do[make] a flower arrangement

☐ 꽃을 꺾다
3. _____ **flowers**

More Expressions

☐ 화분을 갈다   *change a pot*

1. give   2. grow   3. pick

Small Talks

1. A: 내일 뭐 하실 거예요?

B: 내일은 식목일이잖아요. **나무 심으러** 북한산에 갈 거예요.

A: *What are you going to do tomorrow?*

B: *Tomorrow's Arbor Day. I'm going to Buk Han Mountain to **plant trees**.*

2. A: **화초들을** 아주 잘 **가꾸셨네요.**

B: 제 남편한테서 배운 거예요.

A: *You **grow plants** very well.*

B: *I learned from my husband.*

3. A: 이 **화초는 물을** 일주일에 2번만 **주세요.**

B: 네, 그런데 **비료도 줘야** 하나요?

A: ***Water** this **plant** two times a week only.*

B: *Yes, but should I **give** it **fertilizer**, too?*

4. A: **화분을 갈** 때가 다 됐나 봐요.

B: 네, 화초들이 너무 잘 자라는 것 같아요.

A: *It looks like it's time to **change the pot**.*

B: *Yes, the plants seem to be growing very well.*

Tips

잔디 안 깎으면 벌금?

주(州)마다 약간씩 다른데, 미국의 어떤 주에서는 도시경관을 보전하기 위해 도시의 모든 빈 공간에 잔디를 심고 관리한다. 이런 주에서는 대부분의 사람들이 자기 집의 정원잔디를 깎아 깨끗하게 관리하며 만약 어느 집에서 잔디를 무성하게 방치해 두면 이웃에서 즉각 항의가 들어온다. 함께 사는 사회이기 때문에 자기집이라고 해도 도시경관을 해치면 안된다는 것이다.

5. A: 이 **꽃꽂이** 누가 **한** 거예요?

B: 미스 김이 했지요. 그녀는 손재주가 아주 뛰어나요.

A: *Who **did** this **flower arrangement**?*

B: *Miss Kim did. She's very talented with her hands.*

25 육아

애보기 |

□ 아이에게 우유를 먹이다
bottle-feed the baby

□ 젖병을 빨다
suck on the bottle

□ 아이에게 밥 먹이다
1. _____ the baby

□ 애가 오줌싸다
wet the diaper[the floor]

□ 기저귀를 갈아주다
change the (baby's) diaper

□ 아기를 목욕시키다
2. _____ the baby a bath

· bottle-feed the baby
= *give the baby a bottle*

· dress the baby
= *put on the baby's clothes*

· take the baby for a walk in the stroller
= *go out with the baby in the stroller*

□ 분을 발라주다
powder (the baby's bottom, neck, etc.)

□ 옷을 입히다
3. _____ the baby

□ 유모차에 태워 산책하다
take the baby for a walk in the stroller

More Expressions

□ 기저귀를 채우다   *put a diaper on the baby*
□ (아이에게) 모유를 먹이다   *breast-feed (the baby)*
□ 기저귀 발진으로 고생하다   *suffer from diaper rash*

Small Talks

1. A: 아이에게 **모유를 먹이세요**, 아니면 **우유를 먹이세요**?

B: **우유를 먹이고** 있어요.

A: *Do you **breast-feed** or **bottle-feed** your baby?*

B: *I **give my baby a bottle**.*

2. A: 여보세요? 지호 있습니까?

B: 네, 하지만, 지금 **아이 목욕시키는 중**이니까 15분 후에 다시 전화주시겠어요?

A: *Hello. Is Ji-ho there?*

B: *Yes, but, she's **giving the baby a bath** now. Could you call back in about 15 minutes?*

3. A: 어디 가?

B: **애기 기저귀 갈러**.

A: *Where are you going?*

B: *To **change my baby's diaper**.*

4. A: 날씨도 화창한데, **애기를 유모차에 태워 산책갈**래?

B: 좋아. 잠깐만 기다려. **애기 옷 좀 입히**게.

A: *Since the weather is nice, shall we **take the baby for a walk in the stroller**?*

B: *Fine. Just a minute. I'll **dress the baby**.*

5. A: 애가 **오줌 싸면** 어떡하려고 기저귀도 없이 이렇게 놔두는 거야?

B: 괜찮아. 지금 너무 더워서 **기저귀를 채워 놓는** 것이 안 좋을 것 같아.

A: *What if the baby **wets the floor** while you leave him without a diaper?*

B: *It's okay. It's so hot now I don't think it will be good to **put a diaper on the baby**.*

Tips

미국의 *baby-sitting*문화는?

미국에서는 어린아이를 혼자 집에 놔두는 것을 법으로 금하고 있기 때문에 반드시 누군가가 어린아이를 돌보아야만 한다. 중학교에서 baby-sitting의 방법을 가르치고 있을 정도로 baby-sitting은 인기있는 아르바이트이고, 주로 여학생이 하는데 아기뿐만 아니라 초등학생까지 보살핀다. 보수는 시간당 2-5달러 정도이고 대개 안면있는 이웃 학생들을 선호한다.

25 육아
애보기 II

☐ 애기를 안아주다
1. _____ the baby

☐ 우는 아이를 달래다
2. _____ the crying baby

☐ 등을 도닥거리다
pat the baby on the back

☐ 애기를 재우나
3. _____ the baby to sleep

☐ 자장가를 불러주나
sing a lullaby to the baby

☐ 아기가 아장아장 걷다
the baby toddles

· comfort the crying baby
 = *soothe the (crying) baby*

· the baby talks baby talk
 =*the baby babbles*

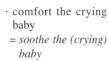

맘‥ 맘마…

☐ 아이가 넘어지다
the baby falls down

☐ 아기가 더듬더듬 말을 하다
the baby talks baby talk

Small Talks

1. A: 오 선생님, 굉장히 피곤해 보이시는데 무슨 일 있었어요?

B: 우리 애가 새벽까지 계속 울어대는 바람에 **애를 달래느라고 어젯밤에** 한 잠도 못 잤어요.

A: Mr. Oh, you look very tired. What happened?

B: I didn't sleep a wink last night because my baby kept crying until the crack of dawn. I had to **soothe her** all night.

2. A: 제가 애기를 **안고 있을**테니까 식사하세요.

B: 그래주실래요? 감사합니다.

A: I'll **hold the baby**, so you can eat.

B: Would you do that? Thank you.

3. A: 쉿, 조용히 좀 해주실래요? 제 아내가 **아이를 재우고** 있거든요.

B: 그러면 우리가 잠깐 밖에 나가 있을까요?

A: 아니에요. 그러실 필요까지는 없어요.

A: Shh, would you please be quiet? My wife is **putting the baby to sleep**.

B: Then should we go outside for a while?

A: No, that's not necessary.

4. A: 당신의 아기는 몇 살 됐어요?

B: 한 살 반 정도 됐어요.

A: 그럼, **아장아장 걸어 다니겠네요**?

A: How old is your baby?

B: She's one and a half (years old).

A: Then she must **toddle** around.

5. A: 엄마들이 아이들의 **더듬더듬 하는 말**을 다 알아듣는 것이 참 신기해요.

B: 정말 그래요. 제 아내도 우리 애가 하는 말은 다 알아들어요.

A: It's fascinating that mothers can understand their baby's **babbling**.

B: You're right. My wife can understand everything our baby is saying.

26 직업적 동작
건설 I

□ 건물을 설계하다
design a building

□ 제도하다
1. _____ a draft

□ 청사진 / 조감도를 그리다
draw a blueprint / a bird's-eye view

□ 건물을 짓다
? _____ a building

□ 현장을 감독하다
supervise the site

□ 용접하다
weld (sth)

□ 땅을 파다
3. _____ into the ground

More Expressions

□ 산에 터널을 뚫다　　*bore a tunnel through a mountain*
□ 강 위에 다리를 놓다　*build a bridge over a river*
□ 땅을 파 내려가다　　*dig down into the ground*
□ 기초공사를 하다　　*lay the foundation*

Small Talks

1. **A:** 왜 건축가가 되고 싶었어요?

B: TV드라마에서 남자주인공이 **건물을 설계하고** 밤새도록 **제도하는** 모습이 멋져 보이더라구요.

A: Why did you want to become an architect?

B: In a TV drama the hero **designed a building**, and he looked so attractive **drawing the drafts** all night.

2. **A:** 이 건물은 튼튼한가요?

B: 그럼요. **기초공사 하는** 데만 2년도 더 걸렸어요.

A: Is this building safe?

B: Of course. Just **laying the foundation** took over two years.

3. **A:** 이번 공사에는 위험한 작업들이 많이 있어요.

B: 어떤 것들이죠?

A: 우선 **지하** 100미터를 **파고 들어가는** 일이 쉽지가 않아요.

A: This construction project requires a lot of dangerous work.

B: Like what?

A: First of all, **digging down** a hundred meters is not easy.

4. **A:** 누가 **현장을 감독하고** 있나요?

B: Jeff Sherman이라는 분이 하고 계세요. 아주 유능하신 분이죠.

A: Who is **supervising the site**?

B: A man named Jeff Sherman is doing it. He's very competent.

26 직업적 동작

건설 II

□ 기둥을 세우다
erect[set up, put up] a pillar

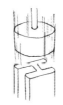

□ 철근을 박다
drive in steel reinforcing materials

□ 철근을 어깨에 이다
1. _____ steel rods on one's shoulder

□ 콘크리트를 붓다
pour the concrete

□ 하수도관을 땅에 묻다
put in sewer pipes

□ 벽돌을 쌓다
2. _____ bricks

□ 벽돌을 등에 지고 나르다
carry bricks on one's back

□ 시멘트를 바르다
lay[spread] cement on bricks

· put in sewer pipes
  = *bury sewer pipes in the ground*

· take down a build-ing
  = *raze a building*

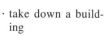

□ 유리창을 끼우다
put in the windows

□ 벽에 타일을 붙이다
3. _____ the wall

□ 건물을 헐다
take down a building

More Expressions

□ 바닥에 타일을 깔다   *lay tiles on a floor = tile the floor*
□ 막노동을 하다   *do manual labor*

Small Talks

1. A: 너, **막노동 해** 봤어?

   B: 그럼. 대학교 2학년 때 아르바이트로 한 적이 있어.

   A: 무슨 일을 했는데?

   B: **벽돌 쌓는 일**하고, **벽돌을 등에 지고 나르는 일**.

A: Have you ever **done** any **manual labor**?

D: Yes. When I was a sophomore, I had a part time job.

A: What kind of work did you do?

B: I **laid bricks** and **carried bricks on my back**.

2. A: 이 시간에 차가 이렇게 막히다니, 앞에 무슨 사고가 난 게 틀림없어.

   B: 아니야, 사실은 새 **하수도관을 땅에 묻느라고** 차선 하나를 막아서 그래.

A: It's unusual to have a traffic jam at this time of day. There must be an accident up ahead.

B: Actually, one lane is closed because they're **putting in** new **sewer pipes**.

3. A: 현재 공사가 어느 정도 진척이 되었나요?

   B: 거의 다 끝나갑니다. 지금은 **바닥에 타일 까는 일**과 **유리창 끼우는 일**을 하고 있어요.

A: At present, how far has the construction advanced?

B: It's almost finished. We're **laying the tiles on the floors** and **putting in the windows**.

4. A: **집을 헐고** 다시 지었나요?

   B: 아니요. 예산이 모자라서 그렇게 못 했어요.

A: Did you **take down your house** and build a new one?

B: No. We were short of money so we couldn't do that.

26 직업적 동작

생산공장

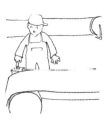

□ 기계를 돌리다
1. _____ the machine(s)

□ 원자재를 가공하다
process raw materials

□ 부품을 조립하다
2. _____ parts

□ 물건을 생산하다
produce sth

□ 불량품을 골라내다
3. _____ out the defective products

□ (물건이) 컨베이어를 따라 이동하다
(the goods) move along the conveyor belt

· run the machine(s)
= *have the machine(s) on*
= *operate the machine(s)*

· assemble parts
= *put parts together*

· produce sth
= *make sth = turn out sth*
= *manufacture sth*

□ 포장하다
package sth

□ 차량으로 운반하다
deliver[transport] by vehicles[trucks]

More Expressions

□ 진공포장 하다   *vacuum-pack sth*
□ 공장을 가동하다   *run[operate] the factory*

Small Talks

1. A: 요즘은 경기침체로 **공장을** 일부만 **가동하는** 데가 많다면서요?

B: 그럼요. 생각보다 심각하더라고요.

A: *I heard that there are many **factories running** only partially due to the economic recession.*

B: *That's right. It's more serious than anyone thought.*

2. A: 저희 공장에서는 한가지만 빼고 모든 일을 기계가 합니다.

B: 그게 뭔데요?

A: **불량품을 골라내는 일**이죠.

A: *In our factory all the work is done by machines, except one.*

B: *What's that?*

A: ***Sorting out the defective products**.*

3. A: 여기서 이 부품들도 다 만드나요?

B: 아니요. 저희는 **부품들을 조립해서** 완제품을 **생산하는 일**만 합니다.

A: *Do you make all the parts here?*

B: *No. We just **assemble them** and **produce** the complete products.*

4. A: 언제쯤이면 물건이 출고가 될까요?

B: 내년 3월이요.

A: 뭐가 그렇게 오래 걸려요?

B: **원자재를 가공하는 일**에 시간이 많이 걸려요. **포장해서 운반하는 일**은 1주일이면 됩니다.

A: *About when will the items be delivered?*

B: *March, next year.*

A: *What takes so long?*

B: ***Processing the raw materials** takes a long time. The **packaging** and **delivering** can be done in a week.*

26 직업적 동작

출판사·신문사

□ 취재하다
1. _____ a story

□ 기사를 쓰다
2. _____ an article

□ 원고를 넘기다
**turn in[submit]
one's manuscript**

□ 편집하다
edit sth

□ 교정보다
proofread (sth)

□ 인쇄하다
print (sth)

· cover a story
(포괄적인 의미)
cf) *gather   data
about sth*
(기사의 자료를 수집하
는 것)

· edit sth
= *do the editing*

□ 신문을 정기구독하다
3. _____ to a
newspaper

□ 출판하다
publish (sth)

□ 신문에 광고를 싣다
**put[run] an ad in a
newspaper**

More Expressions

□ 도용[표절]하다   *plagiarize (sth)*
□ (책을) 1000부 찍다 *print 1000 copies*

Small Talks

1. A: 여보세요, 잡지를 **정기구독하고** 싶습니다.

B: 성함과 주소를 말씀해주시겠어요?

A: Hello. I'd like to **subscribe to** your magazine.

B: Would you please tell me your name and address?

2. A: 어떻게 하면 우리의 제품을 많은 사람들에게 알릴 수 있을까요?

B: 글쎄요. **신문에 광고를 내면** 제일 빠르기는 한데 비싸서 말이죠.

A: 더 경제적이면서도 효과가 높은 것은 뭐 없을까요?

A: How can we introduce our products to a lot of people?

B: Well, **putting an ad in the paper** is the quickest way, but it's expensive.

A: Isn't there a way that's more economical and at the same time highly effective?

3. A: Jane, 이거 내가 쓴 리포트인데 네가 한번 **교정** 좀 **봐줄래**?

B: 너 영어 잘 하잖아. 교정볼 필요 없을 것 같은데.

A: Jane, this is a report I wrote. Would you please **proofread** it for me once?

B: You speak English well. I don't think it'll need proofreading.

4. A: 난 절대 기자는 못 될 것 같아.

B: 아니 왜?

A: **기사를 쓰는** 일은 하겠는데, 여기저기 돌아다니면서 **취재하는** 일은 못할 것 같아.

B: 무슨 말인지 알겠어. 굉장한 체력이 필요하지.

A: It seems like I'll never be able to become a reporter.

B: Why not?

A: I could **write articles**, but I don't think I could go around here and there and **gather data**.

B: I know what you mean. It takes a lot of stamina.

미국의 신문구독 문화는?

미국은 우리나라와 달리 신문구독을 매일 배달, 주중에만 배달, 주말에만 배달, 일요일 배달로 세분해 놓고 신청 받는다. 특히 전화번호부만한 두께인 일요판(약 1.75불)신문은 많은 할인쿠폰과 여러 종류의 전단지(flier)등이 들어 있어 실생활에 도움이 되며, 지역신문은 금·토·일요일에 garage sale광고가 실린다.

5. A: **원고를** 언제까지 **넘기면** 될까요?

B: 이번 주 수요일이요. **편집은** 나중에 저희들이 알아서 **할게**요.

A: When should I **turn in the manuscript** by?

B: This Wednesday. We'll **do the editing** afterwards as we see fit.

☐ 리허설을 하다
do[have] a rehearsal

☐ 무대장치를 하다
build[make, prepare] a set

☐ 부장하다
put on[do] makeup

☐ 조명을 켜다
1. _____ **on the lights**

· do[have] a rehearsal
  = *rehearse*

· turn on the lights
  = *shine the spot light*

· emcee[mc] the program
  = *be the MC [Master of Ceremonies] for the program*

☐ 프로그램의 사회를 보다
emcee[mc] the program

☐ 프롬프터를 보며 읽어 내려가다
2. _____ **from the prompter**

More Expressions

☐ 갑자기 조명이 나가다   *the lights go off suddenly*

Small Talks

1. A: 왜 지금은 연주회장으로 들어갈 수가 없지요?

B: 지금 공연자들이 마지막 **리허설을 하고** 있대요.

A: Why can't we go into the concert hall now?

B: They said the performers are **having** the dress **rehearsal**.

2. A: 연극 어땠어요?

B: 더 좋을 수 있었는데, 연극 중간에 **갑자기 조명이 나가서** 연기자들의 집중력이 떨어졌어요.

A: How was the play?

B: It could have been better. In the middle of the play, **the lights went off suddenly,** so the actors lost their concentration.

3. A: 저렇게 상처입은 **분장은** 어떻게 **했을까?**

B: 정말 신기해. 그렇지?

A: How did they **do the makeup** for that kind of wound?

B: It's amazing, isn't it?

Tips

미국의 주요 공중파 방송국은?

NBC, ABC, CBS, Fox TV, PBS가 있는데, NBC 는 sitcom과 talk show 프로그램이 강하고, CBS 는 시사·뉴스 프로그램이 강하다. ABC는 Monday Night Football로 화려하게 재기하여 스포츠 부분에서 뛰어난 마케팅 감각을 보여주고 있다. Fox TV는 공중파에 참여한 지 얼마 되지는 않았지만 오락프로에 강한 고유의 색깔을 가지고 있으며, PBS는 유일한 공영방송으로 광고를 하지 않으며 교육프로그램을 내보내고 있다.

4. A: 나 어제 '이소라의 프로포즈' 방청하러 갔다.

B: 그랬어? 어땠어?

A: 재미있었어. 난 어떻게 사회자들이 그 많은 대사를 다 외우나 늘 궁금했는데, 대부분 **프롬프터를 보며 읽어 내려가**더라.

A: Yesterday I was in the studio audience for 'Lee So-ra's Propose'.

B: Really? How was it?

A: It was fun. I was always curious about how the MC memorizes all the things to say, but I found out yesterday that she **reads from the prompter** most of the time.

*prompter (대사를 잊은 배우에게) 대사를 읽어주는 프롬프터용 대본

26 직업적 동작
방송국 II

□ TV 프로그램에 출연하다
1. _____ on a TV program

□ 출연자를 소개하다
introduce the guest for the program

□ 생방송으로 진행하다
have[do] a live broadcast

□ 립씽크로 노래 부르다
lip-sync(h) a song

□ 무대가 저절로 돌다
the stage
2. _____ automatically

□ 촬영하다
3. _____ sth

· have[do] a live broadcast
= broadcast sth live (on location)

· film sth
= shoot sth

· a person is on camera
= a camera is (focused) on a person

□ 카메라가 사람을 잡다
a person is on camera

More Expressions

□ 녹화방송으로 진행하다	*do a taped program*
□ 스포츠를 중계하다	*relay the game*
□ 스포츠 경기를 해설하다	*analyze the game*
□ 무대가 올라가다 / 내려가다	*the stage goes up / comes down*
□ 카메라가 사람을 가까이(크게) 잡다	*the camera takes[shoots] a close-up of a person = the camera zooms in on a person*
□ 카메라가 사람을 멀리(작게) 잡다	*the camera takes[shoots] a person from far away = the camera zooms out a person*

Small Talks

1. A: TV 프로에 **출연했을** 때 떨리지 않았어요?

B: 아니요. 주명이 켜지니까 방청개들이 하나두 보이지 않아서 마음이 편했어요.

A: Weren't you nervous when you **appeared on the TV program**?

B: No. When the lights came on, I couldn't see the audience at all. So I felt comfortable.

2. A: 마이클잭슨이 왜 대단한 가수인지 알아?

B: 아니, 왜?

A: 그는 공연할 때 절대로 **립싱크로 노래부르지** 않는대.

A: Do you know why Michael Jackson is such a great singer?

B: No, why?

A: He never **lip-synchs his songs** in his performances.

3. A: 어제 대학로에서 한 석규 봤어.

B: 정말? 어떻게?

A: 거기서 영화**촬영 하고** 있더라.

A: I saw Han Sok-kyu yesterday on Tae Hak Ro.

B: Really? How?

A: They were **filming** a movie there.

미국의 주요 *Cable TV* 방송국은?

CNN-*news*, ESPN-*sports*, Discovery Channel-*documentary*, MTV와 VH1-*music*, Nickelodeon-*children*, QVC-*home shopping*, HBO-*movie* 등을 꼽을 수 있는데 특히, CNN은 공중파 방송국 정도의 자산을 가지고 있을 정도로 성장했다. 이처럼 Cable TV가 성공한 이유는 광활한 국토로 인하여 난시청 지역이 많기도 하지만 시청자의 다양한 욕구를 만족시켜주는 다양한 채널과 특화된 한 분야만을 고집함으로써 양질의 프로그램을 제공한다는 점 때문이다.

4. A: '플러스 유' 시작했어?

B: 응. 하지만, 천천히 와도 돼. 지금 막 **출연자들을 소개하기** 시작했으니까.

A: Has "Plus You" already started?

B: Yes. But you can take your time. The MC just started **introducing the guests for the program**.

5. A: 저거 지금 **생방송**이니?

B: 아니. **녹화방송**이야.

A: Is that **being broadcast live**?

B: No. It's **a taped program**.

26

직업적
동작
방송국 Ⅲ

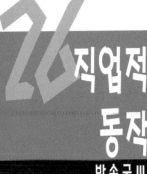

☐ 대본을 쓰다
write a script

☐ 편집하다
edit sth

☐ 광고를 내보내다
1. _____ a
commercial

☐ TV로 NG장면을 보여주다
2. _____ **bloopers**
on TV

☐ 방청하다
be in the studio
audience

☐ 방청권을 교부 받다
3. _____ an
admission ticket
[pass] for the
program

☐ 방송사고가 나다
an accident happens
during the broadcast

☐ TV와 라디오를 통해 중계방
송하다
broadcast through TV
and radio hookups

· run a commercial
  = *broadcast a*
    commercial

Small Talks

1. A: 한국의 TV에서 방영하는 광고에 대해 어떻게 생각하세요?

B: 꼴도 보기 싫어서 광고가 나오면 채널을 바꿔버려요.

A: 왜 그러세요?

B: 프로그램 사이에 **광고를 너무 많이 내보내서** 짜증나거든요.

A: *What do you think of the commercials broadcast on Korean television?*

B: *I refuse to watch them anymore. As soon as they come on, I just change the channel.*

A: *Why is that?*

B: *Because they **run** so many **commercials** between one program and the next that it makes me angry.*

2. A: 제 딸이 토요일에 10대 스타들이 나와서 노래하고 춤추는 TV쇼를 **방청하러** 갈 거래요.

B: 신나겠군요.

A: 그렇죠. 근데 저는 별로에요. 사실 저한테는 그런 프로그램은 시간낭비일 뿐이죠.

A: *On Saturday, my daughter's going to **be in the studio audience** of one of those TV shows where various teen idols sing and jump around.*

B: *She must be excited.*

A: *She is, but I'm not. As far as I'm concerned, those programs are a big waste of time.*

Tips

미국은 비교광고가 가능한 나라!

미국의 기업들은 경쟁상품에 비해 자사상품이 우수하다는 것을 강조하기 위해 비교광고를 하는데, 가장 치열한 분야는 장거리 전화 사업자 광고이다. 여러 사업자가 타사상품을 거론하며 서로 자사상품이 싸고 성능도 좋다고 광고하고 있다. 'Consumer's Report' 같은 잡지에 보면 가전제품에서 자동차에 이르기까지 그 성능을 평가하여 우열을 매겨 놓았는데, 이것은 값싸고 질 좋은 상품을 선택할 수 있는 소비자의 권리를 보호하기 위해 소비자 단체에서 제품을 검사하여 최고의 상품을 발표하는 것과 같은 취지이다.

3. A: 새로 얻은 직업에 대해 말씀 좀 해주세요.

B: 뉴욕 번화가에 있는 텔레비전 스튜디오에서 일하고 있어요. 인기있는 드라마의 **대본을 쓰고 편집하는** 일을 돕습니다.

A: 혹시라도 아이디어가 필요하시면 저에게 알려주세요. 가끔 제 삶이 드라마라는 생각이 들거든요!

A: *Tell me about your new job.*

B: *I'm working at a television studio in downtown New York. I help **writing and editing scripts** for a popular soap opera.*

A: *If you need any ideas, let me know. Sometimes I think my life is a soap opera!*

26 직업적 동작
동작
음악

□ 악기를 연주하다
**1. _____ an
instrument**

□ (현악기의 현을) 뜯다
pluck the strings

□ 즉흥적으로 연주하다
improvise

□ 작곡하다
**compose a song
[music]**

□ 녹음하다
tape (sth)

□ 독주회를 열다
2. _____ a recital

· improvise
cf) *give an impromptu
performance*

□ 오케스트라를 지휘하다
conduct an orchestra

More Expressions

□ 따라 부르다   *sing along*
□ 편곡하다   *arrange music*

Small Talks

1. **A:** 한국의 사물놀이는 **즉흥적으로 연주하는** 것 같아요.
   B: 그렇게 들리죠? 하지만, 그 나름대로 악보가 있어요.

A: Korean Samulnori seems to **be improvised**.
B: It sounds like that, doesn't it? But there's actually a kind of score.

2. **A:** 이 곡은 누가 작곡한 거지요?
   B: 쇼팽이 아닐까요? 저도 확실히는 모르겠어요.

A: Who **composed** this music?
B: Wasn't it Chopin? I'm not sure, either.

3. **A:** 어떤 **악기를 연주하실** 수 있어요?
   B: 전, 섹스폰을 조금 불어요. 그게 다에요.

A: What **musical instruments** can you **play**?
B: I can play the saxophone a little. That's all.

4. **A:** 얼마나 창피하던지! Scottie가 취해가지고 조용한 레스토랑에서 사람들도 많은데 한 가운데로 나가 노래부르면서 **즉흥 공연을 하는** 거 있지.
   B: 그거 한바탕 소동이 났겠구나.
   A: 두말하면 잔소리지.

A: What an embarrassment! Scottie got drunk and started **giving an impromptu performance**, singing in the middle of a quiet restaurant full of diners.
B: That must have caused quite a commotion.
A: You can say that again.

Tips

각종 공연의 박수, 앵콜문화는?

오페라를 관람할 때는 대개 conductor가 등장하거나 intermission(막간) 이후 등장할 때 박수를 치고 performer의 경우에는 그렇게 하지 않는다. 심포니를 관람할 때는 conductor와 초청 독주연주자 (guest soloist)가 퇴장할 때 박수를 치지만 지휘자가 입장해서 단상에 올라 지휘봉을 들면 박수를 멈춰야 한다. 또 지휘자가 관객에게 돌아서서 인사할 때까지 박수를 치면 안된다. 그러나 공연이 끝난 다음에는 발을 구르면서 박수를 쳐도 되고 휘파람을 불면서 encore라고 외쳐도 된다.

5. **A:** 어디서 그렇게 기타치는 것을 배웠어?
   B: 특별하게 배운 것은 없어. 그냥 방에 앉아서 Eric Clapton앨범을 들으면서 **기타줄을 퉁긴** 것 뿐이야.
   A: 타고난 연주가구나.

A: Where did you learn to play the guitar like that?
B: Nowhere special. I just sat in my room and **plucked the strings** while listening to Eric Clapton albums.
A: I'd say you're a natural born artist.

□ 그림을 그리다
draw a picture

□ 팔레트에 (수채)물감을 짜다
1. _____ water
colors onto the
palette

□ 색을 섞다
mix colors

□ 붓으로 색을 칠하다
2. _____ with a
brush

□ 붓을 헹구다
rinse a brush

□ 찰흙을 반죽하다
3. _____ clay

· work clay
  = *knead sth*

· shape clay
  = *model clay*

· sculpt (sth)
  = *sculpture (sth)*
  = *carve (sth)*

□ 찰흙으로 모양을 만들다
shape clay

□ 도자기를 굽다
**fire[bake] the pottery
[the earthenware]**

□ 조각하다
sculpt (sth)

More Expressions

□ 밑그림을 그리다 *draw a sketch[a rough draft]* = *sketch (sth)*
□ 붓을 털다 *shake out a brush*

Small Talks

1. **A:** 이 도자기 사신 거예요?
   B: 아니요. 친구가 취미로 도자기를 만드는
   데 하나 줬어요.
   A: TV에서 **도자기 굽는 것을** 봤는데 정말
   해 보고 싶더라고요. 그 친구에게서 배울
   수 **없을까요?**

A: *Did you buy this pot?*
B: *No.   A friend of mine makes pottery as a hobby, and he gave this to me.*
A: *I saw someone **firing the pottery** on TV, and I really want to try it. Couldn't I possibly learn from your friend?*

2. **A:** 어떤 **그림을** 주로 **그리시나요?**
   B: 전 수채화를 주로 그려요.

A: *What kind of **pictures** do you usually **draw**?*
B: *I do mostly watercolors.*

3. **A:** Andy라는 애, 믿을만 하니? 나를 **스케
   치하게** 해달라고 계속 졸라대는데 ….
   B: 기분은 좋았겠는걸. 재능있는 화가라고
   들었어.
   A: 그렇구나. 하지만 그 애는 Leonardo
   DiCaprio가 영화 'Titanic'에서
   Kate Winslet을 스케치하던 방법으로
   나를 스케치하기를 원해. 바로 그게 문제
   지!

A: *Can you believe that guy Andy? He keeps begging me to let him **sketch** me …*
B: *You should be flattered. I hear he's a talented artist.*
A: *Maybe so, but he wants to sketch me the same way Leonardo DiCaprio sketches Kate Winslet in the movie 'Titanic'!*

Tips

picture, painting, drawing의 차이는?

picture(회화)는 넓은 의미
로 쓰이는데, painting,
drawing 이외에 engrav-
ing, photograph도 이에
속한다. painting은 착색
되어 있는 그림(picture)을
말하고, drawing은 도화,
즉 선을 갖고 그리는 그림
을 말한다. 물감을 사용하
지 않는 도화로 펜, 연필,
크레용 등을 사용하여 선으
로   그 리 는   그 림 이
drawing에 해당된다.

27

기계 다루기
컴퓨터 I

□ 컴퓨터를 켜다
1. _____ the computer on

□ PC통신 / 인터넷에 접속하다
connect[log on] to an online service / to the Internet

□ 명령어를 치다
2. _____ in a command

□ 인터넷에 들어가다
go[get] onto the Internet

□ 인터넷에서 이리저리 구경하나
explore[surf] the Internet

□ 다운로드받다
download sth

□ 통신에 글을 올리다
3. _____ a message online

More Expressions

□ 컴퓨터를 끄다   *turn the computer off*
□ 컴퓨터를 껐다가 다시 켜다 *turn the computer off and then back on again*
          = reboot
□ 명령을 내리다   *give a command*
□ 새 프로그램을 깔다   *load a new program*
□ 자료를 입력하다   *compile data*

Small Talks

1. A: 오늘 퇴근할 때 **컴퓨터를 끄지** 말아줄래? 저녁 먹고 다시 올 거거든.

B: 오늘 늦게까지 일힐 거린 밀이니?

A: 그렇진 않아. 여자친구에게 e-mail을 보내기로 약속했거든.

A: *Don't bother **turning the computer off** when you leave tonight. I'm coming back after dinner.*

B: *You mean you're working late tonight?*

A: *Not really. I promised to send my girlfriend an e-mail letter.*

2. A: 아들 녀석 때문에 걱정이에요. 방에서 **인터넷을 검색하**면서 시간을 다 보내니 …

B: 저 같으면 조심할 거예요. 인터넷에는 포르노나 다른 쓰레기 같은 것도 많이 있거든요.

A: 맞아요. 우리가 감시할 수 있도록 그 녀석에게 컴퓨터를 거실에 두라고 해야겠어요.

A: *I'm worried about my son. He spends all his time in his room **surfing the Internet** ...*

B: *I'd be careful if I were you. There's a lot of pornography and other trash on the Net.*

A: *You're right. I'd better make him put the computer in the livingroom where we can keep an eye on him.*

3. A: **인터넷에 접속하는** 법을 가르쳐줄래?

B: 그럴 수 없는데. 내 컴퓨터가 아니라서 나도 비밀번호를 모르거든.

A: *Can you show me how to **log on to the Internet**?*

B: *Sorry, I can't. This isn't my computer, and I don't know the password.*

4. A: 컴퓨터 통신으로 카드게임이나 체스, 바둑도 할 수 있다는 게 사실이야?

B: 응. 게임이 있는 사이트에 접속할 수 있는 **프로그램을 다운로드 받기**만 하면 돼. 전 세계 사람들과 직접 실제시간으로 게임을 할 수 있기 때문에 통신상으로 게임을 하는 것은 재미있어.

A: *Is it true you can play card games or chess or even baduk on line?*

B: *Yes. All you have to do is to **download a program** that allows you to access the game site. It's exciting to play on the Net because you play in real time with real people all over the world.*

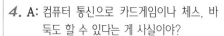

☐ 채팅하다
chat (on the computer)

☐ 접속이 끊기다
be disconnected

☐ 통신을 나가다
1. _____ **off**

☐ e mail을 보내다
2. _____ **an e-mail**

☐ 스캔받다
scan sth

☐ 플로피 디스크를 넣다
insert[put in] the floppy disk

☐ 마우스를 움직이다
3. _____ **the mouse**

☐ 마우스를 클릭하다
click on the mouse

More Expressions

☐ 접속을 시작하다 / 끝내다   *log on / off*
☐ 플로피 디스크를 빼다   *remove[take out] the floppy disk*
☐ 어떤 파일을 다른 파일로 옮겨놓다   *drag an icon to a file and drop it in*
         = *drag one file to another file and drop it in*
         = *drop one file into another file*

Small Talks

1. **A:** Tom, 어제 **보낸 e-mail** 잘 받았어.
  B: 혹시 몰라서 두 번 보냈는데, 두 번 다 받았니?

A: Tom, I got **the e-mail** you **sent** yesterday.
B: I sent it twice because I wasn't sure it really went out. Did you get it twice?

2. **A:** 왜 이렇게 아침부터 조는 거야?
  B: 아휴, 새벽까지 **컴퓨터로 채팅을 했더니** 그래.
  A: 그거 한 번 재미 붙이면 그만두기 힘든데 …

A: Why are you drowsy already in the morning?
B: Oh, it's because I was **chatting on the computer** until dawn.
A: Once you get interested in that, it's hard to quit....

3. **A:** 이 카드 정말 네가 만든 거야?
  B: 간단해. 그림은 **스캔받았구**, 나머지는 워드에서 편집한 거니까.

A: Did you really make this card?
B: It was very simple. I **scanned** the picture and edited the rest using Microsoft Word.

Tips

U.S. market share of top five personal computer companies in 1994

4. **A:** 어? 왜 자꾸 "에러"표시가 뜨는 거지?
  B: **플로피 디스켓 넣은** 건 확실해?

A: Oh, why does the "error" sign keep appearing?
B: Are you sure you **inserted the floppy disk**?

통신에서 감정표현은
이렇게!

:-) – Happy
:ll – Angry
:-D – Laughing
:'-(– Crying
:(– Sad
:-@ – Screaming
:-O – Shock or
       amazement
:-* – Kiss

5. **A:** 인터넷에 어떻게 들어가는지 알아요?
  B: 먼저 **마우스를 움직여서** 화살표를 "Internet Explorer" 아이콘에 놓고 두 번 **클릭하세요**.

A: Do you know how to get onto the Internet?
B: First **move the mouse** and point to the "Internet Explorer" icon and **click** twice (= double-click).

27

기계
다루기
컴퓨터 III

☐ 화면을 키우다
1. _____ the screen

☐ 타이프하다
type (sth)

☐ (디스크에) 저장하다
2. _____ sth (on a disk)

☐ 프린터를 컴퓨터에 연결하다
connect[hook up] a printer to the computer

☐ 프린트하다
3. _____ out sth

☐ 보안기를 달다
put a protective screen on the monitor

· the computer key-
board is not work-
ing
= *the keyboard is
frozen*

☐ 컴퓨터 자판이 말을 안 듣다
the computer keyboard is not working

More Expressions

☐ 바이러스가 침입하다 / 걸리다   *the computer has a virus / got a virus*
☐ 바이러스를 제거하다   *get rid of the virus = remove the virus*
☐ 화면을 작게하다   *make the screen smaller*

Small Talks

1. A: 컴퓨터 모니터에서 전자파가 많이 나온다는데?

B: 맞아. 나도 우선 **보안기라도** 빨리 **달아야** 할 것 같아.

A: *I heard that a lot of electromagnetic waves come out of the monitors.*

B: *You're right. I think I need to quickly* ***put on a protective screen*** *at least.*

2. A: Alex, 이리 와서 이것 좀 봐줘.

B: 왜 그래?

A: **컴퓨터 자판이 말을 안 들어. 저장도** 아직 안 **했는데**, 어떻게 하지?

B: 어디 봐.

A: *Alex, would you please come here and look at this?*

B: *Why?*

A: ***My keyboard is frozen.*** *And I haven't* ***saved*** *my work yet. What can I do?*

B: *Let me see.*

3. A: 설문조사 보고서 다 (**타이프**)**쳤어요**?

B: 네, 지금 **프린트 해**드릴까요?

A: *You* ***typed*** *the entire report on the survey?*

B: *Yes, shall I* ***print*** *it* ***out*** *for you now?*

4. A: 오늘이 13일의 금요일이잖아. '13일의 금요일' **바이러스에 걸릴지도** 몰라.

B: 그럼 어떻게 하지?

A: 컴퓨터의 날짜를 바꿔야지 뭐.

A: *Today is Friday the 13th. The computer might* ***get*** *the "Friday the 13th"* ***virus***.

B: *Then what should we do?*

A: *Just change the date on the computer.*

5. A: 저, 여기 있는 컴퓨터 좀 잠시 써도 될까요?

B: 그럼요. 하지만 이건 **프린터에 연결이 되어있지** 않으니까 저쪽 것을 쓰세요.

A: *Excuse me. May I use this computer for a while?*

B: *Sure. Actually, this one isn't* ***connected to the printer***, *but feel free to use that one over there.*

☐ fax를 보내다 / 받다
send / 1. _____ a fax

☐ 문서를 fax기계에 넣다
put paper in the fax machine

☐ 종이를 (앞 뒤를) 뒤집어 넣다
turn the paper over

☐ fax 번호를 누르다
2. _____ the fax number

· the paper goes in
= *the paper feeds in*

· the paper feeds out
= *the paper passes through*

☐ 종이가 밀려들어가다
the paper goes in

☐ 종이가 다시 빠져나오다
the paper 3. _____ out

More Expressions

☐ 깨끗한 상태로 전송받다 *get a clear copy*

Small Talks

1. A: 제가 14일날 보낸 **팩스 받으셨는지** 궁금해서 전화 드렸어요.

B: 받았어요. 받자마자 저희 부장님 드렸습니다.

A: *I called because I wondered if you **received the fax** I sent on the 14th.*

B: *I did. As soon as I got it, I gave it to our manager.*

2. A: **팩스기에 종이를** 이렇게 **넣는 것** 맞아요?

B: 아니오. **종이를 (앞 뒤를) 뒤집어 넣으세요**.

A: *Is this the right way to **put the paper in the fax machine**?*

B: *No. You have to **turn the paper over**.*

3. A: 저, 팩스를 처음 써 봐서 그런데, 어떻게 보내는지 좀 가르쳐주실래요?

B: 그러죠. 종이를 팩스기에 넣으셨으면, 이제 **팩스 번호를 누르세요**.

A: 그렇게 했어요.

B: 그럼, **종이가** 자동으로 **밀려들어갈** 거에요.

A: *Excuse me, this is the first time I've used a fax machine. Could you please show me how to send something?*

B: *Sure. After you've put the paper in the fax machine, **dial the fax number**.*

A: *Okay, I did that.*

B: *Then **the paper** will **go in** automatically.*

4. A: **종이가 다 빠져나와도** "에러"표시가 나올 수 있으니까 끝까지 기다리셔야 해요.

B: 알겠어요. 전 기계들을 왜 이렇게 못 다루는지 모르겠어요.

A: *Even after **the paper passes through**, the "error" sign can still come on. So wait until it's done.*

B: *I see. I don't know why I don't get along well with machines like this.*

□ 복사할 부분을 대다
put the part to be copied (face down) on the screen

□ '시작' 버튼을 누르다
1. _____ the "start" button

□ 복사하다
copy sth

· copy sth
= *make a copy of sth*

· be out of paper / toner
= *the paper / toner ran out*

· add more paper
= *put in paper*

· the paper is[gets] caught[stuck]
= *the paper is jammed*

□ 용지 / 토너가 떨어지다
be out of paper / toner

□ 용지데크를 빼다
take[pull] out the paper tray

□ 용지를 채워넣다
2. _____ more paper

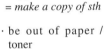

□ 용지데크를 끼우다
3. _____ the paper tray (back) in

□ 종이가 끼다
the paper is[gets] caught[stuck]

□ (낀) 종이를 제거하다
take out[remove] the (jammed) paper

More Expressions

□ 농도를 조절하다   *adjust the darkness of the print*
□ 용지 크기를 선택하다   *select the size of the paper*
□ 확대(복사) 하다   *enlarge = blow up*
□ 축소(복사) 하다   *reduce = shrink*

Small Talks

1. **A:** Brian, 이거 **복사** 좀 **해주실래요?**
　 B: 그러죠. 몇 장이나 할까요?

A: Brian, would you **make a copy of this** for me?
B: Sure.　How many copies do you want?

2. **A:** 복사가 왜 이렇게 흐리게 됐지?
　 B: **토너가 떨어졌나** 봐요.

A: Why did the copies come out so light?
B: We must **be running out of toner.**

3. **A:** 이게 무슨 표시예요?
　 B: **용지가 떨어졌다**는 표시예요.
　 A: **용지는** 어떻게 **채워넣지요?**
　 B: **용지데크를 빼서** 종이를 집어넣고 다시 **데크를 끼우면** 돼요.

A: What does this sign mean?
B: It means the printer **is out of paper.**
A: How do you **add more paper?**
B: **Take out the paper tray,** fill it with paper and **put the tray back in.**

4. **A:** 이 복사기는 쓰지 마세요. **종이가** 자꾸 **걸려서** 수리해야 해요.
　 B: 알았어요. 알려주셔서 감사합니다.

A: Don't use this copy machine.　It needs to be repaired because **the paper** keeps **getting stuck.**
B: I see.　Thank you for telling me.

27

기계 다루기

기계·물건의 고장

☐ TV화면이 지직거리다
the reception is bad

☐ (기계·엔진이) 켜지지 않다
it doesn't 1. _____
[turn on]

☐ TV에서 연기가 나다
there's smoke coming out of the television

☐ TV가 고장나다
the television is broken

☐ 퓨즈가 나가다
the fuse goes out[blows out]

☐ 부품이 빠지다
a part 2. out

· the television is broken
= *the television is out of order*

☐ 컴퓨터가 다운되다
the computer is down

More Expressions

☐ 전화가 불통이다   *the phone isn't working[doesn't work] = the phone is dead*

☐ 혼선이 되다   *the lines are crossed = we have a bad connection*
☐ 과열되다   *be overheated*
☐ 화면이 흔들리다   *the picture isn't stable = the picture is snowy*
☐ 화면에 선이 생기다   *there are lines in the picture*
☐ 기계가 작동을 멈추다   *the machine stopped working[running]*

Small Talks

1. A: 텔레비전이 왜 이러지? **화면이 지직거려**.

B: 나도 몰라. 어젯밤부터 이상하게 그러더라고. 수리를 맡기는 게 낫겠네.

A: 하지만 10분 후면 축구가 시작한단 말이야. 그걸 보려고 일주일을 기다렸는데.

B: 재수가 없는 거지 뭐.

A: *What's wrong with our TV?* ***The reception is bad***.

B: *I don't know. It started acting funny last night. Maybe we'd better have it fixed.*

A: *But the ball game starts in ten minutes. I've been waiting all week to see it.*

B: *Looks like you're out of luck.*

2. A: 거 참 이상하네. 새 헤어 드라이기를 꼽았더니 **연기가 나기** 시작하더라고.

B: 상점에 다시 가지고 가. 불량품이면 공짜로 바꿔줄거야.

A: 잠깐만, 문제는 이거였어. 120볼트로 맞춰놨는데 여기 전류는 220볼트야. 내가 망가뜨렸네.

A: *That's strange. I plugged in my new electric hair dryer and **smoke** started **coming out of it**.*

B: *I guess you'll have to take it back to the store. If it's defective, they should replace it for free.*

A: *Wait a minute, here's the problem. I had it set for 120 volts but the current here is 220. I'll bet I ruined it.*

Warranty 기간은?

기계, 물건의 보장기간은 대개 1년에서 2년이다. 컴퓨터도 마찬가지로 산 지 1년 동안 hardware에 대한 손상에 대해서 warranty를 해준다. 미국에서는 컴퓨터를 산다고 해도 설치해준다거나 프로그램을 무료로 깔아주는 일은 없다. 따라서 컴퓨터 사용에 능숙하지 않은 사람은 미리 한국에서 사 가지고 가는 것도 현명한 방법이다.

3. A: 전화통화를 하고 있었는데, 갑자기 **전화가 먹통이 됐어**.

B: 몇 블럭 떨어진 곳에서 전화선 공사를 하고 있는 것을 봤는데, 아마도 그것과 연관이 있을 거야.

A: 그렇거나 내가 전화세를 또 내지 않아서 그렇겠지.

A: *I was just talking on the phone when **the line went dead**.*

B: *I saw some men working on the telephone lines a few blocks away. Maybe that has something to do with it.*

A: *Either that, or I didn't pay my phone bill again.*

28 쇼핑·구매

슈퍼·가게

□ 고기를 썰다
cut up the meat

□ 고기를 기계로 자르다
cut the meat with a meat cutter

□ 카트를 빼다
take[pull] out a cart

□ 무게를 달다
1. _____ sth

□ 저울을 0으로 맞추다
adjust the scale to 0

□ 물건을 계산대에 올려 놓다
put things up on the check out counter

□ 물건을 스캔하다
scan the item

□ 거스름돈을 받다
receive[get] the change

□ 가격표를 확인하다
2. _____ the price tag

More Expressions

□ 물건을 이것 집었다 저것 집었다 하다	*pick up this and that*
□ 봉지가 찢기다	*the bag rips[tears]*
□ 비닐봉지를 한 장 뜯다	*tear off a plastic bag*
□ 비닐봉지를 입으로 후 불어서 열다	*blow into the plastic bag*
□ 봉지가 터지다	*the bag bursts*

1. weigh 2. check 3. push 4. divide

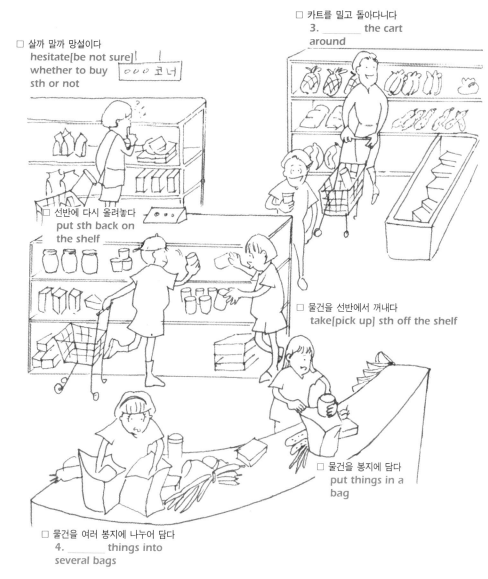

□ 카트를 밀고 돌아다니다
3. _____ the cart around

□ 살까 말까 망설이다
hesitate[be not sure] whether to buy sth or not

○○○ 코너

□ 선반에 다시 올려놓다
put sth back on the shelf

□ 물건을 선반에서 꺼내다
take[pick up] sth off the shelf

□ 물건을 봉지에 담다
put things in a bag

□ 물건을 여러 봉지에 나누어 담다
4. _____ things into several bags

More Expressions

□ 고기를 얇게 썰다   *slice the meat thin*
□ 고기를 포를 뜨다   *slice the meat*
□ 가격표를 달다 / 붙이다   *put up / stick on a price tag*
□ 고기를 갈다   *grind the meat*

1. A: John, 저기 있는 **카트 좀 빼 올래?**

B: 알았어. 그런데 우리 많이 사지 않을 거지?

A: 걱정 마. 적어 온 것만 살 거야.

A: John, would you please **bring** me **one of those carts** over there?

B: Okay, but we're not going to buy much, are we?

A: Don't worry. We're going to buy only the things on the list.

2. A: 아유, 답답해. 왜 물건을 **이것 집었다 저것 집었다 하면서** 사지는 않는 거야?

B: 물건이 마음에 들면 가격이 비싸고 가격이 씨면 물건이 미음에 안 들고 하니끼 그렇지.

A: Oh, it's frustrating. Why do you **pick up this and that** and then not buy anything?

B: That's because if I like the item, it's expensive, and when it's cheap, I don't like the item.

3. A: 너 버섯 좋아하니?

B: 응. 버섯 싫어하는 사람도 있어?

A: 그러면, 이 버섯 좀 **(비닐봉지에) 담게** 저기 있는 **비닐봉지 한 장만 뜯어** 올래?

A: Do you like mushrooms?

B: Uh huh. Who doesn't like mushrooms?

A: Then would you please **tear off one of those plastic bags** over there to **put** these mushrooms **in**?

4. A: 샴푸는 집에 아직 많은데 왜 사려고 해?

B: 그래? 난 몰랐지. 그럼 **선반에 다시 올려 놓고** 올게.

A: We still have a lot of shampoo at home, so why do you want to buy more?

B: Really? I didn't know. Then I'll go **put this back on the shelf**.

5. A: 이거 살까 말까?

B: 사지 마.

A: 왜?

B: 뭔가를 **살까 말까 망설일 때는** 사지 않아야 나중에 후회를 안 해.

A: Should I buy this or not?

B: Don't buy it.

A: Why not?

A: If you**'re not sure whether to buy something or not**, don't buy it. Then you won't regret it later.

Tips

미국의 가게의 종류

1. 슈퍼마켓 : 대형인 경우가 많고 주로 식료품을 취급한다.
2. 백화점 : 우리와 달리 식료품을 팔지 않고 물건도 다양하지 않다.
3. General Merchandising Store(GMS) : 세계 최대의 소매기업인 Sears Roebuck과 J. C. Penny같이 전국 체인망을 가지고 있으며 식료품을 제외한 모든 물건을 판다.
4. Discount Store(할인매장) : GMS를 더욱 대중 취향으로 만든 대형 점포이며 Wal-Mart가 그 대표주자이다.
5. Membership Wholesale Club : 회원제로 운영되며 최저가로 공급하는 물건들이 많다. 대표적인 체인점은 Price Club이다.

6. A: 어휴, 물건을 너무 많이 담아서 **봉지가 터질** 것 같아.
   B: 그래? 그러면, 이것들을 **여러 봉지에 나누어 담자**.

A: *Oh, we put so many things in the bag. It looks like it's going to **burst***.
B: *Really? Then let's **divide** these **things into several bags***.

7. A: 고기를 어떻게 썰어 드릴까요?
   B: **얇게 포를 떠서** 주세요.

A: *How shall I cut the meat for you?*
B: *Please **slice** it **thin***.

8. A: 잠깐만 여기서 기다려.
   B: 왜 그러는데?
   A: **거스름돈을 받는** 것을 잊어버렸어.

A: *Please wait here for a moment.*
B: *What for?*
A: *I forgot to **get** my **change***.

9. A: 그 물건들을 계산대에 올려 놓아주세요.
   B: 알겠습니다. 그런데, 여기 카드로 계산되지요?

A: *Please **put** your **things up on the check-out counter***.
B: *All right. But can I pay here by credit card?*

10. A: 500g 치고는 조금인 것 같지 않니?
   B: 그래. 아까 **무게 달** 때 옆에서 지켜 봤어야 하는 건데.
   A: 맞아. 아마 **저울이 0에 맞추어져 있지** 않았을지도 몰라.

A: *Doesn't this seem small for 500 grams?*
B: *Yes. We should have checked the scale while it was being **weighed***.
A: *You're right. Maybe **the scale was**n't **adjusted to 0***.

28

쇼핑·구매

편의점

□ 포장지를 뜯다
take off the wrapping paper

□ 라면뚜껑을 뜯다
take the cover off the ramyun [instant noodles]

□ 뜨거운 물을 붓다
pour in hot water

□ 라면을 불리다
1. _____ the ramyun soak[sit]

□ 젓가락을 뜯다
break the chopsticks apart

□ 전자레인지에 데우다
heat sth in the microwave oven

· take off the wrap-
  ping paper
  = *unwrap*

· break the chopsticks
  apart
  = *divide the chop-
    sticks*

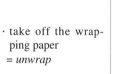

□ 조리시간을 맞추다
2. _____ the timer

□ 즉석복권을 사다
buy an instant lottery ticket

□ 복권을 긁다
3. _____ off the ticket

More Expressions

□ 복권에 당첨되다 / 꽝이다 *win a lottery / not win a prize*
□ 복권을 맞춰 보다 *match up the ticket*

1. let 2. set 3. scrape

Small Talks

1. (편의점에서)

A: 우리 야참 먹을래?

B: 좋아. 라면하고 만두 먹자.

A: 만두는 얼은 거잖아.

B: 전자레인지에 데우면 돼.

A: 응아. 그럼, 네가 그거 애. 난 라면에 **뜨거운 물을 부어놓을** 테니까.

(In a convenience store)

A: How about a midnight snack?

B: Sure. Let's get some ramyun[instant noodles] and mandoo[dumplings].

A: Aren't the dumplings frozen?

*B: We can **heat** them **in the microwave oven**.*

*A: . You do that, and I'll **pour the hot water** in the bowl.*

2. A: 우리 **즉석복권** 하나 **살래**?

B: 그건 어떻게 하는 건대?

A: 복권을 사서 그 자리에서 **긁으면** 돼.

*A: Shall we **buy an instant lottery ticket**?*

B: How do you play?

*A: You buy the ticket and **scrape** it **off** right there.*

3. A: **라면을** 너무 오래 **불리면** 맛없어.

B: 나도 알아. 아직 1분도 안 됐으니까 걱정 마.

*A: If you **let the ramyun sit** for too long, it doesn't taste good.*

B: I know that, too. It hasn't even been one minute. Don't worry.

Tips

미국의 편의점

Convenience Store는 일용 필수품을 소형 점포에서 판매하는 '편리함'을 상품으로 삼고 있는 가게이다. 연중 무휴·24시간 영업이며 최소한의 품목을 팔고 대형점포가 들어갈 수 없는 곳에 위치하고 있다. 대표적인 프랜차이즈(Franchise)는 7-Eleven으로 본사에서 물류를 관리해준다. 컴퓨터가 재고관리를 하기 때문에 모자라는 상품은 자동적으로 보충되도록 되어 있다.

4. A: 주위에 **복권에 당첨된** 사람 없니?

B: 없지. 걸려 봤자 오백원, 천원이고.

*A: Isn't there anyone you know who **won the lottery**?*

B: Not really. If they got anything, it was only 500 or 1,000 won.

28

쇼핑·
구매

백화점·시장 I

☐ 옷 더미에서 옷을 뒤지다
**go through the
piled-up clothes**

☐ 촉감을 느껴 보다
1. _____ [touch] sth

☐ 옷을 몸에 대 보다
**hold the clothes up
to oneself**

☐ 탈의실에 들어가서 옷을 입어
보다
2. _____ some clothes
**on in the dressing room
[fitting room]**

☐ 물건을 고르다
choose sth

☐ 상품을 꺼내 보여주다
**take a product out
and show it (to sb)**

· ask this and that
about a product
= *ask all about a
product*

☐ 물건에 대해 이것저것 물어 보다
**ask this and that about
a product**

☐ 제품의 성능을 시험해 보다
3. _____ the
performance of a product

More Expressions

☐ 샘플로 사용해 보다   *sample a product*

1. feel 2. try · 3. test

Small Talks

1. **A:** 이 옷 백화점에서 오천원 주고 샀어요.

  B: 어떻게 백화점에서 그렇게 싸게 살 수가 있지요?

  A: 정식 매장 말고, **옷을 쌓아 두고** 파는 데에서 **(옷을) 뒤지다** 보면 싸고 좋은 물건을 건질 때가 있어요.

A: *I bought this T-shirt for 5,000 won at the department store.*

B: *How can you buy something so cheap at the department store?*

A: *Not in the formal display, but if you* ***go through the clothes*** *where they* ***are piled up*** *and sold, you can sometimes get some good bargains.*

2. **A:** 이 **옷** 한번 **입어 봐도** 돼요?

  B: 그럼요. 탈의실은 저 쪽에 있습니다.

A: *May I* ***try*** *this* ***on***?

B: *Of course. The dressing room is over there.*

Tips

바겐세일 천국!

미국의 백화점들은 거의 1년 내내 각기 다른 이름으로 바겐세일을 하는데 그 중에서 가장 규모가 큰 것이 추수감사절(Thanksgiving) 세일과 크리스마스(Christmas)를 전후한 연말세일이다. 특히 크리스마스 바로 다음날 하는 after-Christmas Sale은 겨울용품을 50% 정도 할인판매하기 때문에 개점시간 전부터 장사진을 이룬다. 이 외에도 spring sale이나 8월말, 학기시작 전에 하는 back-to-school sale 등이 유명하다. 공휴일에는 공휴일 이름을 붙인 … holiday sale을 한다.

3. **A:** 이 옷 예쁘다. 한번 **몸에 대 봐**.

  B: 어디 봐. 괜찮은데?

  A: 촉감도 아주 좋다. 그렇지?

A: *This is pretty.* ***Hold it up to yourself*** *once.*

B: *Let's see. It's nice, huh?*

A: *And it has a nice feel, too. See?*

4. **A:** 이 시계 좀 **꺼내 보여주실래요**?

  B: 그러죠. 여기 있습니다. 방수도 되고 기능도 여러 가지가 있어요.

  A: 좋아 보이네요. 그런데, 다른 데 더 둘러보고 와서 결정할게요.

A: *Would you please* ***take*** *this watch* ***out and show it to*** *me?*

B: *All right. Here it is. It's waterproof and it has several different functions.*

A: *It looks good. But I think I'll look around at a few more places and then decide.*

□ 값을 흥정하다
haggle over the price

□ 불량품을 새 것으로 교환하다
1. _____ a defective product for a new one

□ 에스컬레이터를 타고 올라가다 / 내려가다
take the escalator up / down

□ 엘리베이터가 올라가다 / 내려가다
the elevator goes up / down

□ 엘리베이터 문에 끼일 뻔하다
almost get 2. _____ in the elevator door

□ (엘리베이터) 5층을 누르다
push the fifth floor (button)

· make an announce-
ment to look for sb
cf) *page sb*
  (삐삐로 호출하는 경우
  에도 쓰임)
  ▶ p.32 참조

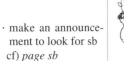

□ 엘리베이터가 꽉 차다
the elevator is full

□ 전단을 나누어주다
hand out leaflets [flyers, fliers]

□ 방송으로 사람을 찾다
**make an announce-
ment to look for sb**

More Expressions

□ 값을 깎다   *bargain to lower the price*
□ 누구를 시켜 남을 호출하다   *have sb paged*

Small Talks

1. A: 제 딸을 찾고 있는데요. **방송** 좀 **해주시** 겠어요?

D: 알겠습니다. 따님의 인상착의를 말씀해 주세요.

A: I'm looking for my daughter. Would you please **make an announcement** for me?

B: All right. Tell me what she looks like and what she's wearing?

2. A: 죄송합니다. 이번 **엘리베이터가 만원입 니다**. 다음 것을 이용해주세요.

B: 벌써 두 번째인데. 안되겠다. Eric, 우리 **에스컬레이터 타고 올라가자**.

A: I'm sorry. This **elevator is full**. Please use the next one.

B: That's the second one already. This isn't going to work. Eric, let's **take the escalator up**.

3. A: 오늘부터 Liberty 백화점 세일이라면서 요?

B: 네. 그런데 오늘은 가지 마세요. 사람이 너무 많아서 저도 오늘 **엘리베이터 문에 끼일 뻔했다니까요**.

A: Didn't you say that from today the Liberty Department Store was having a sale?

B: Yes, but don't go today. There were so many people that I **almost got caught in the elevator door**.

4. (엘리베이터 안에서)

A: 7층 좀 눌러주시겠어요?

B: 이 엘리베이터는 짝수 층만 운행하고 있 습니다. 8층에서 내려서 계단으로 내려 가시죠.

(Inside an elevator)

A: Would you please **push the 7th floor** for me?

B: This elevator stops only on the even floors. Why don't you get off on the 8th floor and walk down the stairs?

5. A: 지난 주말에 Jerry를 데리고 남대문 시 장에 갔는데 **물건값을** 잘 **깎던데요**.

B: 그래요? 요즘은 외국사람들도 물건을 잘 깎는다니까.

A: Last weekend I took Jerry to Nam Dae Moon market, and he **bargained** very well **to lower the prices**.

B: Really? These days foreigners bargain for things very well.

Tips

Rain Check이 뭔가요?

Rain Check이란 바겐세일 상품이 품절되었을 경우 받 아두면 나중에 그 물건을 바겐세일 가격으로 살 수 있는 교환권을 말한다. 또 모든 백화점에서는 백화점 카드를 처음 만든 날은 모 든 물품을 10% 할인해주 는 행사를 하기 때문에 세 일하는 날 카드를 만들면 큰 도움이 된다.

29 아이들의 놀이
놀이·장난 I

□ 놀이터에서 놀다
1. _____ on the playground

□ 미끄럼틀을 타다
slide down the slide

□ 전쟁놀이 하다
play war

□ 숨바꼭질을 하다
play hide-and-seek

□ 소꿉장난을 하다
play house

□ 진흙탕에 뒹굴다
2. _____ around in the mud

· divide into sides
  [teams]
= choose sides
  [teams]

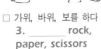

□ 가위, 바위, 보를 하다
3. _____ rock, paper, scissors

□ 편을 나누다
divide into sides [teams]

More Expressions

□ 그네를 타다   *ride on the swings*
□ 병원 / 학교놀이를 하다   *play hospital / school*
□ 사람들을 세 팀으로 나누다   *divide people into three teams*

Small Talks

1. A: 어떻게 **편을 나누지**?

B: 두 사람씩 **가위, 바위, 보를 해서** 결정하는 것은 이떨끼?

A: 좋은 생각인 것 같아.

A: How should we **choose sides**?

B: How about if we **do rock, paper, scissors** two by two?

A: That sounds like a good idea.

2. A: 어렸을 때 친구들과 뭐하고 놀았어요?

B: 전 시골에서 자랐기 때문에 산에서 친구들과 **전쟁놀이도 하고**, 강에서 고기도 잡고 그랬어요.

A: When you were a child, what kind of games did you play with your friends?

B: Since I grew up in the countryside, I **played war** with my friends on the mountain side, and went fishing in the river.

3. A: 댁의 따님은 어쩌다가 팔을 부러뜨렸어요?

B: **미끄럼틀을 타다가** 떨어졌어요.

A: How did your daughter break her arm?

B: She fell off the slide while **sliding down**.

Tips

미국아이들의 주요 놀이는?

play house(소꿉놀이), play marbles(구슬치기), play hide-and-seek(숨바꼭질), war game(전쟁놀이), play blindman's buff(눈을 가리고 사람을 잡아서 누구인지 알아맞히는 게임), dodge-ball(피구게임) 등 우리나라 어린이들의 놀이와 매우 비슷하다. 그 밖에 card game을 즐겨하며 lego를 가지고 노는 것도 좋아한다.

4. A: 야유회는 재미있었어요?

B: 네, 오래간만에 동심으로 돌아가 **숨바꼭질을 했는데**, 너무 재미있었어요.

A: Was the picnic fun?

B: Yes, we **played hide-and-seek** and it was a lot of fun. It's been a long time since I felt like a child.

5. A: 옷이 이게 뭐예요? 꼭 **진흙탕에서 뒹군 것** 같네요.

B: 진짜로 뒹굴었어요.

A: What happened to your clothes? You look like you just **rolled around in the mud**.

B: That's what I did.

□ 장난감을 가지고 놀다
play with toys

□ 종이 비행기를 만들다
1. _____ a paper airplane

□ 자전거를 타다
2. _____ a bike [bicycle]

□ 롤러스케이트를 타다
roller-skate

□ 여자아이의 치마를 걷어 올리다
lift up a girl's skirt

□ 약올리다
tease sb

· ride a bike[bicycle]
  = *bike*
  cf) *go biking*

· roller-skate
  cf) *go roller-skating*

□ 발을 걸다
3. _____ sb

□ 깜짝 놀라게 하다
startle[scare] sb

Small Talks

1. **A:** 요즘 애들은 참 다양한 **장난감들을 가지고 노는** 것 같아요.

B: 맞아요. 우리 (어린) 때는 **종이비행기**만 **접고 놀아도** 재미있었는데.

A: These days it seems children **play with** a great variety of **toys**.

B: You're right. In our day even just **making paper airplanes** was fun enough.

2. **A:** 주말에 나와 함께 **자전거 타러** 갈래요?

B: 미안하지만, 다른 할 일이 있어서 안 되겠네요.

A: Do you want to **go biking** with me on the weekend?

B: I'm sorry, I can't. I have something else to do.

3. **A:** 다리 부러진 적 있어요?

B: 네, 초등학교 3학년 때 **롤러스케이트를 타다가** 다리를 부러뜨렸어요.

A: Have you ever broken your leg?

B: Yes, when I was in third grade of elementary school, I broke my leg while **roller-skating**.

4. **A:** 준호씨는 어렸을 때 정말 개구쟁이였겠어요.

B: 맞아요. 여자애들 **약올리고**, 친구들 **발걸어** 넘어지게 하는 등, 장난 많이 쳤지요.

A: Jun-ho must have been quite a prankster when he was young.

B: You're right. He **teased** the girls, and **tripped** his friends and so on. He played a lot of pranks on people.

Tips

편 가를 때는 어떻게?

아이들이 편을 갈라서 놀 때는 동전을 던져서 편을 가린다. 동전을 던져서 편을 가리는 것을 flip / toss a coin이라고 하고 동전의 앞면을 head, 뒷면을 tail이라고 한다. 주로 왕, 여왕, 대통령이 있는 쪽이 동전의 heads이고 국가를 상징하는 동물 등이 있는 쪽이 tails이다. 미국에서는 rock, paper, scissors(가위, 바위, 보)를 그다지 즐겨 하지 않는다.

5. **A:** 여기서 뭐하는 거야?

B: 어유, **깜짝**이야! **놀랐잖아**. 여름휴가 계획을 세우고 있었어.

A: What are you doing here?

B: Oh! You **startled** me. I was planning my summer vacation.

☐ 담뱃불을 붙이다
1. _____ a
cigarette

☐ 담배를 피우다
smoke

☐ 파이프를 빨다
2. _____ a pipe

☐ 연기를 내뿜다
exhale smoke

☐ 담뱃재를 떨다
flick one's cigarette ashes

☐ 담뱃불을 끄다
put out a cigarette

· smoke
 = *smoke cigarettes*

· exhale smoke
 = *breathe out*

· flick one's cigarette
 ashes
 = *drop cigarette
   ashes*

· put out a cigarette
 = *extinguish a
   cigarette*

☐ 담배꽁초를 버리다
3. _____ away a
cigarette butt

More Expressions

☐ (파이프 · 담배에) 불을 붙이다   *light up*
☐ 담뱃불을 발로 밟아서 끄다   *step on a cigarette to put it out*
☐ 담배 한 개를 얻어 피다   *bum a cigarette*

Small Talks

1. A: **담배꽁초를** 아무데나 **버리다가는** 벌금 물어요.

B: 그래요? 전 처음 듣는 말이네요.

A: If you **throw away cigarette butts** just anywhere, you'll pay a fine.

B: Is that so? That's the first time I heard that.

2. A: **담배 피우세요?**

B: 아니요. 3년 전에 끊었어요.

A: 그래요? 대단하시네요.

A: Do you **smoke?**

B: No. I quit three years ago.

A: Really? That's great.

3. A: 불 좀 빌려주실래요?

B: 물론이죠. 제가 **붙여 드릴게요.**

A: Could you give me a light?

B: Sure, I'll **light** it **up** for you.

4. A: **담뱃재를** 알루미늄 캔 안에다가는 **떨지** 말래요.

B: 왜요?

A: 그러면 재활용하기가 힘들대요.

A: They say you shouldn't **drop cigarette ashes** in aluminum cans.

B: Why not?

A: If you do that, it's hard to recycle them.

미국에서는 담배를 어디에서 살까?

우리나라에서는 담배가 전매물이기 때문에 어느 곳에서나 가격이 같지만 미국에서는 장소에 따라 다르다. 편의점에서는 2불 25센트, 슈퍼마켓에서는 1불 99센트, 나이트 클럽에서는 2불 50센트로 각각 차이가 난다. 여기에 각 주마다 판매세의 비율이 다르기 때문에 가격이 달라진다. 담배는 Wholesale Club에서 carton(보루)으로 구입하는 것이 가장 저렴하다. 또 담배를 팔 때 미성년자로 보이는 사람에게는 ID를 요구하는데 미성년자(18세 이하)의 흡연을 법률로 금지하고 있기 때문이다.

5. A: 실례지만, **담뱃불을 꺼주시겠습니까?** 여기는 금연구역입니다.

B: 아, 미안합니다. 그럼 흡연구역은 어디에 있습니까?

A: Excuse me, but would you please **put out** your **cigarette?** This is a no smoking area.

B: Oh, sorry. Then where is the smoking area?

□ 집에 도둑이 들다
**a burglar breaks
into sb's house**

□ 담을 넘다
1. _____ over
the wall

□ 복면을 하다
wear a mask

□ 자물쇠를 따고 들어가다
**pick a lock and go
in**

□ 살금살금 걷다
tiptoe quietly

□ 집을 뒤지다
ransack the house

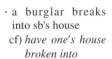

· a burglar breaks
into sb's house
cf) *have one's house
broken into*

· tiptoe quietly
cf) *walk on tiptoe*

· ransack the house
cf) *go through the
house*

□ 물건을 훔치다
2. _____ sth

□ 손 / 발을 묶다
tie sb's hands / feet

□ 손으로 입을 막다
3. _____ sb's
mouth with one's
hand

More Expressions

□ 집이 (도둑에게) 털리다   *one's house be robbed (by a burglar)*
□ 몰래 안으로 들어가다   *slip inside*

Small Talks

1. A: 어제 옆 사무실에 **도둑이 들었**대요.

B: 정말이요? 그렇다면 우리도 오늘부터 사무실 경비에 더 신경을 써야 겠네요.

A: They said that **a burglar broke into** the next office yesterday.

B: Really? Then from today we'd better be more concerned about office security.

2. A: 이 복도는 왜 이렇게 울리지요? 한 발자국만 걸어도 너무 큰 소리가 나요.

B: 그러게 말이에요. **살금살금 걸어가야** 되겠어요.

A: Why is this hallway so noisy? Even one footstep sounds so loud.

B: It really does. We'll have to **tiptoe quietly**.

3. A: 어제 내가 이야기하고 있는데 Sam이 갑자기 **손으로 내 입을 틀어막는거야.**

B: 왜 그랬대?

A: 아마 새 여자친구 앞에서 내가 옛날 애인 이야기를 하려고 한다고 생각했나 봐.

A: Yesterday when I was talking, Sam suddenly **covered my mouth with his hand**.

B: Why did he do that?

A: Probably because he thought I was going to talk about one of his old girl friends in front of his new girlfriend.

4. A: **물건을 훔쳐 보고** 싶다는 생각을 해 본 적 없으세요?

B: 한 번 있어요. 어릴 때 친구가 너무 멋있는 자전거를 사서 훔치고 싶은 생각이 들었어요.

A: Have you ever thought that you would like to **steal something**?

B: Once. When I was a child, my friend bought such a neat bike that I thought I'd like to steal it.

5. A: 어제 옆 사무실에 침입했던 도둑을 본 사람이 있답니까?

B: 수위가 봤다는데 그가 **복면을 하고 있어**서 누구인지는 알 수 없었답니다.

A: Did anybody report seeing the burglar who broke into the next office yesterday?

B: The janitor said he saw him, but he couldn't recognize him because he was **wearing a mask**.

Tips

긴급 전화번호와 알아두어야 할 사항은?

모든 응급전화는 911을 돌리면 되지만, 긴급을 요할 때만 이용한다. 이 밖에는 지역을 관할하는 경찰서나 소방서에 연락한다. 전화번호는 전화회사 발행의 '지구별 전화번호부'에 실려있다. 또 긴급할 경우 다이얼 '0'을 돌려 교환원에게 연락하면 담당자를 연결해 준다.

31 사건·사고
도둑·강도 II

☐ 인질로 잡아놓다
1. _____ sb
hostage

☐ 생명을 위협하다
threaten sb's
life

☐ 저항하나
resist (sb)

☐ 빌버둥치다
struggle

☐ 도망가다
run away

☐ (칼로) 찌르다
stab sb (with a
knife)

☐ 총을 쏘다
2.
a gun

☐ 소매치기를 하다
pickpocket

· take sb hostage
= *hold sb hostage*

· resist (sb)
= *fight against (sb)*

☐ 살해하다
murder sb

☐ 목을 매 자살하다
3. _____ oneself

More Expressions

☐ 소매치기를 당하다　　*be robbed by a pickpocket = have one's pocket picked*

Small Talks

1. A: 난 유괴가 가장 나쁜 범죄라고 생각해.

B: 그래. **아이를 인질로 잡고** 돈을 요구하는 거 정말 비열해

A: I think the worst crime is kidnapping children.

B: Me, too. **Taking a child hostage** and asking for money is really mean.

2. A: 하버드 대학의 MBA 학생들은 서로를 'back stabber' 라고 불러요.

B: 무슨 뜻이에요?

A: 경쟁이 하도 심해서 누가 등 뒤에서 **피를지** 모른다는 얘기예요.

A: Harvard MBA students call each other "back stabber."

B: What does that mean?

A: It means the competition is so severe that students never know who will **stab** them in the back.

3. A: 우리 대통령은 정말 의지가 강한 사람이야.

B: 그래. 군사정권이 아무리 **생명을 위협해도** 자기의 의지를 꺾지 않았으니.

A: Our President is a person of really strong will.

B: Yes. No matter how much the military regime **threatened his life**, they couldn't break his will.

Tips

위험으로부터 자신을 지키는 법

① 현금이나 열쇠는 핸드백에 넣지 말고, 몸에 간수한다.

② 공중화장실은 피하고 호텔, 백화점, 주유소 등의 화장실을 이용한다.

③ 번화가에서 물건을 팔려고 하거나 담배, 돈을 구걸하는 자가 있으면 무시한다. 영어를 모르는 척하는 것도 요령이다.

④ 심야에 ATM(현금인출기)을 이용하지 않는다.

⑤ 붙잡혔을 때는 저항하지 않고 원하는 것을 모두 준다.

⑥ 무료편승(hitchhike)은 불법이므로 절대 하지 않는다.

31 사건·사고

교통사고 |

□ 교통사고가 나다
1. _____ a traffic accident

□ ~와 충돌하다
collide with

□ 사람을 치다
hit sb

□ 뺑소니 치다
2. _____ and run

□ 차가 전복되다
the car turns over

□ 차가 찌그러지다
the car is 3. _____ up

· have a traffic accident
= *a traffic accident happens[occurs]*

· collide with
= *run into*
= *crash into*

· the car turns over
= *the car rolls over*
= *be overturned*

□ 차가 폭발하다
the car explodes

More Expressions

□ 3중 추돌하다   *have a three-car rear-end collision*
           = *have a three-car pileup* (충돌일 경우에도 쓰임)

□ 정면 충돌하다   *have a head-on collision* = *hit sb[sth] head-on*
□ 차를 옆으로 들이받다   *hit the side of a car*
□ 차가 완전히 망가지다   *the car is smashed[totaled, wrecked]*
□ 부상을 입다   *be injured*
□ 안전거리를 유지하다   *maintain a safe distance between one's car and the car ahead*

Small Talks

1. A: 며칠 전에 (당신에게) **교통사고가 났다**면서요?

B: 네. 제 차의 브레이크가 말을 안 들어 **3중 추돌을 했**어요.

A: I heard that you **had a traffic accident** a few days ago?

B: Yes. My brakes didn't work and I **had a three-car rear-end collision[accident].**

2. A: 어젯밤에 하마터면 **사람을 칠** 뻔했어요.

B: 큰일날 뻔했네요. 비가 너무 많이 와서 그랬나 보죠?

A: 네. 밤에 비가 오니까 앞이 잘 안 보이더라구요.

A: Last night I almost **hit someone**.

B: That would have been terrible. Was it because it was raining so much?

A: Yes. Since it was raining at night, I couldn't see ahead very well.

3. A: 저기 플래카드에 뭐라고 적혀 있어요?

B: 며칠 전 트럭 한 대가 사람을 치고 **뺑소니 친 것을** 목격한 사람을 찾는다는 거네요.

A: What's written on that placard over there?

B: It says they're looking for anyone who saw a truck driver **hit** someone **and run** a few days ago.

Tips

교통사고 났을 때 조치방법은?

사고가 났을 경우에는 목격자를 확보하는 것이 중요하다. 목격자가 없을 때는 경찰과 보험회사에 바로 연락하고 상대방 운전자에게는 면허증 제시를 요구한다. 면허증은 물론 차량번호, 보험회사의 이름과 보험증권번호(policy number)도 기입해두는 게 좋다. 이 때 주의할 것은 자기 과실이라 할 지라도 절대 "I'm sorry."라고 해서는 안된다는 점이다. "I'm sorry."라고 하면 과실을 인정하는 것이 되어 모든 손해배상을 해야 한다.

4. A: **차가** 왜 이렇게 **찌그러졌어요**?

B: 제가 운전하면서 졸다가 앞차를 받았어요.

A: 아주 천천히 달리고 있었나 보네요. 안 다친 걸 보니.

A: Why **is the car** so **bent up**?

B: I fell asleep at the wheel and crashed into the car in front of me.

A: You must have been going very slowly judging from the fact that you weren't hurt.

사건·
사고

교통사고 II

□ 도랑에 빠지다
**1. _____ into a
ditch**

□ 구덩이에 바퀴가 빠지다
**the car gets stuck
in a hole[a ditch]**

□ 빗길에 미끄러지다
**slip[skid] on a wet
road**

□ 차가 인도로 뛰어들다
**the car runs up on
the sidewalk**

□ 차가 난간을 받고 추락하다
**the car hits the rail
and 2. _____ (over
the edge)**

□ 교통사고를 목격하다
**3. _____ a traffic
accident**

□ 기차가 탈선하다
**the train gets
derailed**

More Expressions

□ 눈길에 미끄러지다	*slip[skid] on an icy road*
□ 타이어가 펑크나다	*the tire goes flat[blows out] = have a flat tire*
□ 펑크를 때우다	*fix a flat tire*
□ 다른 차가 내 차를 뒤에서 받았다	*a car hit my car from behind = a car crashed into my car from behind*
□ 내 차가 앞차를 받았다	*I hit[crashed into] a car in front*

Small Talks

1. A: 오늘따라 라디오에서 교통사고 소식이 많이 나오네요.

B: 비가 오면 **빗길에 미끄러지는** 차가 많잖아요.

A: *A lot of traffic accidents are being reported on the radio today.*

B: *When it rains, a lot of cars **slip on the wet road**.*

2. A: 옆에 지나가는 차의 사람들이 뭐라고 하는 거지?

B: 잘 모르겠지만, 우리 차의 타이어에 뭔가 이상이 있다고 그러는 것 같아.

A: 그럼 차 세워 보자. 혹시 **타이어에 펑크가 났는지** 보게.

A: *What are those people yelling to us in that car going by?*

B: *I'm not sure, but it sounds like they're saying something is wrong with one of our tires.*

A: *Then let's stop and see whether **one of the tires is going flat**.*

3. A: **교통사고를 목격하신** 적 있으세요?

B: 아니요. 별로 보고 싶지도 않아요.

A: *Have you ever **witnessed a traffic accident**?*

B: *No, and I don't particularly want to.*

4. A: 저희 아버지는 길을 걸을 때는 항상 차도에서 멀리 떨어져 걸으라고 말씀하세요.

B: 왜 그러시는데요?

A: **차가 갑자기 인도로 뛰어드는** 일이 종종 있기 때문이라고 하시더군요.

A: *My father says that when I walk along the sidewalk, I should always walk on the side farthest from the road.*

B: *Why does he say that?*

A: *Because he says that sometimes **a car** can suddenly **run up on the sidewalk**.*

5. A: 제가 자전거를 처음 배울 때는 사고도 여러 번 냈어요.

B: 저도요. 한번은 **도랑에 빠진 적도** 있어요.

A: *When I was first learning to ride a bike, I had several accidents.*

B: *Me, too. Once I even **went into a ditch**.*

□ 불이 나다
a fire breaks out

□ 불을 지르다
1. _____ on fire

□ 비상벨을 울리다
2. _____ the
emergency alarm

□ 소방서에 신고하다
call the fire station

□ 소방차가 출동하다
**the fire truck
[engine] takes off**

□ 소방차가 사이렌을 울리며
지나가다
**the fire truck
[engine] passes by
with the siren on**

· set on fire
= *set fire to*

□ 옷에 불이 붙다
one's clothes
3. _____ fire

□ 소화기로 불을 끄다
**put a fire out with
a fire extinguisher**

More Expressions

□ 불을 내다	*start a fire*
□ 소화기를 뿌리다	*spray with a fire extinguisher*
□ 입으로 불어서 불을 끄다	*blow a fire out*
□ 발로 밟아 불을 끄다	*stamp a fire out*
□ 화재를 신고하다	*call in a fire = report a fire*

Small Talks

1. A: 부모들은 성냥같은 것들을 어린 아이들 손에 안 닿게 보관해야 돼요.

B: 지당한 말씀이에요. 저도 어릴 때 성냥을 가지고 놀다가 **불을 낼** 뻔했거든요.

A: *Parents have to keep things like matches out of the reach of children.*

B: *What you're saying is very right. When I was young, I almost* **started a fire** *playing with matches.*

2. A: **화재를 신고하려면** 몇 번을 눌러야 하죠?

B: 119요.

A: *What number do you dial to* **call in a fire**?

B: *Dial 119.*

3. A: 어제 **비상벨이 울려서** 깜짝 놀랐어요.

B: 저도요. 누가 장난으로 비상벨을 울렸다는군요.

A: *Yesterday* **the emergency alarm rang** *and startled me terribly.*

B: *Me, too. They said someone rang it as a joke.*

Tips

화재신고는 어떻게 하나?

각 가정에는 소화기와 연기 탐지기를 갖추고 있어야 한다. 작은 불이면 직접 소화기로 끄면 되지만, 큰불이 나면 재빨리 집 밖으로 나와서 '911'에 신고해야 한다. 모든 응급전화가 '911'이므로 "I want to report a fire."라고 말하고 정확한 위치를 알려주도록 한다.

사건·사고
화재 II

□ 불길이 타오르다
the flames are
1. _____

□ 연기가 피어오르다
the smoke is
rising

□ 다른 사람에게 살
려달라고 외치다
call out for sb
to save one

□ 연기에 질식하여 죽다
die from smoke
inhalation

· call out for sb to
save one
= scream, "Save me"

· die from smoke
inhalation
= suffocate

· control[contain] the
fire[the flames]
= stop the fire[the
flames] from
spreading

· spray water with a
hose
= hose (down)

□ 불길을 잡다
control[contain]
the fire[the
flames]

□ 사다리를 오르다
go up the
ladder

□ 호스로 물을 뿌리다
2. _____
water with a
hose

□ (소방용) 신축 사다리
를 올리다
3. _____ the
extension
ladder

□ 사람들을 안전한 곳으로 대피
시키다
take people to safety

□ 비상구를 통해 탈출하다
escape via the fire exit
[escape]

More Expressions

□ 불길이 번지다   *the flames are spreading*
□ 담요로 쳐서 불을 끄다   *beat a fire out with a blanket*

Small Talks

1. A: 저기 보세요! **연기가 피어오르고** 있어요. 불이 났나 봐요.

B: 괜찮아요. 저건 추수가 끝나고 논을 태워서 생기는 연기에요.

A: *Look over there! There's **smoke rising**. There must be a fire.*

B: *It's all right. That's the smoke from the rice fields being burned after the harvest.*

2. A: 만약 불이 났는데, 소화기가 없으면 어떡하죠?

B: 큰 불이 아니면 **호스로 물을 뿌리든가** 젖은 **담요로 쳐서 끄면 돼요**.

A: *What could we do if a fire started and we didn't have a fire extinguisher?*

B: *If it's not a big fire, we could **spray water** on it **with a hose or beat it out with a** wet **blanket**.*

3. A: 며칠 전에 일어난 산불이 아직도 진화가 안 됐다면서?

B: 응. 계속 바람이 강하게 불어서 **불길을 잡을** 수가 없대.

A: *The forest fire which started a few days ago still hasn't been put out, isn't that so?*

B: *Yes. The wind keeps blowing hard and they can't **control the flames**.*

4. A: 강원도 국립공원에 불이 나서 어쩌면 좋아요?

B: 정말 걱정이에요. 날씨가 건조해서 **불길도** 금방 **번질** 텐데.

A: *A fire has started in Kangwon-Do National Park. What can be done?*

B: *It really worries me. The weather is so dry that **the flames** will probably **spread** quickly.*

31
사건·사고
침몰

□ (배가) 침몰하다
sink

□ (배가) 암초에 걸려
난파되다
be wrecked on
a reef

□ 기울다
lean (over)

□ (배가) 진복되다
flip[tip] over

□ 물에 빠지다
1 _____ in
the water

□ 구명보트에 타다
board[get on]
a lifeboat

□ 구조신호를 보내다
2. _____ an
emergency[a
rescue] signal

□ 표류하다
drift

· lean (over)
= tilt (over)

· flip[tip] over
= capsize

□ 익사하다
be drowned

□ 파도에 밀려 바닷가에 닿다
be 3. _____ ashore

More Expressions

□ 물 속에서 허우적거리다   flail one's arms to get out of the water

1. fall   2. send   3. washed

Small Talks

1. **A:** 'Titanic' 영화 봤어?
   B: 아니, 아직.
   A: 난 그 영화를 영원히 못 잊을거야. 특히 서서히 **배가 침몰해 가면서** 끝나던 그 장면은.

2. (Ferry를 타고 여행하는 중에)
   A: 배가 한쪽으로 약간 **기우는 것** 같지 않아요?
   B: 잘 모르겠는데요.
   A: 아니, 확실히 기울고 있어요. 무슨 일인지 물어 봐야겠어요.

3. **A:** 이 구명조끼 안 입으면 안 될까요? 답답해요.
   B: 안돼요. 혹시나 **배가 뒤집어져서 물에 빠지면** 어쩔려구요.

4. **A:** 몇 년 전에 있었던 발해 탐사단 사고는 너무 안 됐어요.
   B: 그들이 조금만 더 빨리 **구조신호를 보냈더라도** 그렇게 끔찍한 결과는 없었을 거에요.

5. **A:** 예전에 어떤 한국사람이 거북이 등 위에서 며칠을 **표류하다가** 구조된 적이 있었어요.
   B: 정말 놀랍군요. 그 사람 진짜 운 좋은 사람이네요.

A: *Did you see the movie "Titanic"?*
B: *No, not yet.*
A: *I'll never be able to forget that movie. Especially that scene at the end with **the ship sinking** slowly.*

(Taking a ferry while traveling)
A: *Doesn't the ship seem to be **leaning** to one side?*
B: *I don't know.*
A: *No, it definitely is leaning. I'll have to ask what's happening.*

A: *Wouldn't it be all right not to wear this life vest? It's very uncomfortable.*
B: *No. I'm worried that **the boat** might **flip over** and you'll **fall in the water**.*

A: *The accident of the Bal Hae explorers that happened a few years ago was really unfortunate.*
B: *If they had just **sent an emergency signal** a little sooner, there wouldn't have been such a tragic result.*

A: *Once, in the past, there was a Korean person who was rescued after he had **drifted** on the back of a turtle for several days.*
B: *It's really amazing. He was truly a lucky person.*

사건·사고
비행기 추락

□ 바다 / 숲에 추락하다
1. _____ into the sea / in the forest

□ 악천후를 만나다
meet bad[poor, foul] weather

□ 비행기가 (좌우로) 흔들리다
the airplane shakes

□ 급상승하다
go up[ascend] suddenly

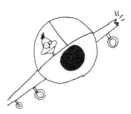

□ 날개가 떨어져 나가다
the wing falls off

□ 기체를 인양하다
pull up[salvage, recover] the plane

· meet bad[poor, foul] weather
= *meet unfavorable weather conditions*

· be hijacked
= *be taken over by hijackers*

□ 피랍되다
be hijacked

□ 관제탑과 연락하다
2. _____ the control tower

□ 연락이 끊기다
3. _____ contact

More Expressions

□ 위 아래로 흔들리다   *bump up and down = experience air turbulence*
□ 급강하하다   *fall down[descend] suddenly*

Small Talks

1. **A:** **비행기가** 왜 이렇게 **흔들리지**?
　　B: 지금 방송이 나오는데. 아, 난기류를 만났대.

A: Why is **the plane shaking** like this?
B: Here's an announcement now. Ah, we've met some air turbulence.

2. **A:** 난 비행기 타는 걸 몹시 싫어해요.
　　B: 왜요?
　　A: 비행기를 타면 당장이라도 **추락할** 것 같은 기분이 들어서요.

A: I really hate taking airplanes.
B: Why?
A: Whenever I take a plane, I feel like it's going to **crash** any minute.

3. (공항에서)
　　A: 저기 보이는 탑처럼 생긴 것은 뭐에요?
　　B: 저건 **관제탑**이에요. 모든 비행기가 이착륙 전에 저 곳과 **연락을 해요**.

(In the airport)
A: What's that thing over there that looks like a tower?
B: That's **the control tower**. All the planes **contact** there before taking off or landing.

4. **A:** 어제 보잉 747기는 왜 추락했대요?
　　B: 신문에서 봤는데 **악천후를 만났기** 때문이래요.
　　A: 얼마 전에는 비행기 한 대가 **피랍되더니** 이번에는 추락 사고가 나니 참 안 됐네요.

A: Why did the 747 Boeing jet crash yesterday?
B: I read in the paper that the crash happened because the plane **met bad weather**.
A: It's a shame that a plane **was** just **hijacked** a short while ago and now another plane has crashed.

31 사건·사고
응급구조활동

□ 붕대를 감다 / 풀다
1. _____ with a bandage / unwrap the bandage

□ 정신을 잃지 않게 환자에게 계속 말을 걸다
keep talking to the patient to keep him[her] conscious[alert]

□ 팔에 부목을 대다
put a splint on the arm

□ 산소 마스크를 씌우다
put on an oxygen mask

□ 생존자를 찾다
look for survivors

□ 인공호흡을 하다
carry out[do] artificial respiration

· carry out[do] artificial respiration
= *do mouth-to-mouth resuscitation*

□ 옷을 느슨하게 풀다
loosen one's clothes

□ 눈꺼풀을 뒤집어 보다
2. _____ up sb's eyelid

□ 수혈하다
give a blood transfusion

More Expressions

□ 부러진 뼈를 맞추다   *set the broken bone(s)*
□ 환자를 들것에 눕히다   *lay the patient on the stretcher*
□ 수혈 받다   *get[receive] a blood transfusion*
                              = have a blood transfusion

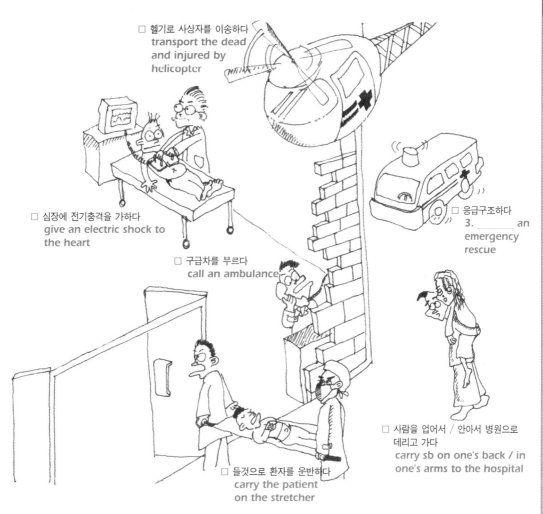

□ 헬기로 사상자를 이송하다
**transport the dead
and injured by
helicopter**

□ 심장에 전기충격을 가하다
**give an electric shock to
the heart**

□ 구급차를 부르다
call an ambulance

□ 응급구조하다
3. _____ *an*
**emergency
rescue**

□ 들것으로 환자를 운반하다
**carry the patient
on the stretcher**

□ 사람을 업어서 / 안아서 병원으로
데리고 가다
**carry sb on one's back / in
one's arms to the hospital**

More Expressions

□ 응급조치를 취하다   *carry out first aid = do first aid*
□ 환자를 구급차에 싣다   *move the patient to the ambulance*

1. A: 물에 빠진 사람을 구했을 때, **인공호흡을** 어떻게 **하는지** 아니?

   B: 아니, 잘 몰라. 그런데 그건 왜 물어 보는 거야?

   A: 지금 응급조치에 관한 보고서를 쓰고 있거든.

A: *When a person who has fallen in the water is rescued, do you know how to **carry out artificial respiration**?*

B: *No, not well. But why are you asking that?*

A: *I'm writing a report on first aid.*

2. A: 안색이 안 좋아 보이네요. 어디 아프세요?

   B: 소화가 잘 안 돼요. 점심을 너무 급하게 먹었나 봐요.

   A: 그렇다면 **옷을** 약간 **느슨하게 풀고** 쉬도록 하세요.

A: *Your color isn't good. Are you ill?*

B: *I have indigestion. It seems I ate lunch too fast.*

A: *Then **loosen your clothes** a little and rest.*

3. A: 어제 우리나라 축구선수가 상대편 선수에게 너무 심하게 태클당하는 거 봤니?

   B: 응. 결국 **들것에 실려** 나갔잖아.

A: *Did you see our soccer player being tackled brutally by the player on the other team yesterday?*

B: *Uh huh. In the end they had to **carry** him out **on a stretcher**.*

Tips

응급구조활동과 연락은 어떻게 하나요?

미국은 많은 도시에 의료구조대가 있어 '911'에 연락만 하면 곧바로 도움을 받을 수 있다. 구조대원들은 환자를 도와 병원 응급실까지 동행해준다. 또 전화번호부에 각기 다른 상해에 대한 응급전화번호가 나와 있는 '응급치료(first aid)'란이 있으므로 참고하면 된다.

4. A: 너 **헌혈한** 적 있니?

   B: 응, 몇 번 해 봤어. 헌혈해도 건강에는 아무 문제 없더라.

A: *Have you ever **given blood**?*

B: *Uh huh, several times. Giving blood doesn't cause any health problem.*

5. A: 몇 년 전에 있었던 삼풍백화점 붕괴사고 기억나세요?

B: 니디미다요. 그 때 **생존자를 찾는** 자원봉사를 2주일간 했었거든요.

A: 정말 대단하시네요.

A: *Do you remember the collapse of the Sam Poong Department Store a few years ago?*

B: *Of course I remember. For two weeks I volunteered to **look for survivors**.*

A: *You're really incredible.*

6. A: 어제 등산하다가 발목을 다쳤어요.

B: 그랬군요! 전 당신이 목발을 짚고 와서 깜짝 놀랐어요.

A: 그래서 같이 간 제 친구가 **저를 업어서 병원까지 데리고 갔어요.**

B: 세상에! 발목이 삔 거였어요 아니면 부러진 거였어요?

A: 친구가 아무래도 발목이 부러진 것 같다면서 우선 **부목을 대줬어요.**

B: 그 친구는 **응급조치를** 어떻게 **하는지** 잘 아나 봐요.

A: *Yesterday while mountain climbing, I injured my ankle.*

B: *Is that what you did? When you came in on crutches, I was really surprised.*

A: *The friend who was with me **carried me on his back to the hospital**.*

B: *My goodness! Was your ankle sprained or broken?*

A: *My friend thought it was broken and **put a splint on** it first.*

B: *Your friend seems to know how to **do first aid**.*

7. A: 누가 갑자기 아프거나 다치면 어떻게 하는게 좋죠?

B: 제일 좋은 방법은 119에 연락해서 도움을 청하든가 **구급차를 부르는** 거예요.

A: *What should be done if someone suddenly gets ill or injured?*

B: *It's best to call 119 and to ask for help or to **call an ambulance**.*

□ 집을 보러 다니다
look at houses

□ 집 안을 이리저리 둘러보다
look all around the house

□ 계약을 하다
1. _____ a contract

· look at houses
= *look for a house*
= *go house-hunting*

· look all around the house
= *look here and there in the house*

· pay a security deposit
= *put down a security deposit*

· rent out a house
= *put out a house for rent*

□ 보증금을 내다
pay a security deposit

□ 전화를 취소하다
2. _____ a telephone

□ 전기를 연결하다
connect[hook up] the electricity

□ 집세를 내다
pay rent

□ 세놓다
3. _____ out a house

□ 이민 가다
emigrate

More Expressions

□ 보증금을 돌려받다   *get the security deposit back*
□ 전화를 신청하다   *apply for a telephone*
□ 전기를 끊다   *disconnect the electricity*
□ 세 들다   *rent a house*
□ 이민 오다   *immigrate*

Small Talks

1. A: 주말에 **집을 보러 다닌** 것은 어떻게 됐나요?

B: 방 세 개 짜리 근사한 집을 여럿 봤는데 집세가 모두 벅차더라구요.

A: 아무래도 방 두 개 짜리 좀 더 작은 집으로 정해야겠네요.

A: How did you make out to **look at houses** over the weekend?

B: We found several nice three-bedroom houses, but all the rents are higher than we can afford to pay.

A: Maybe you'll have to settle for a smaller two-room place.

2. A: 이 근처에서 집을 사려고 하는데 뭐 충고할 거라도 있니?

B: 응, 결정하기 전에 반드시 **집을 꼼꼼하게 둘러봐야** 해. 내 친구 중에 한 명은 집을 샀다가 나중에서야 벽에는 온통 흰개미 투성이고 지하실에는 물이 차 있는 것을 발견했대.

A: I'm planning to buy a house around here. Any advice?

B: Yeah, be sure to **look all around the house** very carefully before you decide. A friend of mine bought a house and later discovered the walls were full of termites and the basement was flooded.

3. A: 전기회사에서 너네 집 **전기를 끊어버렸**다며.

B: 그거 믿겨지냐? 나한테 사전 통보도 하지 않고 말야. 가서 그 이유를 알아 봤더니 내가 전기세를 6개월 동안 내지 않았다는 거야. 사실은 다 냈거든.

A: 그럼 영수증을 보여주지 그래.

B: 그럴 수가 없으니 문제지, 다 버렸거든.

A: I heard the electric company **disconnected** your **electricity**.

B: Can you believe it? They didn't even give me any prior notice. When I went there to find out why, they said I didn't pay my electric bill in six months. In fact, I paid everything.

A: So just show them the receipts.

B: I can't, I threw them away.

Tips

'rent', 'hire', 'lease'가 각각 어떻게 다를까

'rent'는 영국에서는 토지, 가옥, 사무소, 방 등을 빌릴 때 쓰고 그 이외의 경우는 'hire'를 쓰는데 비해, 미국에서는 토지, 가옥, 기계, 배 등에 구별 없이 'rent'와 'hire'가 모두 쓰인다. 'lease'는 계약(lease)에 의해 토지, 가옥, 공장 등을 대여한다는 의미이다. 차를 잠시 빌리는 것은 rent a car이고 계약에 의해 일정기간 빌리는 것은 lease a car라 한다.

4. A: **집을 세놓고** 조그만 아파트로 이사갈까 해.

B: 좋은 생각인데.

A: 그렇지, 이제는 더 이상 그렇게 큰 집이 필요가 없어. 그리고 내가 받는 집세가 내가 지불해야 할 집세의 두 배나 될테고.

A: I'm thinking to **rent out** my **house** and move to a small apartment.

B: That makes a lot of sense.

A: Yeah, I don't need such a large house anymore, and the rent I receive will be double the rent I'll be paying.

32 이사가기

이사 II

 ☐ 이삿짐센터를 부르다
call a moving company

 ☐ 짐을 싸다 / 풀다
1. _____ /
unpack one's belongings

 ☐ 물건을 박스에 넣다
box sth up

 ☐ 짐을 차에 싣다
2. _____
things on the truck

 ☐ 이사가다 / 오다
move out / in

 ☐ 짐을 내리다
unload things

 ☐ 곤돌라로 짐을 올리다 / 내리다
send things up / down on the gondola

 ☐ 가구를 제자리에 갖다 놓다
3. _____ the furniture

· put (the) wallpaper on the wall
= *put up (the) wall-paper*
= *wallpaper (the wall)*

  ☐ 침대를 벽에 붙이다
put the bed right up against the wall

 ☐ 도배하다
put (the) wallpaper on the wall

More Expressions

☐ 유리잔을 신문지로 싸다   *wrap glasses with newspaper*
☐ 침대와 테이블을 붙여놓다   *put the bed table right next to the bed*
☐ 침대와 테이블을 떼어놓다   *leave space between the bed and the bed table*

1. pack　2. load　3. arrange

Small Talks

1. A: **이사갈** 준비는 다 됐어?
B: 어느 정도는.
A: **이삿짐센터는 불렀어?**
B: 그럼. **내 짐만 싸면** 돼.

A: Are you all ready to **move out**?
B: Pretty much.
A: Did you **call the moving company**?
B: Of course. I just need to **pack my belongings**.

2. A: **짐을 차에** 다 **실었어요.**
B: 빠진 것은 없는지 확인해 보셨어요?

A: Everything is **loaded on the truck**.
B: Did you check to make sure nothing has been left behind?

3. A: 이 모든 짐을 어떻게 6층까지 운반할 거예요?
B: **곤돌라로 올리면** 돼요.

A: How are we going to move all these to the sixth floor?
B: We can **send them up on the gondola**.

4. A: 이 침대는 어디에 놓을까요?
B: 저 쪽 **벽에 딱 붙여서 놓아**주세요.

A: Where should I put this bed?
B: Please **put it right up against the wall** over there.

Tips

전화의 신청과 반납은?

미국은 도시마다 전화회사가 달라서 전화를 신청하려면 자신의 거주지역에 어떤 전화회사가 들어와 있는지를 알아야 한다. 그 지역의 전화번호부를 찾아보거나 0번을 눌러 교환원(operator)에게 물으면 되는데, 보통은 이처럼 전화로 신청하지만 전화회사에 직접 찾아가서 신청할 수도 있다. 설치할 때는 보증금(deposit)을 요구하지 않는다.

5. A: **거실 도배**했니?
B: 아니, 아직. 벽지만 골라놨어.

A: Did you **wallpaper the living room**?
B: No, not yet. I just chose the wallpaper.

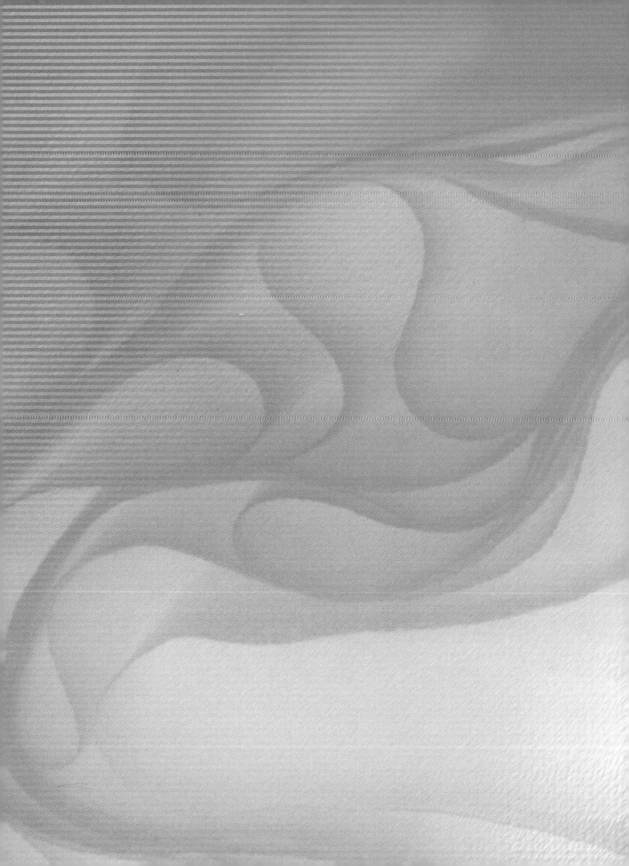

Chapter three

각종행사를 중심으로

33 명절 지내기

명절 지내기 |

□ 고향으로 내려가다
go to[visit] one's hometown

□ 가족들이 함께 모이다
families 1. _____ together

□ 한복을 입다
wear a traditional Korean dress [outfit]

□ 옷고름을 매다
2. _____ the front ribbons

□ 제사상을 차리다
prepare the table for the memorial service

□ 음식을 층층이 쌓아 담다
arrange the food in tiers

□ 향을 피우다
burn incense

□ 술을 따르다
pour drinks

· have a memorial service for one's ancestors
= *have a religious ceremony for one's ancestors*

□ 술잔을 향 주위로 돌리다
3. _____ the drink in a circle over the incense

□ 조상님들에게 차례를 지내다
have a memorial service for one's ancestors

Small Talks

1. A: 한국에서도 추수감사절날 **가족들이 함께 모이나요?**

B: 그럼요. 추서에는 **고향으로 내려가는** 차량들로 고속도로가 끔찍하게 막혀요.

A: Do **families gather together** on Thanksgiving Day in Korea, too?

B: Of course. On Chusok the highways are terribly congested with cars of people **going to their hometowns**.

2. A: **한복은 입는** 법이 매우 복잡한 것 같아요.

B: 그렇지 않아요. 단지 **옷고름 매는** 법이 좀 어렵지요.

A: **Wearing a traditional Korean dress** seems quite complicated.

B: Not really. Just **tying the front ribbons** is a little difficult.

3. A: 한국사람들은 추석때 무엇을 합니까?

B: 가족들이 함께 송편도 빚고, **조상님들에게 차례도 드리죠.**

A: What do Korean people do on Chusok?

B: We make a special kind of rice cake, song pyun, together and **have memorial services for our ancestors**.

4. A: 왜 차례상에는 **음식을 층층이 쌓아 담는** 건가요?

B: 글쎄요. 확실하지는 않지만, 조상님들이 오셔서 많이 드시라는 의미인 것 같아요.

A: Why do you **arrange the food in tiers** on the offering table?

B: Well, I'm not sure, but I think it has the meaning of inviting the ancestors to eat a lot.

5. A: 차례 지낼 때 **향도 피우나요?**

B: 그럼요. 어떤 분들은 술을 따라서 **향 주위로** 세 번 **돌린** 다음 상에 놓아요.

A: 정말요? 그게 무슨 의미죠?

B: 술에 있을런지 모르는 독을 제거하기 위한 거라고 들었어요.

A: Do you **burn incense** during the memorial service?

B: Yes. Some people take wine and **move** it **in a circle** three times **over the** burning **incense** before offering it.

A: Really? What does that mean?

B: I heard it's to get rid of any poison which might be in the wine.

Tips

미국의 큰 명절은?

제도적으로는 국경일 (national holidays)이라는 것이 없지만 전국적인 법정 공휴일은 다음과 같다.

① New Year's Day
  (1. 1)
② Martin Luther King,
  Jr's Birthday
  (1월 셋째주 월요일)
③ Presidents Day
  (2월 셋째주 월요일)
④ Memorial Day
  (5월 마지막주 월요일)
⑤ Independence Day
  (7. 4)
⑥ Labor Day
  (9월 첫째주 월요일)
⑦ Columbus Day
  (10월 둘째주 월요일)
⑧ Veterans Day
  (10월 넷째주 월요일)
⑨ Thanksgiving Day
  (11월 넷째주 목요일)
⑩ Christmas
  (12. 25)

명절 지내기
명절 지내기 II

☐ 큰절하다
do a full[complete] bow

☐ 성묘하러 가다
1. _____ one's ancestors' graves [tombs]

☐ 벌초하다
cut the weeds around the graves

☐ 세배하다
greet sb with a full [complete] bow as a New Year's greeting

☐ 세뱃돈을 주다
2. _____ New Year's (greeting) money

☐ 윷놀이를 하다
play Yut

· do a full[complete] bow
= *bow down on one's hands and knees*

· visit one's ancestors' graves[tombs]
= *worship at one's ancestors' graves [tombs]*

☐ 윷을 던지다
throw the Yut sticks

☐ (화투패)카드를 돌리다
3. _____ the (Korean) cards

☐ 화투를 치다
play Korean cards

More Expressions

☐ (화투패)카드를 뒤집다 *turn the (Korean) cards over*

　1. visit　2. give　3. deal

Small Talks

1. A: 한국사람들은 설날에 무엇을 하나요?

B: 우선, 어른들께 **세배를 드려요**. 그러면 어른들은 **세뱃돈을 주지요**.

A: 그거 아주 재미있는 풍습이네요.

A: *What do Korean people do on New Year's Day?*

B: *First of all, we **greet** our elders **with a full bow**. Then the elders give us **New Year's greeting money**.*

A: *That's an interesting custom.*

2. A: 차가 왜 이렇게 막히지요?

B: **성묘하러 가는** 사람들이 많아서 그럴 거예요.

A: 가서 거기서 뭐하는 데요?

B: 대개 간단하게 음식을 놓고 **절을 한** 다음, **벌초를 하죠**.

A: *Why is the traffic jammed like this?*

B: *It's probably because a lot of people are going to **visit their ancestors' graves**.*

A: *What do they do there?*

B: *They usually put out some simple foods and **bow down on their hands and knees**, and then they **cut the weeds around the graves**.*

한국과 다른 미국의 크리스마스와 제야의 밤!

대개 한국인들은 크리스마스 이브와 크리스마스를 집 밖에서 보내지만, 미국인들은 저녁예배에 참석하거나 가족과 함께 보낸다. 따라서 이때는 방문이나 전화를 삼가는 게 좋다. 반면에 가족과 함께 조용히 제야의 밤을 보내는 한국인과 달리 미국인은 친구들과 어울려 파티를 열곤 하는데 술 마시고 춤추다가 마침내 새해가 시작되는 순간에 샴페인을 터뜨려 축하하는 것이 전통이다.

3. A: 한국의 전통적인 놀이에는 뭐가 있나요?

B: 많아요. 예를 들면, 설날에는 사람들이 **윷놀이를 하지요**.

A: 어떻게 하는 건데요?

B: 네 개의 **윷을 던져서** 나오는 패에 따라서 윷판의 말을 옮기는 거예요. 네 개 다 먼저 들어오는 팀이 이기는 거죠.

A: *What traditional Korean games are there?*

B: *There are lots of them. For example, on New Year's Day, people **play Yut**.*

A: *How do you play it?*

B: *You **throw the** four **Yut sticks** and according to how the sticks land, you move the playing pieces on the Yut board. The one who gets all their pieces home first wins.*

34 결혼식

결혼식

- □ 청첩장을 돌리다
  send out invitations

- □ 살림살이를 장만하다
  1. _____ **household goods (for a new house)**

- □ 야외 촬영을 하다
  take pictures outside

- □ 축의금을 내다
  give a monetary gift[gift of money]

- □ 입구에서 하객들을 맞다
  2. _____ **the guests at the entrance**

- □ 주례를 서다
  officiate at a wedding

- □ 비디오 촬영을 하다
  film a video

- □ 결혼식 사회를 보다
  be the master of ceremonies for the wedding

- □ 맞절하다
  bow to each other

· film a video
= *take a video*
= *make a video*

· be the master of ceremonies for the wedding
= *emcee[mc] at the wedding ceremony*

More Expressions

□ 성냥을 켜다 / 긋다	*light / strike a match*
□ 성냥을 흔들어 끄다	*shake a match to put it out*
□ 청첩장을 받다	*receive an invitation*
□ 신랑 / 신부 들러리를 서다	*be a best man / bridesmaid*
□ 케이크를 자르다	*cut the cake*
□ 신부가 입장하다	*the bride and the father march down the aisle*
□ 반지를 끼워주다	*put the ring on sb's fingers*
□ 촛불에 불을 붙이다	*light the candles*

1. buy 2. greet 3. lift 4. exchange 5. decorate

□ 축가를 부르다
**sing a
congratulatory
song**

□ 신부의 면사포를 올리다
**3. _____ the
bride's veil**

□ 혼인 서약을 하다
**recite the
marriage vows**

□ 예물을 교환하다
**4. _____
wedding presents**

□ 폭죽을 터뜨리다
set off a firecracker

□ 신랑, 신부 행진하다
**the bride and groom
parade[march] out**

□ 부케를 던지다 / 받다
**throw / catch the
bouquet**

□ 신혼 여행을 떠나다
**go[leave] on one's
honeymoon**

□ 폐백을 드리다
**greet the elders of
the groom's family**

□ 피로연을 열다
**have[hold] a
wedding banquet**

□ 차를 풍선과 색 테이프로 꾸미다
**5. _____ the car with
balloons and colored tape**

More Expressions

□ 케이크를 나누어주다   *serve the cake*
□ 촛불을 입으로 불어서 끄다   *blow out the candles*

1. **A:** 한 지우씨 결혼 선물로 뭘 하면 좋을까
요?

B: 전 그냥 **축의금으로 내려고** 해요. 그러면 필요한 것을 살 수 있을테니까요.

A: What would be a good wedding present for Mr. Han Ji-woo?

B: I'm just going to **give a monetary gift** because then they can buy what they need.

2. **A:** 한국에서는 결혼식을 어떻게 합니까?

B: 미국과 거의 같아요. 단지, **들러리를 서지 않는다는** 것만 빼고는요.

A: How are weddings done in Korea?

B: They're almost the same as in America. Except there **is** no **bridesmaid or best man**.

3. **A:** 왜 **부케 받으러** 나오는 사람이 한 명밖에 없어요?

B: 한국에서는 신부가 부케 받을 사람을 미리 정해줘요.

A: 그것 참 이상하군요. 많은 사람들 가운데 한 사람이 받아야 의미가 있지 않을까요?

A: Why is there only one person coming out to **catch the bouquet**?

B: In Korea the bride selects the person to catch the bouquet in advance.

A: That's very strange. Doesn't it have more meaning if one person among many catches it?

미국에서도 결혼식에 축의금을 내나요?

우리와는 달리 축하선물로 축의금을 내는 경우는 특별한 경우를 제외하곤 없다고 봐야한다. 대신 청첩장을 받으면 축하선물을 보내는 것이 예의로 되어 있다. 결혼선물로 수십 개의 커피메이커와 토스터 기가 쌓이는 것을 막기 위해 신부 측은 두세 곳의 상점을 선정하여 받고 싶은 물품의 목록 (wedding registry)을 맡겨두며 이때 축하객은 그 상점에 들러 목록을 보고 자신의 예산에 맞는 품목을 정해서 지불한다.

4. **A:** **축가를 부르는** 사람은 누구입니까?

B: 신랑의 남동생이래요. 참 잘 부르죠?

A: Who's the person **singing the congratulatory song**?

B: It's the groom's younger brother. He sings well, doesn't he?

5. **A:** 한국에서는 목사님뿐만 아니라 보통 사람들도 **주례를 하더군요.**

B: 맞아요. 대학시절 은사님이나 사회에서 인정받고 존경받는 사람도 하죠.

A: I saw that in Korea ordinary people as well as ministers **officiate at weddings**.

B: Right. People such as one's professor in college or someone who is recognized and respected in society do it as well.

6. A: **신혼여행은** 어디로 **갔다 오셨어요**?
　 B: 이태리로 갔다 왔어요.

A: *Where did you go on your honeymoon?*
B: *We went to Italy.*

7. A: '폐백'이 뭐예요?
　 B: 결혼식이 끝나고 나서 신랑 신부가 전통 흔례복으로 갈아 입고 **신랑측 어른들에게 인사드리는** 시간을 말하는 거예요.

A: *What is "pye-baek"?*
B: *It refers to the time after the wedding ceremony when the bride and groom change into traditional wedding costume and **greet the elders of the groom's family**.*

8. A: **피로연은** 어디서 **하나요**?
　 B: 예식장 일 층에서 한대요.

A: *Where is **the wedding banquet held**?*
B: *It's going to be on the first floor of the wedding hall.*

9. A: 한국의 결혼식을 보신 소감이 어떠세요?
　 B: 좋아요. 특히 양가 어머니들이 **촛불에 불을 붙이는** 모습은 참 인상적이었어요.

A: *What's your impression of a Korean wedding?*
B: *It's very nice. It was especially impressive to me to see both of the mothers **lighting the candles**.*

10. A: 미스터 김, 결혼준비는 잘 되어 가고 있습니까?
　　 B: 네, 이제 **청첩장**만 **돌리면** 돼요.

A: *Mr. Kim, are your wedding preparations going well?*
B: *Yes, now all I have to do is to **send out the invitations**.*

파티

파티 준비하기

□ 파티에 초대하다
invite sb to a party

□ 초대할 사람의 명단을 뽑다
1. _____ a list of
people to invite

□ 음식을 장만하다
prepare the food

□ 손님을 맞다
2. _____ guests

□ (각자) 음식을 가져와서
나누어 먹다
**bring the food to
share**

□ 집들이를 하다
**have a house-
warming party**

· have a housewarm-
ing party
cf) *have (an) open
house*

· hold a masquerade
(ball)
= *hold a masked ball*

□ 가장 무도회를 열다
3. _____ a masquerade (ball)

More Expressions

□ (파티)장소를 꾸미다   *decorate the room[place]*

Small Talks

1. **A:** 애기 돌잔치에 몇 명이나 **초대할** 생각이세요?

  B: 요새 경제사정이 안 좋아서, 친척들만 초대할까 해요.

A: *How many people are you thinking of **inviting** to your baby's first birthday party?*

B: *Since the economic situation is so bad these days, I'm thinking of inviting only relatives.*

2. **A:** 이번 주말에 Helen이 **집들이를 한다는데**, 너도 갈래?

  B: 그럴까? 뭐 특별히 준비할 것은 없니?

  A: 모두들 각자 **먹을 것을 가져와서 나누어 먹기로** 했어.

A: *This weekend, Helen is **having a housewarming party**. Do you want to go, too?*

B: *Should I? Is there anything special I should prepare?*

A: *Everyone is supposed to **bring a dish to share**.*

Tips

파티의 종류

형식별로는 디너 파티 (dinner party-각자 요리를 준비해오는 potluck party 포함), 칵테일 파티 (cocktail party), 리셉션 (reception), 가든 파티 (garden party), 티 파티 (tea party)등이 있고, 목적별로는 약혼·결혼 축하 파티, 댄스 파티, 생일 파티, 샤워 파티(shower party: 결혼이나 출산을 앞둔 여성을 위해 친구들이 필요한 물건을 선물하며 즐기는 것)등이 있는데, 이외에 slumber party(아이들이 친구 집에 모여 하룻밤을 보내는 파티), house-warming party(집들이), farewell party(환송 파티), home-coming party(환영 파티), stag party(결혼 전날밤 예비신랑이 친구들과 하는 파티), hen party(예비신부가 여는 파티) 등이 있다.

3. **A:** **음식을** 이렇게 많이 **장만하다니** 정말 애썼다.

  B: 내가 그 회사에 들어가려고 얼마나 노력했는데. (축하 턱으로) 이 정도는 아무 것도 아니지.

A: *You **prepared** so much **food**. You really put in a lot of effort.*

B: *Considering how much effort I made to enter the company, this is nothing.*

파티

파티 즐기기

☐ 사람들을 만나 인사하다
meet people and greet them

☐ 친구를 소개하다
1. _____ a friend

☐ 사람들에게서 빠져 나오다
get away from everyone

☐ A에게 춤을 추자고 청하다
2. _____ A to dance

☐ 무대로 나가다
go up on the stage

☐ 쌍쌍이 춤을 추다
dance as a couple

· go up on the stage
  = *go to the stage*

· cheer
  = *shout joyfully*

☐ 팔짱을 끼고 빙빙 돌다
3. _____ [lock] arms and swing around

☐ 환호하다
cheer

More Expressions

☐ 고개숙여 인사하다   *bow one's head in greeting*
☐ 악수하다   *shake hands*
☐ 볼을 맞대다   *touch cheeks*
☐ 폭죽을 터뜨리다   *set off firecrackers*
☐ 자기 소개를 하다   *introduce oneself*
☐ 큰 원을 만들다   *make a big circle*

Small Talks

1. **A:** 한국사람들은 헤어질 때 어떻게 하나요?
   B: **악수를 하든가** 아니면 그냥 손을 흔들어요. 딩신네요?
   A: 저희 나라에서는 **볼을 맞대요.**

A: What do Korean people do when they part?
D: They **shake hands** or just wave. What do you do?
A: In my country, we **touch cheeks**.

2. **A:** 파티가 너무 조용해. 춤도 추고 노래도 부르고 하면 좋지 않을까?
   B: 그럼 네가 **무대에 나가서** 한 번 흔들어 보지 그래.

A: This party is too quiet. Wouldn't it be nice to dance and sing or something?
B: Then you **go up on the stage** and shake a bit.

3. **A:** 사교춤은 참 재미있어요. 저는 잘 못하긴 하지만.
   B: 저도 정말 좋아해요. 특히 **팔짱을 끼고 빙빙 돌** 때는 어린아이가 된 것처럼 느껴져요.

A: Ballroom dancing is a lot of fun even though I can't do it well.
B: I like it a lot, too. Especially when we **take arms and swing around**, I feel like a child again.

4. **A:** 미스터 김 결혼식 때, 미스터 김이 입장을 하니까 친구들이 다들 **환호하고** 박수치고 난리였어요.
   B: 미스터 김 친구들 중에 재미있는 사람들이 많은가 봐요.

A: When Mr. Kim got married, his friends **cheered** and clapped as he walked down the aisle.
B: There must be some very interesting people among Mr. Kim's friends.

5. (파티장에서)
   A: 왜 **사람들에게서 빠져 나와** 배회를 하세요?
   B: 사람이 너무 많아서인지 모르겠지만 머리가 아프네요.

(At a party)
A: Why are you **getting away from everyone** and wandering about?
B: I don't know whether it's because there are too many people, but I have a headache.

Tips

파티석상에서 유의할 점은?

① 정식 파티 (dinner party)일 경우에는 정장을 한다.
② 저녁 파티는 대개 부부 동반이다.
③ 칵테일 파티는 초청장에 기재된 시간이면 언제라도 괜찮지만 처음부터 끝까지 죽 있는 것은 점잖지 않다.
④ 입식형태의 파티에서 연설 중에는 먹는 것을 중지하고 경청하도록 한다.
⑤ 칵테일 파티나 리셉션에서는 주최자에게 작별인사를 안 해도 된다. 이밖에도 초면인 사람에게 다가가서 대화를 나눌만큼 사교적이어야 하며 아는 사람끼리만 모여 담소하는 것은 금해야 한다.

Chapter four

여가활동을 중심으로

36

문화생활

영화관람 |

□ 영화보러 가다
1. _____ to the movies

□ 표를 사다
buy a ticket

□ 예매하다
buy tickets in advance

□ 환불받다
get a refund

□ 표를 내다
2. _____ one's ticket (to the usher)

□ 군것질거리를 사다
buy snacks

· go to the movies
  = go (to) see a movie

· buy snacks
  = buy sth to nibble [munch] on

□ 배석표에서 자리를 확인하다
check[find] one's seat on the seating chart

□ 자리를 찾아서 앉다
find one's seat and sit down

□ 의자를 내리다
3. _____ the seat down

More Expressions

□ 암표를 사다   *buy a scalped ticket*
□ 환불을 요구하다   *ask for[request] a refund*

Small Talks

1. A: 이번 주 토요일에 **영화보러 가려고** 하는데 같이 갈래요?

B: 어떤 영화를 보실 건데요?

A: 아직 결정하지 못했어요.

A: *This Saturday I intend to **go to the movies**. Would you like to go along?*

B: *What movie are you going to see?*

A: *I haven't decided yet.*

2. A: 지금 가면 '조용한 가족' 표 살 수 있을까?

B: 글쎄, 오늘이 금요일이니까 아마 어려울 거야.

A: 그렇겠지? 이럴 줄 알았으면 **예매해** 두는 건데 그랬어.

A: *If we go now, will we be able to **buy tickets** to "Quiet Family"?*

B: *Well, today is Friday, so it might be difficult.*

A: *Yes, maybe I should have **bought the tickets in advance**.*

3. A: 이 표를 **환불받고** 싶은데요.

B: 죄송하지만, 할인가격으로 사신 것은 환불이 안 됩니다.

A: *I'd like to **get a refund** on these tickets.*

B: *I'm sorry, but tickets bought at a discount can not be refunded.*

미국의 극장에도 초초할인이 있나요?

우리나라와 같은 조조할인제(early-bird prices)를 실시하고 있는 극장은 거의 드물다. 그러나 낮공연 할인 요금제(matinee prices)가 있어 오후 6시 이전에 시작되는 영화나 쇼에 대해서는 할인도 해준다. 영화요금은 영화관이나 상영시간에 따라 다르며 학생과 노인에게는 할인해준다. 또 요일에 따라 상영시간과 회수가 다르고, 주말에는 심야 12시에 상영하는 곳도 있다. 보통 영화관에는 지정석이 없고, 좌석은 예약제가 아니지만 몇몇 극장은 전화로 미리 표를 예매해야 한다.

4. A: **군것질거리를** 좀 **살까**?

B: 그래. 너 뭐 먹고 싶어?

A: 팝콘하고 콜라.

A: *Should we **buy** some **snacks**?*

B: *Sure. What do you want to eat?*

A: *Some buttered popcorn and a coke, please.*

□ 다른 사람이 지나가도록
뒤로 물러앉다
1. _____ back to
let sb pass by

□ 한 칸 더 옆으로 가다
move over one
more (seat)

□ 다른 사람과 자리를 바꾸다
change seats with
another person

□ 팝콘을 먹으며 영화를 보다
watch the movie
(while) eating
popcorn

□ 옆사람과 귓속말로 속삭이다
2. _____ to the
person next to
oneself

□ 앞사람이 화면을 가리다
the person in front
blocks the screen

□ 고개를 쭉 빼고 보다
3. _____ forward
to watch

□ 턱을 괴고 보다
watch with one's
chin in one's hand

Small Talks

1. A: 여기가 우리 자리야?
   B: 아니, **한 칸 더 옆으로 가**.

2. A: 언제부터 우리가 **팝콘 먹으면서 영화보기** 시작했지?
   B: 힝상 그러지 않았나?
   A: 아니야. 내가 학교 다닐 때는 오징어 먹으면서 영화보는 게 유행이었어.

3. A: **앞사람이 화면을 가려서** 잘 안 보여.
   B: 그럼. 나와 **자리를 바꿀래**? 난 앉은키가 커서 괜찮을 거야.

4. A: 옆사람이 그의 친구에게 **귓속말로** 내내 **속삭이는** 바람에 신경이 쓰여서 영화에 집중할 수가 없었어.
   B: (그렇게) 친구와 얘기하려면 영화 보러는 왜 왔대?

Tips

미국에는 극장이 몇 개나 있을까?

전국에 걸쳐 1만 6천여 개의 실내영화관이 있고, 대개 한 극장에 12개 이상의 소극장이 속해 있다. 또 자동차를 타고 관람하는 야외 영화관인 drive-in theater가 약 2천 8백여 개 있는데 요금은 차 한대 당 얼마로 계산된다.

5. A: CGV 영화관 가 봤어?
   B: 아니, 아직. 얼마 전에 새로 생긴 곳이지?
   A: 맞아. 자리가 넓고 편해서 좋아. **다른 사람이 지나가도록 뒤로 물러앉을 필요도** 없고.

A: Are these our seats?
B: No, **move one more over**.

A: When did we start **eating popcorn while watching movies**?
B: Didn't we always?
A: No. When I was in school, eating dried squid while watching a movie was popular.

A: **The person in front** of me is **blocking the screen** so I can't see well.
B: Then would you like to **change seats** with me? I'm taller than you, so it'll be all right.

A: The person next to me bothered me by constantly **whispering**, so I couldn't concentrate on the movie.
B: If he wanted to talk to his friend, why did they come to the movie?

A: Have you been to the CGV movie theater?
B: No, not yet. It just opened up a while ago, didn't it?
A: Right. The seats are wide and comfortable so it's nice. You don't have to **sit back** in your seat **to let someone pass by**.

36

문화
생활
공연 I

☐ 포스터를 붙이다
1. _____ up a poster

☐ A석을 끊다
2. _____ an A class seat

☐ 좌석표를 받다
exchange one's ticket for a ticket with a seat number

☐ 팜플렛을 보다
look at[read] the program

☐ 웅성거리다
be noisy[talkative]

☐ 막이 오르다 / 내리다
the curtain goes up [rises] / 3. _____ down [lowers]

☐ 무대로 나오다 / 들어가다
go on / off stage

☐ (역을 맡아) 연기하다
act

More Expressions

☐ 포스터를 떼다	*take down a poster*
☐ 연기를 잘하다	*act well*
☐ 연기를 못하다	*act poorly*
☐ 주연을 하다	*play a leading part = have a leading role*
☐ 조연을 하다	*play a supporting part = have a supporting role*
☐ …의 임시 대역을 하다	*understudy sb*

Small Talks

1. A: 그냥 이 표를 가지고 공연장으로 들어가면 돼?

B. 이니. 입구에서 **티켓을 좌식표도 바꿔야** 해.

A: Can I just take this ticket and go into the theater?

B. No. At the entrance you have to **exchange it for a ticket with a seat number**.

2. A: 이 **팜플렛** 좀 **봐도** 될까요?

B: 그러세요. 이번 뮤지컬에는 유명한 연극배우들이 많이 나오네요.

A: May I **look at** this **program**?

B: Go ahead. In this musical many famous actors are appearing.

3. A: 뮤지컬 '아가씨와 건달들' 재미있었어요?

B: 너무 재미있어서, **막이 오르는** 순간부터 무대에서 눈을 뗄 수가 없었어요.

A: Was the musical "Guys and Dolls" interesting?

B: It was so interesting that from the moment **the curtain went up** I couldn't take my eyes off the stage.

4. A: Whitney Houston은 가수인데 **연기**도 참 **잘하는** 것 같아.

B: 난 그렇게 생각 안 해. 영화 'Bodyguard'에서는 (연기가) 별로였던 것 같아.

A: Whitney Houston is a singer, but she seems to **act** very **well**, too.

B: I disagree. In the movie "Bodyguard" I didn't think she was so good.

5. A: 왜 이렇게 사람들이 **웅성거리지**?

B: **주인공 역을 맡은** 사람이 과로로 쓰러졌대.

A: Why are people **being** so **talkative**?

B: They say the person **playing the leading part** collapsed from exhaustion.

Tips

쇼비즈니스의 본고장, 미국!

미국에서는 세계의 화제를 모으는 뮤지컬이나 연극이 끊임없이 공연되고 있으며 히트작일 때는 몇 년에 걸쳐 롱런을 계속하기도 한다. 이중 뮤지컬의 본고장 뉴욕에는 타임스 스퀘어를 중심으로 한 브로드웨이 (Broadway : 객석 300이상). 그리니치 빌리지를 중심으로 한 오프 브로드웨이 (off Broadway:객석 100-299). 또 오프오프 브로드웨이(off-off Broadway:객석 99까지) 등으로 불리는 소극장들이 수없이 많다. 브로드웨이에 오르기 전 수많은 신작 뮤지컬이 예행연습으로 장기 공연되며 이런 공연지를 트라이아웃 타운(tryout town)이라 부른다.

36 문화생활 공연 II

□ 음악을 연주하다
play music

□ 지휘하다
conduct (sth)

□ 박수치다
clap (sb/sth)

□ 단원들을 일으켜 세우다
have the members
1. _____ up

□ 휘파람을 불다
whistle

□ 앙코르를 요청하다
2. _____ "encore"

· play music
  = *perform music*

· conduct (sth)
  = *direct the performance*

· clap (sb/sth)
  = *applaud (sb/sth)*

□ 발을 구르다
stamp one's feet

□ 출구 / 입구로 우르르 몰리다
3. _____ to the exit
/ entrance

□ 서로 먼저 나가려고 밀치다
push and shove
one's way through

More Expressions

□ 독주하다   *do a solo = give a solo performance*
□ 기립박수를 치다   *give a standing ovation*
□ 우뢰와 같은 박수갈채를 보내다   *give sb a thunderous applause = give sb a big*
                                  hand

Small Talks

1. **A:** 역시 정 명훈은 세계적인 음악가인 것 같아.

  B: 맞아. 지난 번 그의 공연에시 미지막에 모든 사람들이 **기립박수를 칠** 때 나도 그것을 느꼈어.

  A: **지휘도** 잘 **히고** 피아노도 잘 치고 얼미나 좋을까!

A: Chung Myung-hoon really seems to be a world class musician.

B: Right. Last time at the end of his performance when all the people **gave** him **a standing ovation**, I could feel that.

A: How great it must be to both **conduct** and play the piano well!

2. **A:** 사람들이 왜 **입구로 우르르 몰려 가지**?

  B: 좋은 자리를 잡으려고 그러는 거겠지 뭐.

A: Why are people **rushing to the entrance**?

B: It's because they want to grab a good seat.

3. **A:** 이것 좀 봐. Kenny G.가 27일부터 30일까지 세종문화회관에서 공연을 한대. 우리 가 볼까?

  B: 싫어, 별로 가고 싶지 않아. 분명히 십대 팬들이 몰려 와서 소리지르고 **휘파람 불고 발을 구르고** 하는 통에 정신이 하나도 없을 거야.

A: Look at this. It says Kenny G. will give a concert at Sejong Cultural Center from the 27th through the 30th. Should we go?

B: No, I don't want to. Teenagers will gather there, and it'll be wild because they scream, **whistle** and **stamp their feet**.

전시회

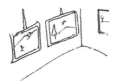

□ 작품을 전시하다
exhibit a work

□ 그림을 걸다
1. _____ a picture

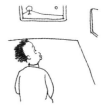

□ 천천히 걸으면서 전시장을 둘러 보다
walk slowly around the exhibition hall

□ 그림을 자세히 들여다 보다
look at a picture in detail

□ 작품을 감상하다
appreciate a work

□ 작품에 대해 설명하다
2. _____ about a work

· look at a picture in detail
= *examine a picture carefully*
= *look hard at a picture*

· explain about a work
= *give explanations about a work*

□ 작품을 손으로 만지다
3. _____ a work

□ 줄을 지어 구경하다
form a line to look at (sth)

More Expressions

□ 가이드의 설명을 들으며 작품을 감상하다   *go on a guided tour*
□ 그림을 내리다   *take down a picture*
□ 그림을 거꾸로 걸다   *hang a picture upside down*

Small Talks

1. (전시회에서)

A: 혹시 이 **그림 거꾸로 건** 것 아닐까?

B: 그렇게 무식한 소리는 아시 마. 닌 수상 화만 보면 꼭 그런 소리하더라.

(At an exhibition)

*A: Is this **picture hung upside down** by any chance?*

B: Don't act so ignorant. Whenever you see an abstract painting, you say something like that.

2. A: 주말에 어디 가 볼 만한 곳 없을까요?

B: 과천에 있는 현대미술관에 가 보신 적 있어요?

A: 아니요. 거기서 뭐 하는데요?

B: 프랑스의 유명한 건축가들의 **작품을 전시하고** 있대요.

A: **작품에 대해 설명도 해** 주나요?

B: 그럼요. **가이드의 설명을 들으며** 작품을 **감상할** 수도 있어요.

A: Isn't there anywhere worth going to on the weekend?

B: Have you ever been to the Modern Art Museum in Kwa-chon?

A: No. What's happening there?

*B: They are **exhibiting the works** of famous French architects.*

*A: Do they **give you explanations about the works**?*

*B: Yes. You can even **go on a guided tour**.*

3. A: 우리 아빠와는 (그림)전시회에 같이 못 가겠어.

B: 왜? 그림을 싫어하시니?

A: 그 반대야. **그림을** 하나하나 **자세히 들여다 보시느라** 시간이 남들의 두 배는 걸려.

A: I can't go with my father to exhibitions.

B: Why? Doesn't he like paintings?

*A: It's the opposite. Since he **looks at the paintings in detail** one by one, he takes twice as long as others.*

스포츠

당구 · 포켓볼

□ 당구 / 포켓볼을 치다
　1. _____ billiards /
　pool

□ 큐가 흔들리지 않도록 쥐다
　**hold the cue stick
　steady**

□ 각도를 재다
　**measure[calculate]
　the angle**

□ 공을 모으다
　2. _____ the balls

· hit the ball wrong
　cf) *mishit the ball*

· make a shot
　= *hit the ball into
　the hole [pocket]*

□ 공을 헛치다
　3. _____ the ball
　wrong

□ 홀 안으로 공을 쳐 넣다
　make a shot

More Expressions

□ 내기 당구를 치다	*bet on a game of billiards*
□ 내리 찍다(마세이하다)	*do a masse shot*
□ 흰 공이 다른 공을 스쳐가다	*the cue ball barely misses another ball*
□ 공을 정통으로 맞추다	*hit the ball squarely[square] = hit the middle of a ball with the cue ball*
□ 첫 큐를 치다	*break (the balls)*

Small Talks

1. A: 오늘 퇴근하고 **당구** 한 게임 안 **치실래요**?

B: 좋아요. 대신 **내기 당구로** 합시다.

A: Would you like to **play** a game of **billiards** after work?

B: Sure, but let's **bet on the game (of billiards)**.

2. A: 어떻게 하면 **포켓볼을** 잘 **칠** 수 있을까? 아무리 쳐도 나아지지가 않아.

B: 기본적으로 **큐가 흔들리지 않도록** 제대로 **쥐고 각도를** 정확히 **재야지**.

A: How can I **play pool** well? No matter how much I play, I don't get any better.

B: Basically you have to **hold the cue stick steady** and you have to **calculate the angles** accurately.

3. A: 포켓볼 칠 때 내가 **첫 큐를 치면** 공이 별로 흩어지지 않아요.

B: 힘이 부족해서 그럴 거에요.

A: When I play pool and I **break the balls**, they never spread out very much.

B: That's probably because you don't have enough strength.

4. A: 당구 치실 때 가끔씩 **마세이도 하세요**?

B: 아뇨. 아직 그 정도 실력은 안 돼요. 테이블에 구멍이라도 내면 어쩌려구요.

A: When you play pool, do you sometimes **do a masse shot**?

B: No. I don't have that much ability yet. What would I do if I put a hole in the table?

Tips

당구 & 포켓볼

우리가 흔히 pocketball이라고 하는 당구는 미국에서는 pool이라고 한다. 미국에서는 4구 경기는 거의 볼 수 없고 모두 pool을 한다. 우리나라 당구장과 다르게 미국의 당구장에서는 간단한 음식과 맥주를 팔고 있으며 젊은이들이 시간을 때우는 장소로도 활용한다.

37 스포츠
축구

□ 공을 차다
1. _____ the ball

□ 공을 몰고 기다
drive (with) the ball

□ 공을 패스히디
pass the ball

□ 헤딩히디
2. _____ the ball

□ 공을 가로채다
intercept the ball

□ 태클하다
tackle (sb)

□ 일렬로 서서 공을 막다
3. _____ in a line to block the ball

□ 골을 넣다
make a goal

· drive (with) the ball
= *push the ball forward*
cf) dribble (the ball)
= *move(the ball) forward with repeated slight touches*

· intercept the ball
= *steal the ball*

· make a goal
= *score a goal*

□ 골키퍼가 몸을 날려 공을 막아내다
the goalkeeper leaps up to block the ball

□ 심판이 선수에게 옐로우 카드를 주다
the referee shows [gives] a player a yellow card

More Expressions

□ 잘못 패스하다	*make a bad pass*
□ 페널티 킥을 넣다	*score on a penalty kick = make a penalty kick*
□ 공을 차서 멀리 보내다	*kick the ball far*
□ 수비수를 뚫고 가다	*break through the defense*
□ 선취골을 넣다	*kick in the first goal = make the first goal*
□ 역전골을 넣다	*make a tie-breaking goal*
□ 결승골을 넣다	*make a winning goal*
□ 반칙하다	*(commit a) foul*
□ 반칙으로 퇴장당하다	*foul out of the game = be kicked out*
□ 경고를 받다	*receive a warning*
□ 승부차기를 하다	*do spot kicks[penalty kicks] to decide the winner*

Small Talks

1. (축구경기 관람중)

A: 어휴, 저 상황에서 골키퍼에게 **패스를 하면 어떻게 해**? **공을 쳐서** 다른 곳으로 **멀리 보내야지**.

B: 맞아. 상대편 공격수가 골대 바로 앞에 서넓게 많쟎네.

(While watching a soccer match)

A: *Gees, what are they doing **passing** to the goalkeeper in that situation? They have to **kick the ball far** out of there.*

B: *Right. There are so many offensive players from the other team right in front of the goal post.*

2. A: 왜 **심판이** 8번 **선수한테 옐로우 카드를** 주는 거야?

B: 저 선수가 상대방 선수를 너무 심하게 **태클했어**.

A: *Why did **the referee show the player** number 8 **a yellow card**?*

B: *That player **tackled** the opposing player too roughly.*

3. A: **공을 몰고 가는** 저 선수가 **한 골 넣을** 것 같은데.

B: 그래. 저 선수는 상대편 **수비수를** 정말 쉽게도 **뚫고 간다**.

A: *It looks like that player **driving the ball** might **make a goal**.*

B: *Yes, he's really **breaking through the** other team's **defense** easily.*

Tips

football & soccer

미국에서 football은 미식축구이고, soccer가 우리가 흔히 축구라고 하는 것이다. 미국에서 professional football은 American 경기연맹과 National 경기연맹이 있고 시즌은 9월에 시작하여 1월 마지막 일요일에 Superbowl(프로미식축구의 왕좌 결승전)으로 끝난다. soccer는 지난 몇 년 동안 젊은이들에게 더욱 인기를 얻었고, 지금은 12개의 팀이 프로 리그를 한다.

4. A: 좀 전에 **골키퍼가 몸을 날려 공을 막아내지** 않았으면 정말 한 골 넣었을 거야.

B: 그랬더라면 두 팀이 동점이 돼서 더 재미있었을 텐데.

A: *They really would have made a goal if **the goalkeeper** had not **leapt up to block the ball** a little while ago.*

B: *If they had, it would have been more exciting because they would have evened the score.*

스포츠

수영

□ 수영복으로 갈아입다
change into one's swimsuit

□ 수경[수영모]를 쓰다 / 벗다
put on / take off one's goggles [swimming cap]

□ 준비운동을 하다
1. _____ **warm-up exercises**

□ 물 속으로 들어가다
go in(to) the water

□ 다이빙하다
dive

□ 킥판을 잡고 연습하다
2. _____ **with a kick board**

· go in(to) the water
= *get in(to) the water*

· do freestyle
cf) *do the crawl*

□ 자유형을 하다
3. _____ **freestyle**

□ 배영을 하다
do the backstroke

□ 발 / 다리에 쥐가 나다
have a cramp in one's foot / leg

More Expressions

□ 수경의 끈 길이를 조절하다	*adjust the strap on one's goggles*
□ 밀어서 물에 빠뜨리다	*push sb into the water*
□ 귀에 물이 들어가다	*the water gets in(to) one's ear*
□ 귀의 물을 빼다	*get the water out of one's ear*
□ 접영하다	*do the butterfly (stroke)*
□ 평영하다	*do the breaststroke*
□ 서서 헤엄을 치다	*tread water*

Small Talks

1. A: 가장 자신있게 할 수 있는 수영이 어떤 거에요?

B: 저는 **평영을 할** 때가 가장 편해요.

A: Which stroke do you have the most confidence in?

B: I'm most comfortable **doing the breaststroke**.

2. A: 수경에 자꾸 물이 새어 들어오네.

B: **끈 길이를 조절해** 봐. 너무 헐거워서 그런지도 모르잖아.

A: Water keeps leaking into my goggles.

B: Try **adjusting the strap**. It might be because the strap is too loose.

3. A: 지금 다니는 수영장은 마음에 드세요?

B: 끔찍해요. 첫날부터 선생님이 아무 말도 없이 저를 **밀어서 물에 빠뜨리지** 뭐예요.

A: 어떤 수영장에서는 그런 식으로 가르친다고 들었어요.

A: Do you like the place where you go to learn swimming?

B: It's horrible. On the first day, without saying a thing, the teacher **pushed** me **into the water**.

A: I heard that's the way they teach you to swim at certain swimming pools.

4. A: 무슨 일이야? **다리에 쥐**라도 **났어**?

B: 그게 아니고 **배영을 하다**가 벽에 머리를 부딪쳤어.

A: 정말 아프겠다.

A: What's wrong? Do you **have a cramp in your leg** or something?

B: It's not that. While **doing the backstroke** I hit my head on the wall.

A: That must hurt.

37 스포츠

농구

□ 드리블하다
dribble

□ 공격을 하다
go on the offense

□ 어시스트하다
assist

□ 공을 가로채다
1. _____ the ball

□ 슛하다
shoot

□ 자유투를 하다
make a free throw

□ 공을 이리저리 돌리다
2. _____ the ball around

□ 점프볼 하다
have a jump ball

- go on the offense
  = *play offense*
  = *take the offense*

- have a jump ball
  = *tip off*

- foul out of the game
  = *be benched for five fouls*
  = *be taken out of the game for five fouls*

- use up time
  = *use up the clock*

- wipe the sweat off the floor
  = *mop the sweat off the floor*

□ 철벽수비를 하다
have a strong defense

□ 몸싸움을 하다
bump with each other

□ 5반칙 퇴장당하다
3. _____ out of the game

□ 시간을 끌다
use up time

□ 바닥에 있는 땀을 닦다
wipe the sweat off the floor

More Expressions

□ 덩크 슛을 넣다   *make a dunk shot = dunk the ball*
□ 경기를 중지시키다   *call the game*

Small Talks

1. A: 난 키가 작아서 농구할 때 높이 있는 **볼을 가로채는 건** 꿈도 못 꿔.

 B: 그럼 네가 **공격을 할** 때는 주로 너희 팀 선수들이 낮게 패스를 해주겠구나.

 A: 당연하지.

A: Since I'm short, when I play basketball, I can't even dream about **stealing a ball** high up in the air.

B: Then when you're **playing offense**, the players on your team would pass the ball low to you.

A: Of course.

2. A: 어제 Chicago Bulls가 졌다면서요?

 B: 네. 3쿼터에서 이미 Dennis Rodman 이 **6반칙으로 퇴장을 당했거든요**.

 A: Rodman이 파울로 경기에서 퇴장당하는 건 드문 일은 아니죠.

A: So the Chicago Bulls lost yesterday?

B: Yes. Already in the 3rd quarter Dennis Rodman **was taken out of the game for six fouls**.

A: It's not unusual for Rodman to foul out of the game.

3. (농구경기 관람중)

 A: 저 선수를 잘 봐. 또 **덩크 슛을 넣을** 것 같아.

 B: 와! 네 말대로 덩크 슛을 넣었네. 어쩜 저렇게 점프를 높이 할 수 있지?

(While watching a basketball game)

A: Look at that player. I think he's going to **make** another **dunk shot**.

B: Wow! Just like you said he made a dunk shot. How can he jump that high?

4. A: 지금 Utah Jazz 선수들이 왜 **공을 이리저리 돌리고** 있는 거야?

 B: 저건 **시간을 끌기** 위해서야. 그 팀이 지금 이기고 있거든.

A: Why are the Utah Jazz players **passing the ball around** now?

B: That's to **use up time**. They're winning right now.

Tips

미국의 프로농구와 대학 농구

미국의 프로농구 NBA (National Basketball Association)는 10월에 시작되어 4월까지 계속되는 정규시즌을 펼친다. 그리고 나서 플레이오프 (Play-off)와 NBA 챔피언전이 5월말까지 계속된다. 대학농구시즌은 11월에 시작되어 3월에 NCAA (National College Athletic Association) 토너먼트로 끝나며 토너먼트에서는 64개 대학 팀이 챔피언을 가리기 위해 3주 동안 경기한다. 또 대부분의 농구경기가 5반칙 퇴장이 원칙인데 비해 NBA는 6반칙 퇴장이 원칙이다.

스포츠

야구

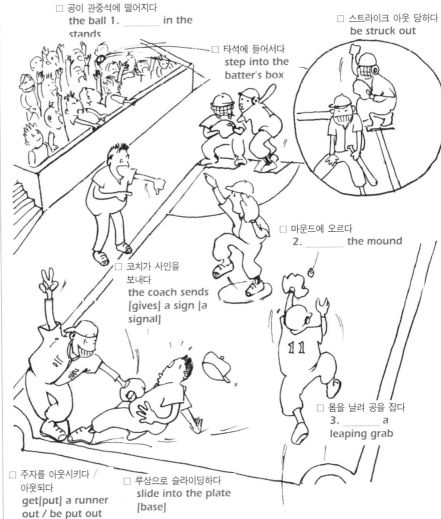

□ 공이 관중석에 떨어지다
the ball 1. _____ in the stands

□ 스트라이크 아웃 당하다
be struck out

□ 타석에 들어서다
step into the batter's box

□ 마운드에 오르다
2. _____ the mound

□ 코치가 사인을 보내다
the coach sends [gives] a sign [a signal]

□ 몸을 날려 공을 잡다
3. _____ a leaping grab

· the pitcher throws the ball
= the pitcher pitches

· run after the ball
= chase the ball

□ 주자를 아웃시키다 / 아웃되다
get[put] a runner out / be put out

□ 루상으로 슬라이딩하다
slide into the plate [base]

More Expressions

□ 안타를 치다   *(make a) hit = get a clean hit[a base hit]*
□ 홈런을 치다   *hit a home run[a homer]*
□ 역전시키다   *turn the situation around = turn the tables = reverse the situation*
□ 뜬공으로 아웃되다   *fly out*

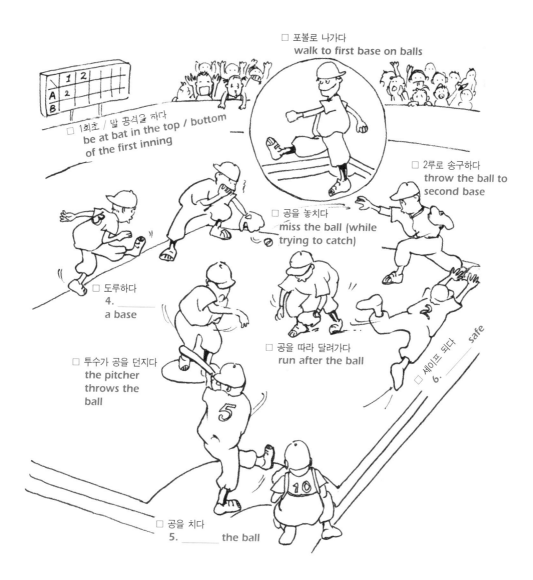

□ 포볼로 나가다
walk to first base on balls

□ 1회초 / 말 공격을 하다
be at bat in the top / bottom of the first inning

□ 2루로 송구하다
throw the ball to second base

□ 공을 놓치다
miss the ball (while trying to catch)

□ 도루하다
4. _____
a base

□ 공을 따라 달려가다
run after the ball

□ 투수가 공을 던지다
the pitcher throws the ball

□ 세이프 되다
6. _____ **safe**

□ 공을 치다
5. _____ **the ball**

More Expressions

□ 견제구로 터치아웃 시키다	*pick off*
□ 병살타를 치다	*hit into a double play*
□ 태그아웃 시키다	*tag sb out*
□ 공이 담장을 넘어가다	*the ball goes over the fence*

Small Talks

1. (야구경기 관람중)

A: 방금 **마운드에 오른** 저 투수가 작년에 신인상을 받았어.

B: 그래? 이번에 **타석에 들어설** 선수는 작년도 홈런왕이잖아.

A: 와, 이거 정말 재미있어지는데.

(While watching a baseball game)

*A: That pitcher who just **took the mound** won the Best Rookie award last year.*

*B: Really? The player who is **stepping into the batter's box** was the Home Run King last year.*

A: Oh, this is going to be very exciting.

2. A: 저 타자가 세발 **안타를 쳐서** 이 경기를 **역전시키면** 좋겠다.

B: 그렇게는 안 될 것 같아. 저 선수가 팀에서 타율이 가장 낮거든.

*A: It would be good if that batter **got[made] a base hit** and **turned the situation around**.*

B: I don't think he can do it. His batting average is the lowest on the team.

3. A: 지금 1루에 있는 주자가 **도루를 하려고** 기회를 엿보고 있네.

B: 도루하면 성공할 거야. 저 선수는 발이 아주 빠르거든.

*A: The runner on first base is watching for an opportunity to **steal a base**.*

B: If he tries to steal a base, he'll succeed. He's got really fast feet.

Tips

미국의 프로야구

미국의 프로야구는 메이저 리그(Major League)와 마이너 리그(Minor League)가 있고, 메이저 리그는 내셔널 리그(National League)와 아메리칸 리그 (American League)로 나뉘며, 양 리그의 우승팀끼리 월드시리즈를 갖는다. 내셔널 리그와 아메리칸 리그는 경기규칙이 약간 다른데, 투수가 타자를 겸해야 하는 내셔널 리그와는 달리 아메리칸 리그는 지명타자제를 도입하고 있어 투수와 타자가 분리되어 있다.

4. A: 저 유격수가 **홈으로 송구를 했어야지** 1루로 송구를 하면 어떡해?

B: 순간적으로 판단을 잘못 한 거겠지 뭐.

*A: That shortstop should have **thrown the ball to home plate** instead of first base?*

B: He made a wrong decision in the moment.

5. A: 외야수가 **공을 따라** 열심히 **달려가**긴 했지만 결국 **놓쳤군**.
   D: 워낙 빠른 공이라 어쩔 수 없었어.

A: The outfielder **ran** hard **after the ball**, but finally he **missed** it.
B: The ball was hit so fast that there was no way he could catch it.

6. A: 코치가 선수에게 **사인을 보내고** 있네. 무슨 작전을 쓸까?
   B: 치고 달리기 작전 아닐까?

A: The coach is **sending a signal** to the player. What strategy will they use?
B: I'll bet it's a plan to hit and run.

7. A: **관중석으로 떨어지는 공** 한 번 잡아 봤으면 좋겠다.
   B: 지난 번에 왔을 때엔 내 옆사람이 잡았어.
   A: 그 사람 정말 신났겠는데.

A: I'd like to catch **a ball that falls into the stands**.
B: The last time I came the person next to me caught one.
A: He must have been excited.

37 스포츠

볼링

□ 공을 고르다
1. _____ a ball

□ 공을 수건으로 닦다
wipe a ball with a towel

□ 손에 가루를 묻히다
put chalk on one's hands

□ 공을 굴리다
2. _____ a ball

□ 공이 도랑으로 빠지다
the ball 3. _____ into the gutter

□ 스트라이크를 치다
hit[get, throw] a strike

· put chalk on one's hands
= *chalk one's hands*

□ 스페어 처리를 하다
hit[get, throw] a spare

□ 핀 사이로 공이 빠지다
the ball goes [passes] between the pins

□ 점수판을 보다
look at the score board[sheet]

More Expressions

□ 공에 스핀을 주다   *put a spin on the ball*
□ 더블을 치다   *get[throw, make] a double(=two strikes in a row)*
□ 터키를 치다   *get[throw, make] a turkey(=three strikes in a row)*
□ 스플릿이 나다   *get[throw, make] a split*

Small Talks

1. (볼링장에서)
A: 이런! **공이** 또 **도랑으로 빠졌잖아**.
B: 평소에는 잘 하시더니 오늘은 영 실력 발휘를 못 하시네요.

(At the bowling alley)
A: *Oh no!* **The ball went into the gutter** *again.*
B: *Normally you do quite well, but today you're not showing your ability at all.*

2. A: 어쩜 그렇게 **스트라이크를** 자주 **치세요**?
B: 제가 **공에 스핀을 주기** 때문에 그런 것 같아요.

A: *How do you* **get strikes** *so often?*
B: *I think it's because I* **put a spin on the ball**.

3. A: 핀 두 개가 아주 가까이 남아 있었는데 바로 **그 사이로 공이 빠져버리더라구**.
B: 나라면 일부러 그렇게 하려고 해도 못 하겠다.

A: *There were only two pins left standing close together but* **the ball passed** *right* **between them**.
B: *I couldn't have done that even if I tried to.*

4. A: **점수판을 봐**! 네가 벌써 100점을 넘었어.
B: 정말이네. 오늘은 이상하리만치 잘 되는데.
A: 이상한 게 아니라 네가 원래 볼링을 잘 하니까 그렇지.

A: **Look at the score board**! *You're already over 100 points.*
B: *You're right. Today it's going strangely well.*
A: *It's not strange. It's because you're a great bowler.*

37 스포츠

스포츠전반 · 경기관람

□ 플래카드를 흔들다
1. _____ a pennant[placard]

□ 응원전을 벌이다
the cheering sections
2. _____

□ 야유하다
tease (sb)

□ 경기를 관람하다
see[watch] a game

□ 심판을 보다
be the referee

□ 심판이 휘슬을 불다
the referee blows the whistle

□ 작전타임을 갖다
3. _____ time out

□ 작전을 전달하다
explain[convey] the plan

- tease (sb)
  = *make fun of (sb)*
  = *ridicule (sb)*
  = *poke fun at (sb)*

  be the referee
  = *referee a game*

- cheer
  = *shout for joy*

- be kicked out
  = *be removed*
  = *be ejected*
  = *foul out of the game*

- break a rule
  = *make a foul*
  = *make a violation*

More Expressions

□ 작전을 짜다	*make a plan[a strategy]*
□ 선수를 교체하다	*change players = substitute players*
□ 심판에게 항의하다	*protest to the referee*
□ 경기를 일방적으로 리드하다	*dominate the game*
□ 실책하다	*make an error*
□ 실점하다	*lose a score[a point]*
□ 방어하다	*defend*

□ A를 응원하다
cheer[root] for A

□ 환호성을 지르다
cheer

□ 색종이를 뿌리다
throw confetti

□ 퇴장당하다
be kicked out

□ 반칙하다
4. _____ a rule

More Expressions

□ 득점하다	*(get a) score = make a point[a goal]*
□ 2득점하다	*score two points*
□ 동점을 만들다	*even[tie] the score*
□ 동점이 되다	*be tied*
□ 무승부로 끝나다	*end in a draw*
□ A와 B가 비기다	*A and B tie[draw]*
□ 부전승하다	*win by default*
□ A가 B에 지다	*A loses to B*
□ A가 B를 이기다	*A defeats B*

Small Talks

1. **A:** 미국과 중국의 농구경기 봤어?

  B: 응. 난 중국**을 응원했는데** 미국이 이겨서 속상했어.

A: Did you see the basketball game between America and China?

B: Uh huh. I was **cheering for** China, and when America won, it upset me.

2. **A:** 어제 칠레와 오스트리아의 축구경기는 누가 이겼죠?

  B: 오스트리아가 이기고 있었는데 칠레 선수가 페널티 킥을 넣어서 **무승부로 끝났어요**.

A: Who won the soccer match between Chile and Austria yesterday?

B: Austria was winning when a Chile player put in a penalty kick and it **ended in a draw**.

3. **A:** LA Dodgers와 New York Yankees의 경기는 너무 안타까왔어.

  B: 그래. LA Dodgers의 포수가 **실책**만 안 **했**으면 이겼을 텐데.

A: The game between the LA Dodgers and the New York Yankees was too disappointing.

B: Yeah. If the Dodgers catcher hadn't **made that error**, they would have won.

4. **A:** 한국이 간밤에 첫 골을 터뜨렸을 때 사람들 모두가 **환호성을 질렀어요**.

  B: 그 땐 정말 너무 기뻤어요. 우리 선수가 **퇴장**만 안 **당했**어도 지지는 않았을 텐데.

A: Last night when Korea put in the first goal, everyone **cheered**.

B: I was really happy then. If our player had not **been ejected**, we wouldn't have lost.

Tips

종목에 따라 시합도 가지가지?

일반적으로 시합을 의미하는 말에는 game, match 등이 있는데 미국에서는 야구, 축구, 농구에 game을 쓰고, 골프, 크리켓, 테니스에는 match를 쓴다. 이 밖에 검도, 유도, 씨름처럼 '한판' 승부일 경우에는 bout를 쓰는 것도 알아두면 좋다.

5. A: 야구장에서 야구**경기 관람해** 본 적 있니?

  B: 아니, 한 번도 없어. 항상 TV로만 봤어.

  A: 그럼 내일 야구 보러 같이 안 갈래?

A: *Have you ever* ***watched a*** *baseball* ***game*** *at a stadium?*

B: *No, never. I only watched on TV.*

A: *Then wouldn't you like to come watch a baseball game with me tomorrow?*

6. A: 스페인과 쿠바의 배구 경기는 너무나 일방적인 쿠바의 승리로 끝났어.

  B: 스페인은 그렇게 지면서도 왜 도중에 **작전타임을** 안 **갖는지** 이해를 못 하겠더라.

  A: 스페인은 **선수 교체**도 한 번도 안 **했**잖아.

A: *The volleyball game between Spain and Cuba was too one-sided, and it ended with Cuba's victory.*

B: *I can't understand why Spain did not* ***take time out*** *in the middle when they were losing like that.*

A: *Spain didn't even* ***change*** *its* ***players*** *at all.*

37 스포츠

기타운동

□ 조깅하다
jog

□ 줄넘기를 하다
1. _____ **rope**

□ 팔굽혀 펴기를 하다
do push-ups

□ 윗몸 일으키기를 하다
do sit-ups

□ 철봉운동을 하다
**work out on the
horizontal bar**

□ 체조를 하다
2. _____
gymnastics

· jog
 = *do[go] jogging*

· relax one's muscles
 cf) *stretch*
　(근육을 풀어 준 후에
　팔·다리를 뻗어 근육을
　팽팽히 긴장시키는 것)

· run at full speed
 = *run with all one's
 might*

□ 사이클을 타다
cycle

□ 근육을 풀다
3. _____ **one's
muscles**

□ 전력질주하다
run at full speed

364　　37. 스포츠　**1. jump 2. do 3. relax**

Small Talks

1. A: Steward씨는 어떻게 건강을 유지하세요?
   B: 저는 아침마다 가볍게 **조깅을 해요**. 당신은요?
   A: 저는 마당에서 매일 **줄넘기를 해요**.

A: Mr. Steward, how do you maintain your health?
B: Every morning I **do** some light **jogging**. How about you?
A: I **jump rope** everyday in my yard.

2. A: **팔굽혀 펴기를** 몇 번이나 **할** 수 있니?
   B: 난 열 번도 못 해. 연습을 하면 좀 더 할 수 있겠지.

A: How many **push-ups** can you **do**?
B: I can't do even ten. If I practice, I'd probably be able to do some more.

3. A: **윗몸 일으키기를** 매일 **하면** 배의 지방이 빠진다는 말이 사실이니?
   B: 글쎄, 아무래도 그렇지 않을까?

A: Is it true that if you **do sit-ups** everyday, you'll lose the fat on your stomach?
B: Well, shouldn't that be true?

4. A: 100미터를 몇 초에 뛰세요?
   B: 저는 20초도 넘어요.
   A: **전력질주를 해도** 20초가 넘어요?
   B: 그렇다니까요. 저는 유난히 달리기를 못 하거든요.

A: How many seconds does it take you to run 100 meters?
B: It takes me more than 20 seconds.
A: It takes more than 20 seconds even if you **run at full speed**?
B: That's what I said. I can't run fast at all.

38 레저 생활
등산

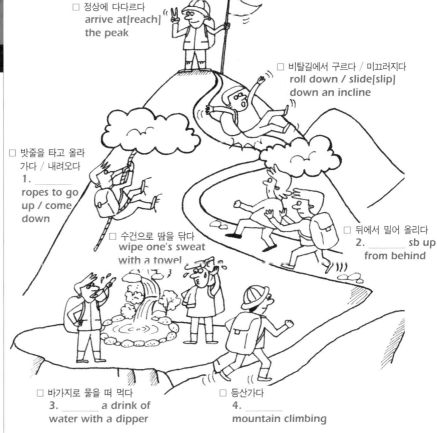

□ 정상에 다다르다
arrive at[reach] the peak

□ 비탈길에서 구르다 / 미끄러지다
roll down / slide[slip] down an incline

□ 밧줄을 타고 올라가다 / 내려오다
1. _____ ropes to go up / come down

□ 뒤에서 밀어 올리다
2. _____ sb up from behind

□ 수건으로 땀을 닦다
wipe one's sweat with a towel

· shout out
  = *yell*
  = *holler*
cf) *call out*
  (사람에게 도움을 요청하는 경우)
cf) *scream*
  (위급한 상황에서 비명을 지르는 경우)

□ 바가지로 물을 떠 먹다
3. _____ a drink of water with a dipper

□ 등산가다
4. _____ mountain climbing

More Expressions

□ 하이킹하러 가다　　*go hiking*
□ 암벽등반하러 가다　*go rock climbing*
□ 물통에 물을 받다　　*fill one's water bottle (with water)*
□ 야영을 하다　　　　*camp out*
□ 발을 헛디디다　　　*take a wrong[bad] step cf) trip (over)*

　1. use 2. push 3. take 4. go 5. breathe

야—호—

□ 야호를 외치다
shout out

□ 심호흡을 하다
5. _____ deeply

□ 손을 잡아 끌어 올리다
take sb's hand(s) and
pull him[her] up

□ (유연)체조를 해서 몸
을 풀다
do calisthenics

□ 텐트를 치다 / 걷다
put up[set up]
a tent / take
down a tent

□ 지팡이를 짚다
hold[use] a cane[a
staff, a stick]

Small Talks

1. A: **등산** 자주 **가세요**?

B: 네. 한 달에 한 번은 반드시 산에 가요.

A: Do you often **go mountain climbing**?

B: Yes. I definitely make sure to go once a month.

2. A: 제 경우에 등산은 **정상에 다다랐을** 때의 그 기분 때문에 가는 것 같아요.

B: 저는 산을 오르는 것 자체가 도전적이어서 좋아해요.

A: In my case, I think I go mountain climbing because of the feeling I get when I **reach the peak**.

B: I like it because the actual going up the mountain is challenging.

3. A: 여기서 잠시 쉬었다 가자.

B: 그러자. 그런데 목 마르지 않니? 내가 가서 **물통에 물 받아** 올게.

A: Let's rest here a moment.

B: Okay, let's. But aren't you thirsty? I'll go and **fill our water bottle**.

4. A: 호수 옆 이 지점이 정말 멋진데 **야영하기**에 안전한지 어떻게 알 수 있을까?

B: 무슨 말이야? 여기서 두려워할 게 뭐 있다고 그래?

A: 누가 알겠어? 혹시 뱀이나 곰, 늑대 또는 퓨마까지 있을지.

B: 물어보지 말걸. 이제 나도 정말 겁이 나는데!

A: This spot near the lake is really beautiful, but how do we know it's safe to **camp out** here?

B: What do you mean? There's nothing to be afraid of out here, is there?

A: Who knows? There might be snakes, or bears, or wolves, or even mountain lions.

B: I shouldn't have asked. Now I'm really scared!

5. A: 여름 휴가 때 치악산에 가자.
  B: 치악산은 경사가 너무 심해서 올라갈 때 힘들 것 같은데.
  A: 걱정 마. 내가 **뒤에서 밀어 올려주고 손을 잡아 끌어 올려 줄** 테니.

A: Let's go to Chiak mountain during our summer vacation.
B: Chiak mountain is so steep, I think it'll be hard to climb.
A: Don't worry, I'll **push you up from behind** or **take your hand and pull you up**.

6. A: Morgan 씨가 어쩌다가 다리를 다쳤대요?
  B: 산에서 내려오다가 **발을 헛디뎠대요**.

A: How did Mr. Morgan hurt his leg?
B: He **tripped** coming down the mountain.

□ 여행을 가다
travel

□ 휴가를 떠나다
**leave on
vacation**

□ 휴가를 얻다
1. _____ a
vacation

□ 휴식을 취하다
(take a) rest

□ 호텔 / 콘도에 예약하다
2. _____ a
**reservation at a
hotel / a
condominium**

□ 여행 일정을 짜다
plan one's trip

□ 짐을 싸다
**pack one's bags
[suitcases]**

□ 배낭을 매다
3. _____ on a
backpack

· travel
= *take a trip*
= *go on a trip*

· leave on vacation
= *go on a vacation*

· plan one's trip
= *make a schedule*

· pack one's bags
  [suitcases]
= *prepare one's*
  luggage

· unpack one's bags
cf) *open one's bags*
    (단순히 가방을 열다)

□ 짐을 풀다
**unpack one's
bags**

□ 목적지에 도착하다
**arrive at[reach]
one's destination**

More Expressions

□ 벚꽃 구경을 가다   *take in the cherry blossoms = go see cherry trees*
blossoming

Small Talks

1. A: 휴가 언제 **떠나세요**?

B: 월말 쯤엔 갈 수 있으면 좋겠어요.

A: When will you **leave on** your **vacation**?

B: I'm hoping to leave by the end of the month.

2. A: 휴가 때는 멀리 가지 않고 가까운 호텔에서 며칠 **쉬는 것**도 좋을 것 같아요.

B: 저도 작년 여름에 가족과 호텔에 가서 며칠 쉬다 왔어요.

A: 여름에는 호텔이 붐비니 미리 **예약을 하셨었**겠네요.

A: Just **resting** for a few days at a nearby hotel and not going far on our vacation seems good.

B: Last summer I went to a hotel with my family and rested a few days, too.

A: Since the hotels are busy in summer, you must have **made a reservation** in advance.

Tips

여행이란 단어가 이렇게나 많아?

travel은 '여행'을 뜻하는 가장 일반적인 말로 주로 먼 곳에의 여행이고, journey는 상당한 거리에 있는 행선지에의 직행여행을 뜻한다. trip은 작은 여행으로 특별한 장소에의 짧은 여행이고, tour는 한 곳에 오래 머무르지 않고 다시 출발점에 돌아오는 비교적 긴 여행이며 wedding tour(신혼여행)와 같이 관광. 교육 등이 목적인 여행이다. 이밖에 excursion은 오락을 위해 많은 사람이 같이 하는 여행으로 소풍. 유람에 쓰인다.

3. A: 드디어 **목적지에 도착했다**! 빨리 바다에 뛰어들어야지!

B: 진정해. 일단 **짐**부터 **풀고** 보자.

A: We've finally **reached our destination**! Let's hurry and jump in the ocean!

B: Calm down. Let's **unpack** first.

4. A: 기분이 아주 들떠 보이시네요, Peggy. 좋은 일 있으신가 봐요?

B: 내일 친구들이랑 하와이로 **여행을 가거든요**.

A: 정말 부럽네요. 잘 다녀오세요.

A: You look very excited, Peggy. Something good must be happening?

B: I'm **going on a trip** tomorrow with my friends to Hawaii.

A: I really envy you. Have a good trip.

38 레저생활

여행 II

□ …에서 1박하다
sleep[stay] one night in[at, on] ..

□ 차를 얻어 타다
hitchhike

□ 여행중에 사람을 사귀다
meet people while traveling

· hitchhike
(낯선 사람에게서 차를 공짜로 얻어타는 경우)
cf) *get a free ride*
(아는 사람이라도 차를 공짜로 타는 경우)

· meet people while traveling
= *make friends while traveling*

· travel (together) with sb
= *accompany sb*

· backpack
= *go backpacking*

· check a map
= *refer to[look at] a map*

□ …와 동행하다
1. _____ (together) with sb

□ 배낭여행을 하다
backpack

□ 지도를 보다
check a map

□ 기념품을 사다
2. _____ a souvenir

□ 경치를 감상하다
3. _____ the scenery

More Expressions

□ 민박하다   *stay in a private home*
□ 위치를 찾다   *check the location*

Small Talks

1. A: 제주도 여행 일정은 짜셨어요?

   B: 네. **첫 날은** 서귀포**에서 1박하고** 다음 날부디 지전기로 제주도 일구를 히려고 해요.

A: *Have you made your schedule for your Cheju island trip?*

B: *Yes. We'll **stay the first night in** Sogwip'o and from the next day we're going to bike around Cheju island.*

2. A: 패키지 여행은 별로 재미가 없지 않아요?

   B: 그래요. 하는 거라곤 유명한 곳에서 사진 찍고 **기념품 사는** 것 뿐이에요.

A: *Aren't package tours kind of boring?*

B: *Yes, they are. All you do is go to famous places and take pictures and **buy souvenirs**.*

3. A: 교문에서 강당까지 너무 멀어. 지각하면 뛰느라고 얼마나 힘든지 몰라.

   B: 그래서 가끔씩 나는 강당 쪽으로 가는 **차를 얻어 타곤 해**.

A: *It's too far from the school gate to our lecture hall. When I'm late, it's so hard to run.*

B: *So sometimes I **hitchhike** to the lecture hall.*

4. A: 두 분이 어떻게 처음 만나셨어요?

   B: 동해안을 여행할 때 기차에서 우연히 만나 **동행하게 되었어요**.

   A: 아주 운명적이군요.

A: *How did you two first meet?*

B: *While traveling along the East Coast, we met by chance in the train and **traveled together**.*

A: *That's really fate.*

Tips

미국의 *hitchhiking* 문화는 어떨까요?

hitchhiking은 환경적, 모험적, 특히 경제적인 이유로 그 가치를 인정하는 사람들이 많이 있다. 그러나 hitchhiker를 이용한 범죄가 계속 늘어가기 때문에 hitchhiking은 안전한 여행 방법이 아니다. 그 대신 대부분의 Youth Hostel에서 동승하자는 광고를 볼 수 있고, 조직화된 동승단체 (Organized Ride Shares)들이 생겨나고 있어 원하는 방향으로 가는 운전자와 여행자를 연결해 주고 있다. 이러한 방법들은 안전은 물론 적어도 추운 날 길거리에서 hitchhike하기 위해 떨고 있는 수고를 덜어준다.

레저
생활

사진찍기 |

□ 사진찍(어 주)다
take a picture (for sb)

□ 사진을 찍어달라고 부탁하다
1. _____ sb to take
   a picture

□ 포즈를 취하다
(make a) pose

□ 삼발이를 세우다 / 접다
2. _____ up / take
   down the tripod

□ 줌(렌즈)로 거리를 조절하다
adjust the distance with the zoom (lens)

□ 초점을 맞추다
focus the lens

· focus the lens
= *adjust the focus*

□ 렌즈를 들여다 보다
look through the lens

□ 셔터를 누르다
3. _____ the
   button

□ 플래쉬가 터지다
the flash goes off

More Expressions

□ 수동으로 / 자동으로 초점을 맞추다   *focus manually / automatically*
□ 삼발이를 끝까지 펴다 / 반쯤 펴다   *set up the tripod full length / half length (= half way)*
□ 사물을 가까이 / 멀리잡다   *zoom in / out on sth*

Small Talks

1. A: 저 죄송하지만, **사진 좀 찍어주시겠어요?**

D: 네, 그러죠.

A: Excuse me, but would you please **take a picture** for me?

B: Sure, I'd be happy to.

2. (한 부부의 신혼여행에서)

A: **삼발이를 세워**서 거기에 카메라를 올려놓고, 우린 저 쪽에 가서 **포즈를 취해요.**

B: 좋았어 ... 오, 이런, 삼발이를 안 가져 왔나 봐.

A: 어떡해요? 그럼 우리 둘 사진을 어떻게 찍죠?

B: 별 수 없지. 어쨌든 일단 지나가는 **사람한테 찍어달라고 부탁해** 볼게.

(During one couple's honeymoon trip)

A: Let's **set up the tripod** with the camera on it, and go over there and **pose**.

B: Good idea, sweetheart ... Oh, it looks like I didn't bring the tripod.

A: What can we do? Then how can we take pictures of the two of us?

B: There's nothing we can do. Anyway for now I'll **ask someone** passing by **to take a picture** for us.

3. A: 방금 전에 **플래쉬가 터졌어?**

B: 잘 모르겠어. 터진 것도 같고 안 터진 것도 같고.

A: 그럼 혹시 모르니까 한 번 더 찍자. 다시 포즈를 취해 봐.

A: Did **the flash** just **go off**?

B: I don't know. It seems like it went off, but it also seems like it didn't.

A: Then since we don't know for sure, let's take another one. Pose again.

4. A: 이 카메라 자동이에요 수동이에요?

B: 수동이에요. 그러니까 찍기 전에 **줌(렌즈)로 거리를 조절하세요.**

A: Is this camera automatic or manual?

B: It's manual. So before you take the picture, **adjust the distance with the zoom**.

Tips

미국의 사진관은?

우리나라에는 동네마다 사진관이 있지만 미국은 사진관이 거의 없다. 일반적인 사진 현상은 슈퍼마켓에서 하는데 필름 수거함에 필름을 넣어두면 이틀 후에 찾을 수 있거나 쇼핑하는 동안 사진을 뽑아주기도 한다. 여권사진이나 명함사진은 AAA(American Automobile Association) 같은 곳이나 Sears나 J.C. Penny 내의 photo studio에서 찍으면 된다. 가족사진도 이 photo studio에서 찍는데 아주 저렴하다.

레저
생활
사진찍기 II

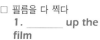

□ 필름을 다 찍다
1. _____ up the
film

□ 필름을 갈다
change (the) film

□ 필름을 현상하려고 맡기다
get[have] one's film
developed

□ 필름을 현상하다
2. _____ the film

□ 비디오 카메라로 찍다
make a video

□ 사진을 다시 뽑다
reprint the picture(s)

· get[have] one's film
  developed
  = *take one's film in
  to be developed*

· make a video
  = *shoot a video*
  = *film a video*

□ 사진을 확대하다
3. _____ the
picture(s)

□ 사진을 몇 장씩 찾다
get[make] some
copies of each
picture

More Expressions

□ 필름을 넣다   *load the film[camera]*
□ 필름을 빼다   *unload the film[camera]*

Small Talks

1. A: 어디에서 이 **필름을 현상해야** 할까?
   B: 한 시간 내에 사진을 찾아야 되면 시내 쇼핑센터에 있는 사진관에 가고 하루 정도 기다려도 괜찮으면 슈퍼마켓에 맡겨. 훨씬 더 싸게 현상할 수 있거든.
   A: 고마워. 슈피마켓에 잡깐 들러야게다

   A: Where can I **develop** this **roll of film**?
   B: If you want the pictures in less than an hour, there's a photo shop in the town shopping plaza. If you don't mind waiting a day, you can get them developed a lot cheaper at the supermarket.
   A: Thanks. I'll run over to the supermarket.

2. A: 사진 이제 그만 찍어! 필름을 그냥 낭비하고 있잖아.
   B: 알아. 하지만 **필름을 다 써버려야** 해. 오늘 아침에 사진을 몇 장 찍었는데 내일 그게 필요하거든.
   A: 그렇다면 36장 짜리 말고 24장 짜리 필름을 샀어야지.

   A: Stop taking so many pictures! You're just wasting film.
   B: I know, but I've got to **use up the film**. I took a few pictures this morning and I need them tomorrow.
   A: Then you should have bought a roll of 24 pictures instead of 36.

3. A: 내 남자 친구같은 바보가 또 있을까! 우리가 산에 오르려고 준비하는 동안 내내 **비디오 카메라를 찍고** 있더라. 그 다음에 어떻게 됐게?
   B: 모르겠는걸.
   A: 우리가 그 근사한 산의 정상에 올랐는데 비디오 카메라의 배터리가 다 나갔지.

   A: My boyfriend is a real genius! The whole time we're preparing to climb the mountain, he's **making a video**. Then guess what happens?
   B: I give up.
   A: We reach the top of the glorious mountain and the battery in his camcorder is dead.

38 레저생활

놀이동산

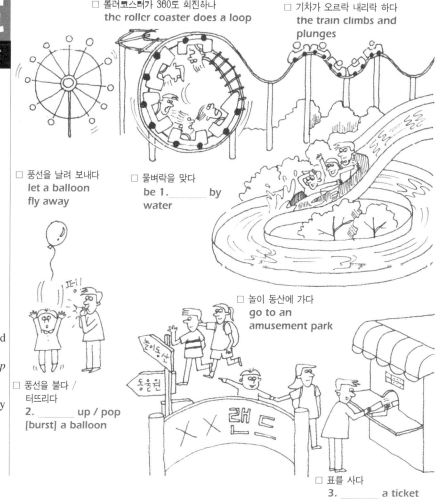

□ 롤러코스터가 360도 회전하나
the roller coaster does a loop

□ 기차가 오르락 내리락 하다
the train climbs and plunges

□ 풍선을 날려 보내다
let a balloon fly away

□ 물벼락을 맞다
be 1._____ by water

□ 놀이 동산에 가다
go to an amusement park

□ 풍선을 불다 / 터뜨리다
2._____ up / pop [burst] a balloon

□ 표를 사다
3._____ a ticket [a ride pass]

· the train climbs and plunges
= *the train goes up and down*

· let a balloon fly away
= *release a balloon*

· scream
= *holler*

More Expressions

□ 놀이기구를 타다   *go on the rides*
□ 동물원에 가다   *go to the zoo*

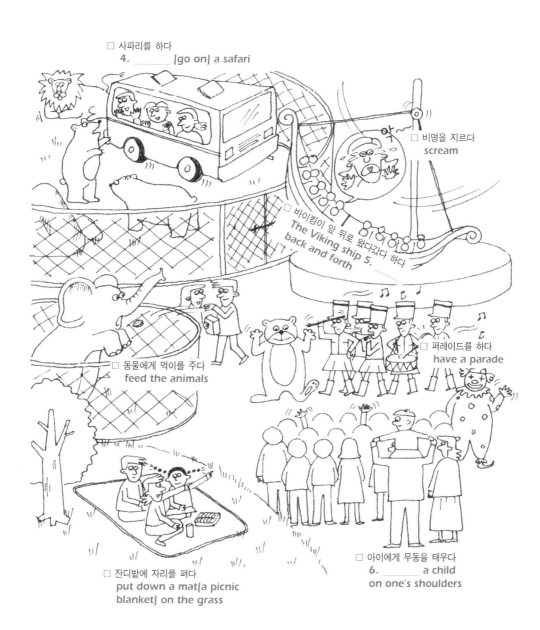

□ 사파리를 하다
4. _____ [go on] a safari

□ 비명을 지르다
scream

□ 바이킹이 앞 뒤로 왔다갔다 하다
The Viking ship 5.
back and forth

□ 동물에게 먹이를 주다
feed the animals

□ 페레이드를 하다
have a parade

□ 잔디밭에 자리를 펴다
put down a mat[a picnic blanket] on the grass

□ 아이에게 무동을 태우다
6. _____ a child on one's shoulders

1. A: **놀이동산에 가는 걸** 좋아하세요?

   B: 별로요. 바이킹이나 롤러코스터 같은 것은 너무 무서워요.

A: Do you like **going to amusement parks**?

B: Not much. Rides like the Viking ship or the roller coaster are too scary.

2. A: 저 쪽 **잔디밭에서 자리를 펴고** 조금 쉬자.

   B: 그래. 계속 돌아 다녔더니 다리가 정말 아프다.

A: Let's **put** our **mat down on the grass** over there and rest for a while.

B: Yes. We've been walking around without a break, so my legs really hurt.

3. A: 이게 무슨 소리죠?

   B: 밖에서 사람들이 **퍼레이드를 하는**데요. 그러고 보니 오늘이 어린이날이네요.

A: What's that noise?

B: People are **having a parade** outside. Now that I think of it, today is Children's Day.

4. A: 지난 주말에 에버랜드에서 재미있었어?

   B: 물론이지. 정말이지 빨리 다시 가고싶어.

   A: 뭐가 제일 재미있었는데?

   B: 그야 "플럼라이드"지. (특히) 마지막에 가파른 경사면에서 떨어지면서 **물벼락을 맞을** 때가 제일 재미있어.

A: Did you have a good time at Everland last weekend?

B: I sure did. I can't wait to go back there again soon.

A: What is your favorite ride?

B: It's the "flume ride". I love it when I **am splashed by** the **water** as we plunge down the final steep incline.

5. A: **사파리를 할** 때는 항상 차를 타고 이동하나요?
B: 그렇지는 않아요. 아프리카에서 정글 사파리를 할 때는 그냥 길이디니기도 헤요.

A: When **taking a safari**, do you always ride in the car when you move?
D: Not always. When taking a jungle safari in Africa, we sometimes just walk.

6. A: 아이들이 다들 풍선을 들고 가네. 그러고 보니 **풍선 불어본** 지도 정말 오래 됐다.
B: 그래. 아주 어릴 때 풍선 가지고 놀아 보고 그 후론 안 한 것 같다 .
A: 우리도 풍선 사다가 불어 볼까?
B: 저기 봐. 아이들 몇 명이 **풍선을 날려 보내고** 있어.

A: All of the children are carrying balloons. Seeing that makes me realize I haven't **blown up** any **balloons** in a long time.
B: Me, either. I played with them as a small child and haven't since.
A: Should we buy some balloons and blow them up?
B: Look at that. Some of the children are **letting** their **balloons fly away**.

레저 생활
낚시

□ 낚시를 가다
go fishing

□ 미끼를 낚싯바늘에 매달다
put bait on the hook

□ 낚싯줄을 던지다
1. _____ the **line**

□ 찌가 움직이나
the bob(ber) [the float] moves

□ 미끼를 물다
2. _____ the **bait**

□ 낚싯줄을 감다
wind in the line

□ 고기를 낚싯바늘에서 떼어내다
take the fish off the hook

□ 고기를 꼬챙이에 꿰다
put the fish on a skewer

· put bait on the hook
= *bait a hook*

□ 얼음을 깨서 구멍을 내다
make a hole in the ice

□ 강 위에 배가 떠다니다
the boat 3. _____ down the river

More Expressions

□ 낚싯줄을 풀다	*reel out the line*
□ 낚싯줄을 드리우다	*drop the line*
□ 낚시에 걸리다	*be hooked*
□ 줄을 팽팽하게 하다	*tighten up the line = make the line tight*
□ 줄을 당기다	*pull in the line*
□ 줄이 툭 끊어지다	*the line snaps off = the line breaks*

Small Talks

1. A: 낚시 좋아하세요?

   B: 네. 아버지가 예전에 **낚시를** 자주 **가셔서** 지도 띠긔기곤 했어요.

A: *Do you like fishing?*

B: *Yes. In the past my father often* ***went fishing*** *and I used to go with him.*

2. (낚시하는 중)

   A: 방금 네 **찌가 움직이지** 않았어?

   B: 움직였어. 고기가 미끼를 건드리고 있나 봐.

   A: 좋았어. 고기가 확실히 **걸렸다고** 생각될 때 까지는 **줄을 당기지** 마.

(While fishing)

A: *Didn't your* ***bobber*** *just* ***move***?

B: *It did. A fish must be picking at the bait.*

A: *Good. Don't* ***pull the line in*** *until you're sure the fish* ***is hooked***.

3. A: 낚싯줄이 너무 헐거워 보여요.

   B: 그런가요? 좀 더 **팽팽하게 해야**겠네요.

A: *The fishing line looks too loose.*

B: *Does it? I'll have to* ***tighten it up*** *a bit.*

4. A: 강 위에 보트 한 척이 참 유유히도 **떠다 니네**요.

   B: 저 위에서 며칠 동안 낚시하면서 지내면 정말 좋겠네요.

A: *There's* ***a boat floating*** *very peacefully* ***down the river***.

B: *I wish I could spend a few days fishing there.*

38 레저생활
바닷가 1

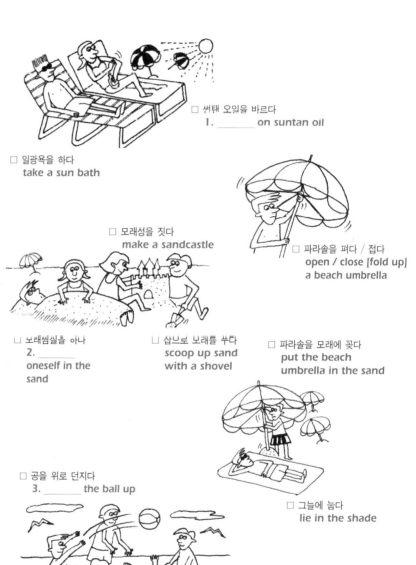

□ 썬탠 오일을 바르다
1. _____ on suntan oil

□ 일광욕을 하다
take a sun bath

□ 모래성을 짓다
make a sandcastle

□ 파라솔을 펴다 / 접다
**open / close [fold up]
a beach umbrella**

□ 모래씸실를 아나
2. _____
**oneself in the
sand**

□ 삽으로 모래를 푸다
**scoop up sand
with a shovel**

□ 파라솔을 모래에 꽂다
**put the beach
umbrella in the sand**

□ 공을 위로 던지다
3. _____ the ball up

□ 그늘에 눕다
lie in the shade

· take a sun bath
= *sunbathe*

· open a beach umbrella
= *put up a beach
umbrella*

□ 공놀이를 하다
play with a ball

Small Talks

1. (바닷가에서)

A: 오늘 햇살이 유난히 따갑다.

B: 썬탠하기 아주 좋겠는데. **썬탠 오일을 좀 발라야**겠다. 너도 태울래?

A: 아니, 싫어. 나 **파라솔이나 펴서** 그늘에 **누워** 있을래.

(At the seaside)

A: Today the sun is unusually hot.

B: It'll be good for getting a suntan. I'll have to **rub on** some **suntan oil**. Do you want to get a tan, too?

A: No, thanks. I'll **put up[open]** a **beach umbrella** and **lie in the shade**.

2. A: 저 쪽 모래사장에서 **공놀이를 하는** 사람들은 누구예요?

B: 비치 발리볼 선수들 같은데요. 비치 발리볼이 요즘 들어 인기가 아주 좋잖아요.

A: Who are those people **playing with a ball** over there on the sand?

B: They look like beach volleyball players. These days beach volleyball is quite popular.

3. A: 물 속에 있다가 나왔더니 약간 춥다.

B: 그래. 저 쪽으로 가서 **모래찜질을 하면** 따뜻해질거야.

A: It's a little chilly coming out after being in the water.

B: Yes. If we go over there and **bury ourselves in the sand**, we'll get warm.

Tips

미국의 일광욕 문화는?

잿빛 하늘의 유럽과는 달리 미국은 일조량이 충분하다. 그러나 겨울이 긴 특성상 따뜻한 봄이 되면 대학 캠퍼스에는 햇빛을 즐기려는 학생들이 몰려나와 일광욕을 한다. 수영복을 입고 나와서 잔디밭에 누워있는 여학생들도 많이 있고 남자들은 윗통을 벗어 던지고 Frisbee게임을 한다.

38 레저 생활
바닷가 II

□ 제트스키 / 보트를 타다
ride on a jet ski / a boat

□ 파노가 바위에 부서지다
the wave
1. _____ on the rock(s)

□ 서핑을 하다
surf

□ 큰 파도에 휩쓸리다
be washed [swept] away by a big wave

□ 튜브를 타고 물 위를 떠다니다
float on the water in a tube

□ 고무보트의 노를 젓다
2. _____ a rubber boat

□ 튜브에 바람을 불어 넣다
blow up a tube

□ 망원경으로 멀리 내다보다
3. _____ far away with binoculars

· ride on a jet ski / a boat
= take a ride on a jet ski / a boat

· surf
= go surfing

· the waves are high
cf) *the waves are beating hard against the shore*

□ 파도가 세게 치다
the waves are high

□ 조수가 들어오다
the tide is coming in

□ 조수가 빠지다
the tide is going out

More Expressions

□ 파도타기를 하다   *ride the waves*
□ 급류에 휩쓸리다   *be caught in the rapids[the rapid stream]*
□ 튜브의 바람이 새다   *the air in the tube leaks out*
□ 역류에 휩쓸리다   *be caught in the undertow[undercurrent]*

Small Talks

1. A: 바다 위에 돌아다니는 저것 이름이 뭐더라?

B: 제트스키잖아.

A: 그래, 맞아. 우리도 **제트스키 타러** 가자.

A: What's the name of that thing going around on the ocean?

B: That's a jet ski.

A: Yeah, that's it. Let's go **ride on a jet ski**, too.

2. A: 오늘은 **파도가 세게 치는데.**

B: 그래. 파도가 2미터는 될 것 같아. 내가 **서핑을 할** 줄 알면 당장 할텐데.

A: Today **the waves are high**.

B: Yes, they seem at least two meters high. If I knew how to **surf**, I'd go out right now.

3. A: 파도가 해변으로 점점 가까이 오는 것 같지 않으세요?

B: 그런 것 같네요. 지금 **밀물이 들어오고** 있나 봐요.

A: Don't the waves seem to be breaking closer to the beach?

B: It seems that way. **The tide** must **be coming in**.

4. A: 수영 잘하세요?

B: 전혀 못해요.

A: 그럼 해수욕장에 가시면 주로 뭘 하세요?

B: 그냥 **튜브를 타고 물 위를 둥둥 떠다녀**요. 그것도 재미있어요.

A: Do you swim well?

B: No, I can't swim at all.

A: Then what do you do when you go to the beach?

B: I just **float on the water in a tube**. That's fun, too.

5. A: 바다에서 더 놀지 왜 벌써 나왔어요?

B: **튜브의 바람이** 조금씩 **새는 것 같아서요**.

A: 그래요? 어디 한번 봅시다.

A: Play in the sea some more. Why are you coming out already?

B: **The air in my tube** is **leaking out** little by little.

A: Really? Let me take a look at it.

Chapter five

신체활동을 중심으로

39. 신체동작

39 신체 동작
걷기 · 뛰기

□ 성큼성큼 걷다
stride

□ 발꿈치를 들고 걷다
(walk on) tiptoe

□ 비틀거리며 걷다
stagger[stumble] along

□ 절뚝거리다
limp

□ 헐레벌떡 뛰어가다
1. _____ along panting and puffing

□ 행진하다
march

· stride
= *walk with big steps*

· (walk on) tiptoe
= *walk quietly and carefully on tiptoe*
= *tiptoe along*

□ …에 걸려 넘어지다
2. _____ on sth and fall over

□ …을 밟다
step on sth

More Expressions

□ 쿵쾅거리며 걷다	*stamp (one's feet) = walk with loud heavy steps*
□ 어슬렁어슬렁 걷다	*lumber along = walk sluggishly*
□ 터벅터벅 걷다	*plod (along) = trudge (along)*
□ 사뿐사뿐 걷다	*walk lightly = tread softly*
□ 깡총깡총 뛰다	*hop like a rabbit*
□ 한 쪽 발로 뛰다	*hop on one leg*
□ 서성거리다	*walk back and forth[to and fro]*
□ 밟아서 뭉개다	*step on and squash sth*

1. run   2. trip

Small Talks

1. A: 왜 그렇게 **터벅터벅 걷니**? 뭐 안 좋은 일이라도 있어?

B: 밤새 공부를 했더니 피곤해서 그런가 봐.

A: Why are you **plodding along** like that? Did something bad happen?

B: I guess it's because I'm tired from studying all night.

2. A: 아니 누가 이렇게 시끄럽게 걸어 다니죠?

B: 보나 마나 Davy일 거예요. 그 사람은 항상 **쿵쾅거리면서 걸어 다녀요**.

A: Who is walking around so noisily?

B: No doubt it's Davy. He always **stamps** (**his feet**) when he walks.

3. A: 쉿! 조용히 해, 여보. 아이가 방금 잠들었어.

B: 알았어. **발꿈치를 들고 걸을게**.

A: Shh! Be quiet, dear. The baby just fell asleep.

B: Okay. I'll **walk on tiptoe**.

4. A: 송 부장님이 왜 저리 **헐레벌떡 뛰어가시지**?

B: 고객과의 약속을 잊고 있다가 방금 전에 생각이 났대.

A: Why is manager Song **running along panting and puffing**?

B: He forgot about an appointment with a customer and remembered it just a moment ago.

5. A: 어릴 때는 왜 그렇게 자주 **뭔가에 걸려 넘어졌는지** 몰라.

B: 네가 너무 활동적이어서 그랬겠지.

A: I don't know why I used to **trip on things and fall over** so often when I was a child.

B: You must have been a very hyperactive child.

39 신체
동작
다리 · 발

☐ 다리를 꼬고 앉다
sit with one's legs crossed

☐ 무릎을 굽히다 / 펴다
1. _____ / stretch out one's knees

☐ 무릎을 꿇고 앉다
sit kneeling

· sit kneeling
= *kneel*
= *sit on bent knees*

· stand on tiptoe
= *stand on the tips of one's toes*

· put one's soles together
= *put the bottom of one's feet together*

· wiggle one's toes
= *wriggle one's toes*

☐ 앞차기하다
2. _____ to the front

☐ 발끝으로 서다
stand on tiptoe

☐ 발바닥을 마주보게 하다
put one's soles together

☐ 한 쪽 다리를 내밀다
put one leg out

☐ 다리를 벌리다
3. _____ one's legs

☐ 발가락을 꼼지락거리다
wiggle one's toes

More Expressions

☐ 양반다리를 하고 앉다   *sit Indian style = sit cross-legged*
      = sit with one's legs crossed
☐ 다리를 일직선으로 짝 펴다   *do (Chinese) splits*
☐ 다리를 떨다   *jiggle one's leg*
☐ 옆차기하다   *kick to the side*
☐ 뒤로 돌려차다   *turn around and kick*
☐ 다리를 집어넣다   *pull one leg back*
☐ 다리를 모으다   *put one's legs together*

Small Talks

1. A: 전철에서 **다리를 꼬고 앉은** 사람 앞에 서 있으려면 여간 불편한게 아니야.
   B. 맞아. 특히 사람이 붐빌 때는 그러지 말 아야 하는데.

A: *In the subway if you stand in front of someone who's **sitting with their legs crossed**, it's very uncomfortable.*
B: *Right. Especially when it's crowded, people shouldn't do that.*

2. A: **발끝으로 서서** 지금 뭐 하는 거야?
   B: 응. 발레리나 흉내내고 있는 중이야. 멋 있지 않니?
   A: 대답 안 할래.

A: *Why are you **standing on the tips of your toes**?*
B: *I'm imitating a ballerina. Aren't I beautiful?*
A: *No comment.*

3. A: 한국사람들은 **양반다리를 하고** 많이들 **앉아요.**
   B: 불편할텐데요. 저같은 미국사람은 그렇게 는 5분 이상 못 앉아 있을 걸요.

A: *Many Korean people **sit Indian style**.*
B: *That must be uncomfortable. An American like me wouldn't be able to sit that way for more than five minutes.*

미국에서도 연장자 앞에 서 다리를 꼬는 게 무례한 가요?

미국에서는 다리를 꼬고 앉 는 것이 예의에 벗어나는 행위는 아니다. 미국에는 경로우대사상이 없으며 18 살 먹은 대학생이나 80살 먹은 할아버지를 똑같은 성 인으로 간주하므로 할아버 지 앞에서 다리를 꼬고 앉 았다고 야단 맞는 일은 없 다.

4. A: **다리를** 조금 더 **벌려** 보세요.
   B: 이 정도면 됐어요?
   A: 네. 그런 다음 허리를 구부려 손을 땅에 대 보세요.

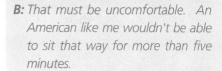

A: ***Spread your legs** a little more.*
B: *Is this enough?*
A: *Yes. Then next, bend over and try to touch the ground with your hands.*

신체 동작
팔

□ 팔을 쭉 뻗다
1. _____ one's arms out

□ 팔을 구부리다
bend one's arms

□ 팔을 뒤로 젖히다
swing one's arms up and behind

□ 팔짱을 끼다
2. _____ one's arms on one s chest

□ 양 팔을 옆으로 벌리다
spread one's arms out

□ 손목을 돌리다
3. _____ one's wrists

· swing one's arms up and behind
cf) *swing one's arms to the sides and behind*

· spread one's arms out
= *open one's arms*

□ 밀다
push (sb/sth)

□ 잡아 당기다
(grab and) pull

More Expressions

□ 자신의 팔짱을 낀 채 걷다	*walk with one's arms folded*
□ 다른 사람과 팔짱을 끼고 걷다	*walk arm in arm with sb*
□ 다른 사람의 팔짱을 끼다	*take sb's arm*
□ 밀어 넘어뜨리다	*push over (sb/sth)*
□ 팔굽혀 펴기를 하다	*do push-ups*
□ 팔을 펴다	*straighten one's arms*

Small Talks

1. **A:** 어쩌다가 팔이 그렇게 됐어?
   B: 나도 몰라. 그냥 갑자기 **팔을 뒤로 젖혔더니** 삐끗했나 봐.

   A: How did your arm get like that?
   B: I don't know. Just when I **swung my arm up and behind** suddenly, something went wrong.

2. **A:** 보통 퇴근하고 집에 가면 우리집 꼬마가 웃으면서 뛰어 나옵니다.
   B: 귀여워라! 그러면 어떻게 하세요?
   A: **두 팔을 벌리고** 아이를 꼬옥 안아주죠.

   A: Usually when I go home after work, my little girl comes running out smiling.
   B: How cute! So what do you do?
   A: I **open my arms** and hug her.

3. **A:** 어제 Tina와 처음으로 데이트를 했어요.
   B: 와, 재미있으셨어요?
   A: 네. 그녀가 **팔짱을 끼어도** 되겠느냐고 물어서 너무 기뻤어요.

   A: Yesterday I had a date with Tina for the first time.
   B: Wow, did you have a good time?
   A: Yes. When she asked if she could **take my arm**, I was so happy.

4. **A:** 옷이 왜 그렇게 더러워요?
   B: 동네 아이들이 장난으로 등 뒤에서 나를 **밀어 넘어뜨렸지** 뭐에요.

   A: Why are your clothes so dirty?
   B: The neighborhood kids **pushed** me **over**[down] from behind as a joke.

신체동작
손·손가락

- use sign[finger] language
  = *do sign[finger] language*

- make a fist
  = *show one's fist*

- shake off sb's hand
  = *push away sb's hand*

- slap hands
  cf) *clap hands*
  (자신의 손일 경우)

- make the V sign
  = *show a V sign*

- touch sth with one's hands
  = *feel sth*

□ 수화를 하다
use sign[finger] language

□ 손바닥을 마주대다
put palms together

□ 손가락으로 '딱' 소리 내다
1. _____ one's fingers

□ 주먹을 쥐다
2. _____ a fist

□ 손을 뿌리치다
shake off sb's hand

□ 손바닥을 마주치다
slap hands

□ 손톱을 이빨로 물어 뜯다
bite one's fingernails

More Expressions

□ 손을 꼭 잡다	*hold sb's hand(s) tight*
□ 손을 놓다	*let go of sb's hand(s)*
□ 무엇을 찾느라 더듬거리다	*grope around looking for sth*
□ 손가락마디를 꺾어 소리를 내다	*crack one's knuckles*
□ 손을 비비다	*rub one's hands (together)*
□ 주먹을 펴다	*open one's fist[hand]*

□ V자를 그리다
make the
V sign

□ 손가락을 쫙 벌리다
spread one's
fingers out

□ 손을 흔들다
3. _____ one's
hand(s)

□ 손에 호하고 입김을 불다
blow on one's hand(s)

□ 물건을 손에 쥐다
hold[grab] sth

□ 손을 내밀다
put out one's
hand(s)

□ 손을 뒤집다
4. _____ one's
hands over

□ 손을 잡다
hold[take] hand(s)

□ 손으로 더듬다
touch sth with
one's hands

1. **A:** 길 건너편에서 누가 당신을 보고 **손을 흔드는데요**.

  B: 누구요? 저 사람 말이에요? 난 전혀 모르는 사람인데요.

*A: Someone is looking at you and **waving** from across the street.*
B: Who? You mean that person? I don't even know him.

2. **A:** 이 산은 경사가 너무 급해. 난 더 이상 못 올라 가겠어.

  B: 괜찮아. **내 손을 꼭 잡아**. 내가 도와줄게.

A: This mountain is too steep. I can't go up any farther.
*B: It's all right. **Hold my hand tight**. I'll help you.*

3. **A:** 오늘 너무 춥다. 손이 얼어 붙는 것 같아.

  B: **손을 비벼** 봐. 손이 조금은 따뜻해질거야.

  A: 그러는 게 낫겠다. 연신 **손에 입김을 불어도** 여전히 차가워.

A: It's too cold today. My hands feel like they're freezing.
*B: Try **rubbing them**. They'll get a little warmer.*
*A: I'd better do that. I've been **blowing on my hands**, but they're still cold.*

Tips

손을 사용하는 body language는?

'snap one's fingers' (손가락으로 딱 소리를 내다)는 마침내 답을 알아냈을 때 흔히 사용하는 손짓인데. 이런 손짓을 식당에서 waiter를 부를 때 하면 미국에서는 아주 무례한 행동으로 간주된다. 또 행운을 빈다고 할 때는 검지와 중지를 꼬고 'I wish you a luck!'이라고 말한다. 검지 손가락을 흔드는 것은 아이에게 주의를 줄 때와 회의 중에 중요한 발언을 하려고 주의를 환기시킬 때 사용한다. 이 밖에 엄지손가락을 이용한 'thumbs up'은 '좋다. 잘했다'란 의미이고, 'thumbs down'은 그 반대의 의미이다.

4. **A:** 회의시간에 누군가 자꾸 **손가락으로 딱 소리를 내던데요**.

  B: David이 그랬어요. 그 사람은 무심코 잘 그래요.

*A: During the meeting some guy kept **snapping his fingers**.*
B: It was David. He does that often without thinking.

5. A: 이 열쇠로 안 열리는데 어떻게 하지?
   B: 열쇠를 **잡고** 돌리면서 눌러야 돼.

A: This key doesn't open the lock. What should I do?
B: You have to **hold** the key and push as you turn it.

6. A: 너도 **손톱을 물어 뜯는** 버릇이 있구나. 나두 그래.
   B: 난 아주 오래됐어. 어릴 때는 이것 때문에 야단도 많이 맞았어.

A: You have a habit of **biting your fingernails**, too. So do I.
B: I've been doing it for a long time. When I was a child, I was scolded a lot because of this.

□ 입을 크게 벌리다
1. _____ one's
mouth wide

□ 턱을 내밀다
put[stick] one's
chin out

□ 입술을 오므리다
pucker[purse]
one's lip(s)

□ 입술을 깨물다
2. _____
one's lip(s)

□ 입술을 꽉 다물다
3. _____ one's
lips tightly

□ 혀를 내밀다
stick out one's
tongue

· put[stick] one's chin
out
= *thrust one's chin
out*

· clench one's teeth
[jaw]
= *set one's jaw*

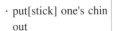

□ 이를 악물다
clench one's teeth[jaw]

□ 숨을 쉬다
breathe

□ 휘파람을 불다
whistle

More Expressions

□ 숨을 내쉬다	*breathe out = exhale*
□ 숨을 들이 마시다	*breathe in = inhale*
□ 혀를 집어넣다	*pull in one's tongue*
□ 턱을 안으로 집어넣다	*pull one's chin in*
□ 입술을 계속 물어뜯다	*keep biting one's lip(s) = chew one's lip(s)*

Small Talks

1. **A:** 치아검사를 해야 하니 **입을 크게 벌려** 보세요.
   B: 오래 걸리나요?
   A: 아니요, 금방 끝나요.

A: I need to examine your teeth, so **open your mouth wide**, please.
B: Will it take long?
A: No, it'll just take a moment.

2. **A:** Peter, 뭔가 걱정있으세요?
   B: 아니요. 왜요?
   A: **계속 입술을 물어 뜯고** 있잖아요.

A: Peter, are you very anxious about something?
B: Not really, why?
A: You **keep biting your lips**.

3. **A:** 이곳 공기가 너무 맑다. 마음껏 **들이 마시고** 가자.
   B: 그래. 도시에서는 어디를 가도 이렇게 공기 좋은 곳이 없지.

A: The air is very clear here. Let's **breathe in** all we can before we leave.
B: Yes. In the city no matter where you go, there's no air as good as this.

Tips

입과 관련된 표현과 body language는?

혀를 입 밖으로 내미는 경우는 아이들이 화가 났을 때 자주 하는 행동이다. 좋은 일로 크게 웃고 있을 때 쓰는 표현은 'grinning from ear to ear' 이고. 또 말로만 하겠다고 하고 실제로는 하지 않는 것을 'lip service' 라고 한다. 또 전 미국대통령 조지 부시가 유행시킨 read my lips는 'No More, Taxes!' 라고 공약해놓고 취임 후 세금을 올린 일을 빗대어 생겨난 정치적 풍자 용어로 '약속을 뒤집다' 라는 의미로 통용된다.

4. **A:** 밤에 **휘파람을 불면** 뱀이 나온다는 얘기 들어 보셨어요?
   B: 네. 예전에 어른들이 그러셨죠. 왜 그런 얘기를 하셨나 아직도 이해를 못 하겠어요.

A: Have you heard the saying that if you **whistle** at night snakes will come?
B: Yes. In the past the adults said that. I still can't understand why they said it.

☐ 눈살을 찌푸리다
frown

☐ 눈을 크게 뜨다
1. _____ one's
eyes wide

☐ 외면하다
turn away (from)

☐ 똑바로 응시하다
look directly at

☐ 눈을 깜빡거리다
2. _____ one's eyes

☐ 눈을 비비다
rub one's eyes

· turn away (from)
= *look away (from)*

· look directly at
= *stare at*

· look sb up and down
= *study sb up and
down*

☐ 멍하니 보다
3. _____ blankly

☐ 사람을 위 아래로 훑어보다
look sb up and down

More Expressions

☐ 눈을 가늘게 뜨다   *squint = barely open one's eyes*
                      = *have one's eyes barely open*

☐ 눈을 반쯤 뜨다   *have one's eyes half open*
☐ 눈을 부릅뜨고 보다   *glare at = look with glaring eyes*
☐ 곁눈질로 보다   *look at sb out of the side of one's eyes*
☐ 흘긋 보다   *take a glance at = steal a glance of*
☐ 대충 훑어보다   *glance over = run one's eyes over*

Small Talks

1. A: 며칠 전에 친구를 만나러 카페에 갔는데 어떤 남자가 계속 나를 **똑바로 쳐다보는** 기야.

B: 별별 이상한 사람이 다 있잖아. 또 모르지, 혹시 너한테 반했을지도!

A: A few days ago I went to a café to meet a friend and a man kept **looking directly at** me.

B: There are all kinds of strange people. Maybe he happened to fall in love with you!

2. A: 밤이 되면 술 취해서 고래고래 소리를 지르는 사람들이 있어요.

B: 네. 정말 **눈살을 찌푸리게** 하죠.

A: At night there are people who shout loudly when they are drunk.

B: Yes. They really make me **frown**.

3. A: 어젯밤에 길에 쓰러져 잠든 사람을 봤어.

B: 그래서 어떻게 했니?

A: 어떻게 할까 잠시 고민을 하다가 그냥 **외면하고** 갔어.

A: Last night I saw a person who had collapsed and was sleeping in the street.

B: So what did you do?

A: I worried about what to do for a moment and then just **turned away** and went.

Tips

눈으로 말해요!

미국인과 대화할 때는 반드시 상대방의 눈을 정면으로 응시해야 한다. 시선을 마주치기를 꺼려하면, 그들은 거짓말을 하거나 무언가를 숨기고 있다고 생각하여 믿을 수 없는 사람으로 간주한다. 눈을 보며 말하는 것이 미국인과의 대화 요령임을 명심하시길!

4. A: 홍 선생님, **눈을** 자꾸 **비비시는 걸** 보니 졸리신가 봐요?

B: 그게 아니라 눈에 뭐가 들어 갔어요.

A: 그래요? **눈을 크게 떠** 봐요. 제가 불어 드릴게요.

A: Seeing that you keep **rubbing your eyes**, are you sleepy, Mr. Hong?

B: It's not that. Something got in my eyes.

A: Really? Then **open your eyes wide**. I'll blow on them for you.

신체동작
코

□ 코를 풀다
1. _____ one's nose

□ 코를 킁킁거리다
sniff

□ 콧물을 닦다
wipe one's nose

□ 코를 막이 쥐다
2. _____ one's nose

□ 콧김을 내뿜다
breathe out of one's nose

□ 냄새를 맡다
smell (sth)

□ 코를 후비다
3. _____ one's nose

□ 콧구멍을 벌름거리다
flare one's nostrils

· smell (sth)
= *take a whiff of (sth)*

More Expressions

□ 누구의 말에 코웃음 치다 *snort at what sb says*
□ 코를 훌쩍거리다 *sniffle*

1. blow   2. hold   3. pick

Small Talks

1. A: 도서관에서 어떤 사람이 옆에 앉으면 가장 기분이 나쁘니?
   D: 디리를 띠는 시람.
   A: 난 계속 **코를 훌쩍거리는** 사람이 가장 거슬려.

A: What kind of person sitting next to you in the library upsets you the most?
B: The person who jiggles his leg.
A: People who keep **sniffling** bother me the most.

2. A: 이것 **냄새** 좀 **맡아** 보실래요?
   B: 흠, 아주 좋은데요. 무슨 향이에요?
   A: 국화 향이에요.

A: Would you please **smell** this?
B: Hmm, it's very nice. What scent is it?
A: It's the scent of chrysanthemums.

3. A: 난 부장님과 이야기하는 게 괴로워.
   B: 왜?
   A: 이야기 도중에 **코를** 잘 **후비거든**.

A: It's hard for me to talk to the manager.
B: Why?
A: While talking, he often **picks his nose**.

4. A: 이게 무슨 냄새죠? 아주 고약하네요.
   B: 정말 그래요. **코를 막아야**겠어요.

A: What's this smell? It really stinks.
B: It really does. We'll have to **hold our noses**.

39 신체 동작

머리

☐ 고개를 숙이다
bend down
one's head

☐ 고개를 들다
1. _____
one's head

☐ 박치기하다
bump heads

☐ 머리를 긁적거리다
scratch one's
head

☐ 고개를 끄덕이다
2. _____
one's head

☐ 고개를 흔들다
shake one's
head

☐ 고개를 돌리다
turn one's head

☐ 머리를 감싸 쥐다
hold one's
head in one's
hands

· bend down one's
  head
= bend one's head
  forward(s)
cf) bow one's head
  (존경, 인사의 의미)

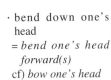

☐ 머리카락을 쥐어 뜯다
pull out one's
hair

☐ 비듬을 털다
3. _____ off
dandruff

More Expressions

☐ 고개를 갸웃거리다 *tilt one's head back and forth*

Small Talks

1. A: 아까부터 계속 **머리만 긁적거리고** 계시네요. 무슨 일 있으세요?

B: 전 생각을 골똘히 할 때 머리를 긁적거리는 버릇이 있어요. 보기 안 좋죠?

A: Since a while ago, you keep **scratching your head**. Is something wrong?

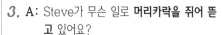

B: When I'm thinking intently I have a habit of scratching my head. It doesn't look good, does it?

2. A: 그렇게 **머리를 감싸 쥔다**고 좋은 생각이 나오겠어?

B: 네 말이 맞아. 밖에 나가서 산책이라도 하고 오자.

A: If you **hold your head in your hands** like that, will a good idea come out?

B: You're right. Let's go outside and take a walk.

3. A: Steve가 무슨 일로 **머리카락을 쥐어 뜯고** 있어요?

B: 저 사람 지금 자신에게 몹시 화가 났어요. 발표를 하다가 큰 실수를 했거든요.

A: What's causing Steve to **pull out his hair**?

B: He's extremely angry at himself right now. He made a big mistake while giving a presentation.

4. A: 프로 레슬링은 참 재미있어. 특히 **박치기 하는** 걸 보면.

B: 넌 재미있니? 난 프로 레슬링 선수들이 불쌍해 보이던데.

A: Pro wrestling is very interesting. Especially if you see them **bump heads**.

B: You find that interesting? Pro wrestlers look pitiful to me.

Tips ·

머리와 관련된 body language는?

나라마다 제스처의 의미가 다른 경우도 있지만. 대부분의 경우 비슷비슷한 것 같다. 미국에서도 헷갈릴 때 혹은 무언가를 생각해내려 할 때는 머리를 긁는 동작(scratching the head)을 하고. 제정신이 아니다라는 의미를 나타낼 때는 손가락으로 머리를 톡톡 치는 동작을 한다. 이밖에도 기가 죽으면 머리를 숙인다든지. 고개를 쳐들면 당당한 느낌과 약간은 거만한 느낌을 주는 등 우리와 그 의미가 비슷하다.

｜｜물구나무서나
do a handstand

□ 벽에 기대어 앉다
**sit 1. _____ on
[against] the wall**

□ 구르다
roll (over)

□ 웅크리고 앉다
**sit crouched
over**

· do a handstand
  (손이 바닥에 닿는 경우)
cf) *do a headstand*
   (머리가 바닥에 닿는
   경우)

· sit straight
  = *sit with a straight
  back*

· crouch
  = *curl up one's body*

□ 고개를 받치고 옆으로 눕다
**lie on one's side with
one's head in one's
hand[on one's arm]**

□ 몸을 뒤로 젖히다
bend backward(s)

□ 몸을 앞으로 구부리다
bend forward(s)

More Expressions

□ 엎드려 뻗치다	*take the push-up position*
□ 삐딱하게 앉다	*sit crooked*
□ 돌아 눕다	*turn to the other side = turn over*
□ 서로 등을 맞대고 눕다	*lie back to back*
□ 바로 눕다	*lie on one's back = lie straight*
□ 옆으로 눕다	*lie on one's side*
□ 공중제비[텀블링]를 하다	*do tumbling = tumble*
□ 엎드리다	*lie on one's stomach*

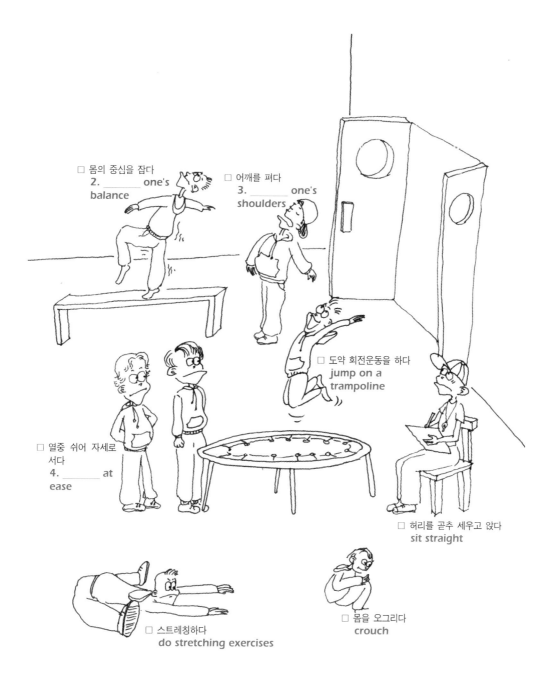

□ 몸의 중심을 잡다
2. _____ one's
balance

□ 어깨를 펴다
3. _____ one's
shoulders

□ 도약 회전운동을 하다
jump on a
trampoline

□ 열중 쉬어 자세로
서다
4. _____ at
ease

□ 허리를 곧추 세우고 앉다
sit straight

□ 스트레칭하다
do stretching exercises

□ 몸을 오그리다
crouch

1. A: 요즘 가수들은 춤출 때 **텀블링을** 자주 **하는** 것 같아요.

B: 텀블링만 하는 게 아니예요. **몸을 앞으로 구부렸다 뒤로 젖혔다** 정신이 없어요.

A: These days when singers dance, they often seem to **do tumbling**.

B: They do more than tumbling. They **bend forwards** and then they **bend backwards**, it's crazy.

2. A: 물 속에서 **몸을 오그리면** 물 위에 둥둥 뜬다는 거 아세요?

B: 네. 그게 잠수를 배울 때 하는 첫번째 동작이잖아요.

A: 그건 몰랐어요.

A: Do you know that if you **curl up your body** in the water you float?

B: Yes. That's the first step to learn in diving.

A: I didn't know that.

3. A: **물구나무 설 줄** 아세요?

B: 네. 그게 건강에 좋다고 해서 가끔씩 해요.

A: Can you **do a handstand**?

B: Yes. That's supposed to be good for health, so I do it once a while.

4. A: 며칠 전부터 등이 아파.

B: 왜 그럴까? 넌 평소에도 **허리를 똑바로 세우고** 앉잖아.

A: My back hurts since a few days ago.

B: Why would that be? You usually **sit straight**, don't you?

5. A: 몸이 안 좋아 보이는데 이 쪽으로 와서 **벽에 기대어 앉으세요.**
   B: 아니, 괜찮아요. 소화가 안 돼서 그러는 것 뿐이에요.

A: *You look like you're not feeling well. Come over here and **sit leaning against the wall**.*
B: *No. I'm all right. I'm having a little trouble with my digestion, that's all.*

6. A: 이봐! 기운 좀 내. **어깨도 쭉 펴고.** 여자 친구와 헤어질 수도 있지 뭐.
   B: 그렇게 말해줘서 고마워.

A: *Come on! Cheer up. **Straighten your shoulders**. Lots of people break up with their girl friends.*
B: *Thanks for saying that.*

7. A: TV볼 때 어떻게 하고 보세요?
   B: 소파에 앉아서 봐요. 당신은요?
   A: 전 주로 **고개를 받치고 옆으로 누워서** 봐요.

A: *How do you watch TV?*
B: *I watch it sitting on the sofa. How about you?*
A: *I usually watch it **lying on my side with my head in my hand**.*

Chapter six

희노애락을 중심으로

희노애락

웃음

□ 큰 소리로 웃다
laugh out loud

□ 활짝 웃다
1. _____ **broadly**

□ 거짓으로 웃다
**make[do] a fake
[false] laugh**

□ 웃음을 터뜨리다
2. _____ **out in
laughter**

□ 때굴때굴 구르며 웃다
**double up with
laughter**

□ 웃음을 참다
**struggle not to
laugh**

· make[do] a fake
 [false] laugh
 = *feign laughter*

· burst out in laughter
 = *burst out laughing*

· double up with laugh-
 ter
 = *die laughing*

· struggle not to laugh
 = *hold (in) one's
 laughter*

□ 남을 웃기다
3. _____ **sb laugh**

More Expressions

□ 킥킥거리다   *giggle*
□ …을 보고 싱글싱글 웃다   *beam upon[at] sb*
□ 비웃다   *sneer at = scorn at = scoff at = jeer at*
□ 배꼽 빠지도록[숨이 넘어갈 만큼] 웃다   *laugh oneself into convulsions[to death]*
□ 폭소하다   *laugh off*
□ (이를 드러내고) 히죽 웃다   *grin*
□ (입을 벌리지 않고) 조용히 웃다   *chuckle*

Small Talks

1. **A:** 무슨 일로 그렇게 **큰 소리로 웃으세요**?

　　 B: 방금 미스터 최가 정말 웃긴 이야기를 하나 해줬거든요. 당신도 그 얘기를 들으면 당장 **웃음을 터뜨릴걸요.**

A: What's making you **laugh out loud**?

B: Mr. Choi just told me something funny. If you hear it, you'll **burst out laughing** too.

2. **A:** 계속 **킥킥거리지만** 말고 뭐가 그렇게 재미있는지 말해줘.

　　 B: 과장님 머리가 새 둥지 같아. 한번 봐.

A: Don't just keep **giggling**, tell me what's so funny.

B: The section chief's hair is like a bird's nest. Just look at it.

3. **A:** 계속 그렇게 Jason을 놀리지 마, Tina. 불쌍하잖아.

　　 B: 나도 내가 심하다는 걸 알아. 하지만 그의 이상한 헤어스타일을 보면 그를 **비웃지** 않을 수 없어.

A: Don't keep making fun of Jason, Tina. He's to be pitied.

B: I know I'm being hard on him. But I can't help **sneering at** him when I see his strange hairstyle.

4. **A:** 미스 구한테는 웃긴 얘기를 해주면 안된다니까.

　　 B: 왜 그런데?

　　 A: 조금만 웃겨도 **때굴때굴 구르면서 웃거**든.

A: You can't tell Miss Koo anything funny.

B: Why not?

A: If it's even a little funny, she almost **dies laughing**.

Tips

미안하다고 하면서 웃으면 큰 실례!

우리는 잘못을 하게 되면 계면쩍어서 웃는 경우가 있다. '웃는 얼굴에 침 못 뱉는다' 라는 속담을 믿고 미국인에게 미안하다고 말하면서 히죽 웃었다가는 심한 오해를 받을 수 있다. 그들은 심각한 표정으로 사과해야 정말로 미안해하고 있다고 생각한다.

희노
애락

울음

☐ 울썩거리다
1. _____ sniffling

☐ 흐느끼다
sob

☐ 울음을 참다
2. _____ back
one's tears

☐ 대성통곡하다
wail loudly

☐ 울음을 터뜨리다
burst out crying

☐ 눈물을 흘리다
shed tears

· sob
= *be choked up with tears*

· hold back one's tears
= *keep from crying*

· wail loudly
= *lament loudly*
= *mourn bitterly*

· burst out crying
= *burst out in tears*

· shed tears
= *tears roll down one's face*

☐ 눈물을 훔치다
wipe (away) one's tears

☐ 눈물을 억지로 짜다
3. _____ tears

More Expressions

☐ 울고 불고 난리를 치다 *make a scene crying*
☐ 눈이 붓도록 울다 *cry one's eyes out*
☐ 실컷 울다 *have a good cry*

Small Talks

1. A: 왜 **눈물을 흘리세요**?

B: 우는 게 아니라, 눈에 뭐가 들어가서 그래요.

A: *Why are you **shedding tears**?*

B: *I'm not crying. There's something in my eye.*

2. A: 년 당장이라도 **울음을 터뜨릴 것** 같구나. 왜 그래?

B: 북한의 굶주리고 있는 아이들을 생각하고 있었어.

A: *You look like you're about to **burst out crying**. What's wrong?*

B: *I was just thinking of all the starving children in North Korea.*

3. A: 아들 녀석이 장난감을 사달라고 **울고 불고 난리를 쳤어요**.

B: 그래서 어떻게 하셨어요?

A: 가만히 보니까 **눈물을 억지로 짜고 있더라구요**. 그래서 안 사줬어요.

A: *My son **made a scene crying** and asking me to buy him a toy.*

B: *So what did you do?*

A: *When I looked closely, he was **forcing his tears**. So I didn't buy it for him.*

4. A: 한국사람들은 장례식 때 **대성통곡을 하는** 경우가 많은데 미국은 다른 것 같아요.

B: 네. 미국사람들은 큰 소리로 울기도 하고 **흐느끼기도** 하지만 대성통곡을 하는 경우는 드물어요.

A: *At funerals, Korean people often **wail loudly**, but in America it seems different.*

B: *Yes. American people cry and **get choked up with tears**, but they rarely wail loudly.*

희노
애락

싸움 I

□ 치고 박고 싸우다
**fight hitting
each other**

□ 위에 올라타다
1. _____ on top
of sb

□ 따귀를 때리다
2. _____ sb on
[across] the cheek

□ 몽둥이로 때리다
club sb

□ 한 방 먹이다
punch sb

□ 맞고 쓰러지다
get 3. _____ down

· club sb
 = *hit or beat sb with a
 stick[a club]*

· punch sb
 = *strike sb hard with
 the fist*

· get knocked down
 = *get hit and fall down*

· grab sb's collar
 = *grab sb by the collar*
 cf) *grab sb's neck*
 = *grab sb by the neck*

□ 멱살을 잡다
grab sb's collar

□ 할퀴다
scratch (sb)

1. get 2. slap 3. knocked

Small Talks

1. A: 어릴 때 형제들과 많이 싸우셨어요?

B: 네. 저는 남자 형제만 있어서 거의 매일 **치고 박고 싸웠어요**.

A: When you were a child, did you often fight with your brothers and sisters?

B: Yes. I had only brothers so nearly every day we **fought hitting each other**.

2. A: 옆 집에 사는 남자는 항상 쓰레기를 우리집 마당에 버립니다.

B: 그러지 말라고 경고를 줬나요?

A: 아무리 말해도 듣질 않아요. 다음에 만나면 **한 방 먹여야**겠어요.

A: The man living next door always throws his trash in our yard.

B: Did you warn him not to do that?

A: No matter how often I tell him, he doesn't listen. Next time I meet him, I'm going to **punch** him.

3. A: 아니, 얼굴이 왜 그 모양이에요, 서 선생님?

B: 말도 마세요. 어젯밤에 늦게 들어갔더니 집사람이 **할퀴었어요**.

A: 부인이 성질이 대단하시군요.

A: What happened to your face, Mr. Seo?

B: Don't even talk about it. I got in late last night and my wife **scratched** me.

A: Your wife has an incredible character.

4. A: 미국에 갔을 때, 밤에 뉴욕을 돌아다니는데 어떤 사람이 갑자기 **내 멱살을 잡는 거야**.

B: 뉴욕을 밤에 돌아다녔어? 너 미쳤니?

A: 난 그렇게 위험한지 몰랐지.

A: When I went to America, I was going around New York at night when a person suddenly **grabbed me by the neck**.

B: You went around New York at night? Are you crazy?

A: I didn't know it was that dangerous.

희노애락

싸움 II

□ 으름장을 놓다
threaten (sb)

□ 고함지르다
shout (at sb)

□ 말다툼을 하다
have an argument

· threaten (sb)
cf) *intimidate*
　(위협해서 상대방의 언행
　을 속박하는 경우)
cf) *menace*
　(위협하는 사람의 가해할
　가능성을 강조하는 경우)

· shout (at sb)
　= *yell (at sb)*

· have an argument
　= *have strong words
　with one another*

· fight back
　= *stand one's ground
　and fight*

□ 패싸움을 하다
1. _____ a gang
fight

□ 싸우는 사람을 말리다
try to 2. _____ a
fight

□ 시비를 걸다
*start a fight[an
argument, a quarrel]*

□ 말꼬리를 잡다
3. _____ issue with
what sb says

□ 맞서 싸우다
fight back

More Expressions

□ 싸우는 사람들을 떼어놓다　*break up the people who are fighting*

Small Talks

1. A: 우리 아들은 밖에 나가기만 하면 맞고 들어와요.

B: 저런! 맞지만 말고 **맞서 싸우라고** 그러세요.

A: Every time our son goes out, he gets hit.

B: Oh no! Tell him not to just be hit but to **fight back**.

2. A: **싸우는 사람을 말리다가** 가끔씩 내가 맞는 경우가 있어요.

B: 싸우는 사람들은 워낙 화가 났기 때문에 말리는 사람도 미울 거예요.

A: Sometimes I get hit when **trying to stop a fight**.

B: People who are fighting are so angry, they don't like the person who is stopping them.

3. A: 너 방금 뭐라고 그랬니? 내가 좀 더 철 들어야 된다고?

B: **말꼬리 잡지** 마. 지금 그 얘기가 중요한 게 아니잖아.

A: What did you just say? That I have to become more mature?

B: Don't **take issue with what I said**. That's not the important thing now.

□ 꼬옥 껴안다
hug (sb)

□ 등 뒤에서 껴안다
1. _____ sb from behind

□ 뺨에 키스하다
kiss sb on the cheek

· hug (sb)
= *put arms round (sb) tightly to show love*
= *embrace (sb)*
(embrace는 부드럽게 포옹하는 경우에 더 많이 쓰임)

· take sb's arm
= *put one's hand through sb's arm*

· pat sb
= *pat sb on the head as a sign of affection*

□ 상대방의 팔짱을 끼다
take sb's arm

□ 애교를 부리다
2. _____ charming

□ 팔로 어깨를 감싸다
put one's arm around sb's shoulders

□ 머리를 쓰다듬다
pat sb

□ 안아 올리다
3. _____ sb up

More Expressions

□ 어리광을 부리다   *act like a baby = act spoiled*
□ 안아서 빙빙 돌리다   *hold sb and swing him[her] around*
□ 머리카락을 어루만져 주다   *stroke sb's hair*

Small Talks

1. A: 누구와 **키스해** 본 적 있어?
B: 첫 번째 여자친구의 뺨에만 해 봤어.

A: Have you ever **kissed** anyone?
B: Only my first girlfriend on the cheek.

2. A: 난 누가 내 **머리카락을 쓰다듬어주는** 걸 좋아해.
B: 난 머리를 만져 주면 잠이 오던데.

A: I like it when someone **strokes my hair**.
B: If someone strokes my hair, I get sleepy.

3. A: 새로 나온 화장품 광고 봤어?
B: 멋진 청년이 모델을 **안아서 빙빙 돌리는** 그 광고 말이야?

A: Did you see that commercial for the new makeup?
B: Do you mean the one where the clean-cut young man **holds** the model **and swings** her **around**?

Tips

거리에서의 키스문화는?

미국에서도 거리에서 진한 애정표현을 하는 사람은 별로 없다. 그러나 private한 공간이라고 생각되면 대부분의 미국인은 자유롭게 애정표현을 한다. 우리가 TV에서 보는 외국사람들의 진한 애정표현은 주로 남미나 유럽 일부 국가에만 해당되는 이야기이다.

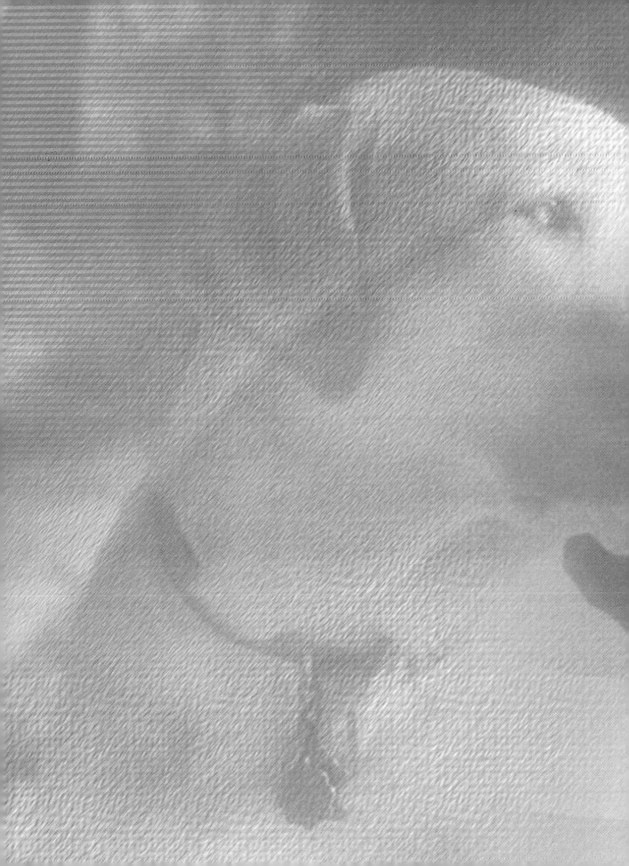

Chapter seven

동물의 동작을 중심으로

41. 동물의 생활

41 동물의 생활

동물의 움직임

□ 집단으로 이동하다
1. _____ in a group [pack, flock, herd, school]

□ 필사적으로
도망치다
run for one's life

쏜살같이 내리덮치다
swoop down

□ (독수리가)
먹이를
낚아 채다
**(the eagle)
snatches up
its prey**

□ 목덜미를 물다
bite the jugular vein

□ 모이를 쪼아먹다
**peck at the
feed**

· give birth to ...
= *have ...*

· stalk sb/sth
= *approach sb/sth
secretly*

· hibernate
= *sleep through the
winter*
= *have a long winter
sleep*

□ 앞발로 할퀴다
2. _____
**with its front
paw(s)**

□ 물을 모조리 핥아 먹다
3. _____ **up water**

□ 새끼를 낳다
4. _____ **birth to ...**

More Expressions

□ 알을 까고 나오다[부화하다]	*break out of the egg = hatch*
□ 털갈이를 하다	*shed fur*
□ 덫에 걸리다	*be caught in a trap*
□ 알을 품다	*sit on the egg(s) = keep the egg(s) warm*
□ 사냥하다	*hunt (sth) = chase (sth)*

426 41. 동물의 생활   **1. move 2. scratch 3. lick 4. give 5. lay 6. shed**

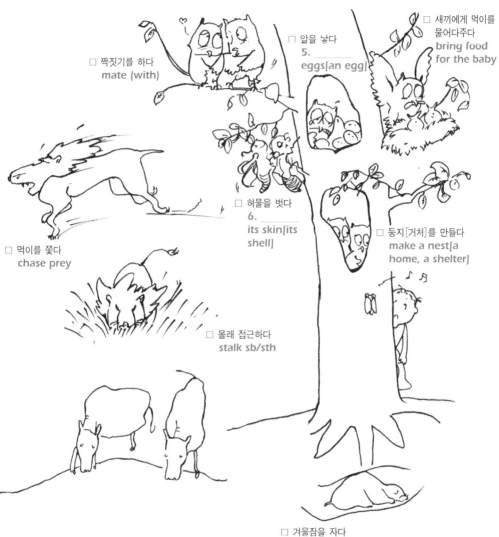

□ 짝짓기를 하다
mate (with)

□ 알을 낳다
5. _____
eggs[an egg]

□ 새끼에게 먹이를
물어다주다
bring food
for the baby

□ 먹이를 쫓다
chase prey

□ 허물을 벗다
6. _____
its skin[its
shell]

□ 둥지[거처]를 만들다
make a nest[a
home, a shelter]

□ 몰래 접근하다
stalk sb/sth

□ 겨울잠을 자다
hibernate

Small Talks

1. A: 우리집 개가 **새끼를 낳았어요.**
   B: 축하해요. 몇 마리나 낳았는데요?

A: Our dog **had puppies.**
B: Congratulations! How many puppies did she have?

2. A: 에디슨은 어릴 적에 **알이 부화하는** 것을 보려고 자기가 직접 **알을 품었었대.**
   B: 그래? 아무튼 그런 실험정신이 있어야 사람은 성공을 한다니까.

A: I heard that when Edison was a child he **kept some eggs warm** to see them **hatch.**
B: Really? At any rate, if a person has that kind of experimental mind, they can succeed.

3. A: 동물들이 어떻게 아무것도 먹지 않고 **겨울잠을 자는**지 너무 신기하지 않니?
   B: 그래서 겨울잠이 시작되기 전에 충분히 먹어 두잖아.

A: Isn't it mysterious how animals can **hibernate** in winter and not eat anything?
B: That's why they eat a lot before beginning to hibernate.

Tips

동물마다 울음소리는 어떻게 표현할까?

고양이는 meow, 개는 bow wow / growl / howl / whine, 돼지는 oink, 말은 neigh, 쥐는 squeak, 비둘기는 coo, 암탉은 cluck, 수탉은 cock a doodle doo, 뱀은 hiss, 개구리는 croak, 벌은 buzz로 표현한다.

4. A: **사냥하는** 암사자는 정말 빨라요.

B: 네. 먹이에게 **몰래 접근했다**가 **목덜미를 무는** 걸 보면 그렇게 민첩할 수가 없어요.

A: A female lion which is **hunting** is very fast.

R: Yes. When you see them **stalk** the prey and **bite** its **jugular vein**, they are so agile.

5. A: 어젯밤 뉴스에서 밀렵꾼들이 놓은 **덫에 걸린** 곰을 보셨어요?

B: 네. 너무 아픈지 계속 신음소리를 내더군요.

A: 보는 것만으로도 너무 끔찍하더라구요. 그런 밀렵꾼들은 감옥으로 보내야 해요.

A: Did you see the bear that **got caught in** the poacher's **trap** on the news last night?

B: Yes, it was so hurt it couldn't stop squealing in pain.

A: It was really painful to watch. I think poachers like that should be put in jail.

ㄷ

人

ㅎ

Index

저자 이 찬 승

약력 1949년 출생, 서울대 졸

저서 • 한국인이 꼭 알아야 할 회화구문 140
　　　• 이찬승 Listening KNOW-HOW(Red · Green · Blue)
　　　• 전화영어 280(상 · 하권)
　　　• AFKN News Hearing 필수어휘 6000
　　　• 이찬승 절차별 무역상담영어(1 · 2 · 3권)
　　　• 이찬승 TOEIC VOCABULARY
　　　• 이찬승 미국어 Hearing(Brown · Red · Navy)

　　　— 이 외 「능률영문독해 리딩튜터 시리즈」, 「능률 VOCABULARY」등
　　　　중 · 고교 영어 학습물 다수

이찬승 영어회화 KNOW-HOW 시리즈

이런동작 저런행동 영어론 어떻게 말하지?

1999년 2월 10일 초판 제2쇄 발행 / 발행자 : 이 찬 승 / 저자 : 이 찬 승
발행처 : 서울 마포구 연남동 567-49 영상빌딩 (주)능률영어사
　　　　(우편번호 : 121-240)
전 화 : (02) 337-4900(대표전화)
FAX : (02) 337-4955
http://www.nypub.co.kr

등록번호 : 제1- 68 ISBN 89-7176-151-2 18740
＊ 파본은 교환해 드립니다

정가 : 13,000원

매회 시험에 나오는 어휘를 2배 능률로 암기하는

이찬승 TOEIC VOCABULARY

이렇게 다릅니다

1. 적중률이 더 높다

TOEIC기출문제와 국내외 수요 TOEIC 실전문제
들을 컴퓨터에 입력. 분석한 결과를 토대로 단어
를 선정하였기 때문에 이 교재에서 다룬 단어들
은 실제 TOEIC시험에 나오는 것들이다.

2. 실용표현의 정리가 돋보이고
역시 적중률이 높다

TOEIC시험이 international communication
능력을 평가하는 시험이기 때문에 실용적인 구어
표현을 많이 알고 있지 않으면 안된다. 이 교재는
이런 점을 감안하여 TOEIC에 꼭 나올만한 실용
표현들을 뽑아 주제별로 정리해 두었다.

3. 매우 효율적인 단어의
복습장치가 있다

단어는 첫 학습을 하고 난 다음 일정한 기간내에
복습을 하지 않으면 곧 잊어버리고 만다. 이 교재
는 이런 점을 감안하여 예문 속에 복습장치를 마
련했다. 앞에서 배운 단어가 뒤에 나오는 예문 속
에서 반복이 된다.

4. 풍부한 사진과 도표가
암기효율을 높여준다

해당 단어에 관련된 사진이나 도표를 많이 제시
함으로써 교재를 visual화 하고자 애썼다.
단어를 이해를 통해 암기할 수 있으며 단어를 강
하게 이미지화 함으로써 기억효과를 높였다.

5. 매회 시험에 나오는 숙어까지
정리했다

단어 선정때와 마찬가지로 국내외 실전문제집들
을 입력하여 사용빈도가 높은 것들만 뽑아 정리
해 두었다. 학습해두면 실제 시험에서 자주 마주
치게 될 것이다.

• Tape 별매

http://www.nypub.co.kr   능률영어사

생활영어 · TOEIC · TOEFL로 이어지는 30단계

이찬승 Listening 노하우

**6가지 Know-how를 통한
Listening의
최첨단 Solution!!**

- 총3권 〈RED · GREEN · BLUE〉
- Tape 별매

1. 발음 청취 know-how

문자로 보면 다 이해할 수 있는 것도 소리로는 못 알아듣는 증세. 〈이찬승 Listening 노하우〉 30단계 처방이면 깨끗이 치유된다.

2. 생활영어 청취 know-how

미국인과의 대화도, TV 드라마나 외화도, 그리고 TOEIC · TOEFL의 LC도 모두 다 생활영어다. 이 노하우 시리즈에서는 바로 이 생활영어 청취의 기초를 튼튼히 해 주는 것이 가장 돋보이는 부분이다.

3. 방송영어 청취 know-how

TV채널만 돌리면 쏟아져 나오는 싱싱하게 살아있는 본토 영어. 이 노하우 코스를 끝내는 그 날은 새로운 세상이 펼쳐진다. 지구촌 소식을 real time으로 접하고 또록또록 들려오는 영어표현이 갑자기 느는 그 기쁨은 이 세상 무엇과도 바꿀 수 없다.

4. 영미문화이해 know-how

영미문화에 대한 이해 없이는 영어를 제대로 이해하고 사용할 수 없다. 이 노하우 코스를 끝내면 한국인으로서 영어를 배울 때 꼭 알아야 할 영미문화까지 정리된다.

5. TOEIC · TOEFL 실전대비 know-how

TOEIC · TOEFL 성적을 단기간에 올릴 수 있도록 기초실력을 탄탄히해 줄 뿐만 아니라 실전적인 문제까지도 훈련시켜 준다.

http://www.nypub.co.kr 능률영어사

이찬승 영어회화 KNOW-HOW시리즈

한국인이 꼭 알아야 할 회화구문140

말문을 열어 주는 특징 5가지

특징 1 우리말을 담아 낼 영어구문 중 가장 자주 쓰이는 것들만 뽑았다

"…한 것이 마음에 걸려요" "…한 이유는 ~하기 때문이야" 등과 같이 우리말을 담아 내는데
꼭 필요한 영어구문 140개를 사용빈도를 고려하여 엄선했습니다. 이것만 훈련하고 나면
지금까지 금방 표현이 안 되던 고민의 많은 부분이 해결됩니다.

특징 2 훈련 방식이 실제 회화할 때처럼 <우리말→영어>순이다

성인이 되어 영어를 외국어로 배울 때는 회화와 같은 '표현기능'은 원래 <모국어→외국어>의
방향으로 훈련을 하는 것이 효율적이란 것은 널리 알려진 이론입니다.
말은 영어로 해도 머리 속에 먼저 떠오르는 것은 우리말이죠? 오늘부터 훈련 순서를 바꾸어 보십시
오.

특징 3 표현과 대화가 실제 상황에 바로 쓸 수 있는 것들이다

실제 영미인들을 만나면 그동안 연습해 두었던 표현들이 쓸모 없는 것이 되고 마는 것은 교과서 냄새
가 나는 고리타분한 교재들로 훈련했기 때문입니다. 이 교재 속의 구문들은 한 번 학습해 두면 10배
로 응용할 수 있고, 표현들 또한 바로 써먹을 수 있는 매우 실용적인 것들입니다.

특징 4 학습자가 직접 대화해 볼 수 있다

교재의 대화구성이 학습자가 실제로 대화해 볼 수 있도록 되어 있습니다.

특징 5 녹음방식이 user-friendly하다

<우리말→영어> 순의 build-up방식을 채택해 학습자가 스스로 생각하고 직
접 영어로 말해볼 수 있습니다.

능률영어사 http://www.nypub.co.kr

• Tape 별매

"가장 신뢰할 수 있다"는 독자의 평가엔 이유가 있습니다.

영어가 안들리는 이유 60가지를 체계적으로 제거
이찬승 미국어 HEARING(Brown · Red · Navy)

국내에서 외국인을 만났을 때 꼭 필요한 대화를 통해 듣기 훈련을 하기 때문에 영어회화까지 해결되는 경이적인 듣기 · 말하기 프로그램입니다.

짧은 기간에 영어뉴스를 잘 알아 듣기위한 어휘학습 프로그램
AFKN NEWS HEARING 필수어휘 6000

뉴스에 단골로 나오는 어휘를 체계적으로 정복할 수 있게 한 것은 물론 각 뉴스용어의 배경지식까지 담았습니다.

매회 TOEIC시험에 출제되는 단어들만 뽑아 해설
이찬승 TOEIC VOCABULARY

토익문제를 개발하는 기관인 미국 ETS의 토익분과 디렉터 였던 Mr. Sindlinger가 직접 개발하고 능률영어사가 발행한 〈토익모의테스트〉와 병행학습하면 이상적입니다.

무역상담영어를 무역의 절차별로 총정리
절차별 무역상담영어 (1 · 2 · 3)

무역상담시 처할 각 상황에 꼭 필요한 표현들을 무역의 절차별로 총정리 하였습니다.
수출입 상담이나 전화를 할 때 큰 도움이 됩니다.

외국인과 전화를 할 때 자주 등장하는 표현 280개
이찬승 전화영어(상 · 하)

이책의 280개 표현이면 누구나 자신있게 외국인과 대화할 수 있게 됩니다.

영어로 우리말을 담아내는데 꼭 필요한 영어구문 140
한국인이 꼭 알아야 할 영어구문 140

영어를 외국어로 배우는 사람들의 '영작문' 교재가 〈한국어 → 영어〉 순이듯이 '영어회화' 도 〈한국어 → 영어〉 순서로 연습하면 놀라운 효과가 있습니다.

생활영어 · TOEIC · TOEFL로 이어지는 30단계
이찬승 Listening 노하우

발음청취, 생활영어 청취, 방송영어 청취, 영미문화 이해, TOEIC · TOEFL실전대비의 6가지 know-how를 통한 Listening의 최첨단 Solution입니다.

http://www.nypub.co.kr